新　潮　文　庫

フォルトゥナの瞳

百田尚樹著

新　潮　社　版

10396

フォルトゥナの瞳《ひとみ》

プロローグ

木山慎一郎《きやましんいちろう》は乗換駅の京急川崎駅で運良く座ることができた。

降車駅まで五分ほどだったが、残業で立ちっぱなしだった足と腰を休めたかった。

時刻は午後十時を過ぎていた。車内は混んでいた。

小さなため息をつきながら、正面に立っている男に目をやった。男は黒地に赤い花がデザインされた柄シャツを着ている。慎一郎はサラリーマンではないなと思った。疲れた顔をしているから、自分と同じように工場で残業していたのかもしれない。年齢も三十歳前後で自分と同じくらいに見えた。

男は色が白く、きゃしゃな体をしていた。いかにも眠そうに目を閉じ、右手で吊革《つりかわ》を握って体重をそこにかけている。手も女のように細い。

何気なくその手を眺めていたが、慎一郎はうん？　と首をひねった。男の手を透かして電車の天井部分が見える気がしたのだ。視力はいい方ではない。少し目を細めて男の手を見た。やはり透き通っているように見える。袖《そで》から出ている手首の部分が薄い輪郭だけを残して透明に見えるのだ。

目が疲れているせいだな、と慎一郎は思った。さっきまでずっと蛍光灯の下で車の傷をチェックしていたからかな。白い車についたかすかな傷を確認するために数センチの距離でボディーを凝視するのはかなり目に負担がかかる。

しばらく目を閉じてから、もう一度、吊革を握っている男の右手を見た。ところが、その手はさきほどと同じように透き通って見える。車内の照明の角度のせいかと思い、頭の位置を少しずらしてみた。すると、それに合わせて、男の手の向こうに透き通って見えている吊り広告が移動した。

慎一郎は指で両眼をこすってから、男の右手を凝視した。たしかに透けている。目の錯覚とは思えなかった。まさか、目の前の男が幽霊なんてことがあるだろうか。

視線をずらし、男の顔を下から覗《のぞ》きこんだ。別段変わったところはない。顎《あご》の細い痩《や》せた顔はどこにでもある平凡なものだった。左手はズボンのポケットにつっこまれている。次に全身を眺めた。シャツやズボンはまったく透けていない。両足もちゃんとある。慎一郎は少しほっとしながら、再び男の右手に目をやった——が、その手はやはり透けている。目を凝らすと、拳《こぶし》の中に握りこまれている吊革の取っ手部分も見える。まるで透明なビニールで出来た手で摑《つか》んでいるような感じだった。

馬鹿馬鹿《ばかばか》しい、と慎一郎は目を閉じて心の中で呟《つぶや》いた。人間の手が透き通っているはずがない。これは何かのトリックだ。自分が「手」だと思っているものは、実際は手ではなく、透明なギミックかもしれない。目の前の男は自分のように工場で働く労働者なんかではなくマジシャンか何かだ。ここで新作のマジックを練習しているのだ。だとしたら、なかなかよくできている。それとも吊革に何か仕掛けがあるのだろうか。

その時、電車がカーブで揺れた。目の前の男は少しバランスを崩し、吊革から一瞬、右手を離し、すぐに持ち直した。

すごい！　まるで本物の手のようだ。慎一郎は賞賛の眼差《まなざ》しを男に送った。男は相変わらず目を閉じたままだった。眠っているふりをしているのだろうか。さりげなさを装《よそお》って皆を驚かせようと思っているのか。

周囲の乗客の中に男の不思議な右手に関心を払っている者はいない。おそらく誰も透明に見える手に気付いていないのだ。

やがて電車が駅に着いた。男は吊革から手を離すと、多くの乗客と降りていった。慎一郎はさっきまで男が摑んでいた吊革を見上げた。何の変哲もない吊革が小さく揺れていた。

川崎大師の駅を出てアパートに戻った途端、小雨が降り始めた。

そういえば今日から関東地方が梅雨入りしたとテレビの天気予報で言っていたな、と思い出しながら階段を上がる。築三十年以上は経《た》つ木造二階建てアパートの外付け階段は、一足ごとにぎいぎいと音を立てた。

アパートは台所と和室が一部屋しかない。慎一郎は和室に入ると、万年床の上にごろりと体を横たえた。窓の外から強くなった雨の音が聞こえる。胸ポケットからタバコを取り出して火を点《つ》けた。大きく吸い込んで息を吐くと、煙が天井に向かって上っていった。

それを見ながら、ふと電車の中で見た光景を思い出した。あの時はマジックだと思ったが、実際のところはやはり目の錯覚にすぎなかったのだろう。あの男はたまたま天井部分と同じ色の手袋か何かを付けていたのかもしれない。それ自体が保護色みたいになって、透明に見えたのに違いない。

右手を上にかざして掌を開く。この掌が天井と同じ灰色なら透明に見えることがあるのかもしれないなと思った。目を閉じると、そのまま眠りに落ちてしまった。

1

翌朝、慎一郎は珍しく寝過ごしてしまい、工場に着いたのは九時十分前だった。雨は昨夜からずっと降り続いている。

仕事は九時からなので、工場の二階にある更衣室で急いで作業服に着替えた。ガレージに降りた時には五人の同僚が既に準備をしていた。慎一郎は「おはようございます」と挨拶《あいさつ》をしたが、返事をする者は誰もいない。いつものことだが、楽しい気分にはならない。しかしそのことは気にしないでおこうと思った。

作業帽をかぶると気持ちが引き締まる。さあ、これから一日孤独な仕事を始めるぞと心の中で自分に言った。

慎一郎の職場は自動車のコーティング工場だ。勤めて五年になる。七年前、中学卒業以来六年間勤めていた工場が倒産して、二年以上、フリーター生活を続けていた。定職に就きたかったが、長引く不況のため、なかなか正社員にはなれなかった。せめて大学卒の資格でもあれば、と定時制高校しか出ていない自分の境遇を何度も恨んだ。

今の職場を見つけたのは、まったくの偶然だった。川崎市の浜川崎《はまかわさき》の倉庫会社にアルバイトの面接に行った帰り、駅までの道を歩いているとき、あるガレージの前に高級な外車が何台も並んでいるのを目にした。周囲に店などもない工場街にそぐわない感じがして、足を止めて何気なくガレージを覗《のぞ》き込んだ。中は大きな倉庫のようになっていて、何人かの男たちが車を手で洗っていた。それまで目にしたことのない光景だった。

しばらく眺めていると、後ろから声を掛けられた。

「お客さんですか」

振り返ると、薄汚れた作業服を着てキャップをかぶった中年男性が立っていた。小柄だが肩幅の広いがっちりした男だった。

「すみません、違うんです」

慎一郎は慌《あわ》てて言った。

「すごい車が沢山並んでいるんで、つい眺めてしまいました」

男は白い歯を見せた。

「たしかにどれもこれもすごい車ばかりだよな。世の中にはこんな車を乗りまわしている人も沢山いるんだよ」

男は太い大きな声でそう言うとガレージ内の車を見渡した。

「車を洗ってるんですか」

「あれは洗ってるんじゃない」と男は言った。「ここは車を磨いてコーティングするとこだ。コーティングってわかるかな。車の表面をガラスで化粧するんだ」

「そうなんですか」

「まあ贅沢《ぜいたく》な話だけど、お客さんは車を愛している人ばかりだ」

「おじさんも車を愛してるんですね」

男は、いや、と言った。

「車ももちろん好きだが、それよりもこの仕事そのものが好きだな。自分が磨いた車が綺麗《きれい》になるのも気持ちいいが、磨き上がった車を見て喜ぶオーナーの顔を見るのが一番嬉《うれ》しい」

そう言って細い目を一層細めた。

慎一郎は目の前にある黒い車に目をやった。車種はまるでわからなかったが、高価な外車ということだけはわかった。ボディーはピカピカに光っていた。

「これは新車ですか」

慎一郎の質問に、男はにやっと笑った。

「登録して十年目の車だよ」

思わず車を見直した。とても十年前に作られた車とは思えなかった。

「新車みたいですね」

「うちの磨きの技術は日本一だと思っている」

中年男はキャップをかぶり直すと、少し自慢気に言った。その顔には職人の誇りのようなものがあった。慎一郎は顔を近づけてもう一度車を見た。黒いボディーは鏡のように慎一郎の顔をくっきりと映していた。

「素敵な仕事ですね」

慎一郎は感心するように呟《つぶや》いた。

「ああ、いい仕事だ」

「こんなところで働きたいです」

男は嬉しそうに頷《うなず》くと、「車が好きなのか」と訊《き》いた。

「いいえ、特に」と慎一郎は答えた。「自分で運転したことは一度もないです。あ、教習所以外では」

男は白い歯を見せた。

「君、今の仕事は？」

「コンビニで働いています」と慎一郎は言った。「アルバイトですが——」

「本気でここで働きたいのか」

「はい」

男は慎一郎の体を値踏みするように見た。

「背は高いが、痩《や》せてるな」

「すいません」

「別に謝ることじゃない。よし、じゃあ、今から事務所に行こう」

そう言うと、男は奥に向かって歩きかけた。

「事務所に社長がおられるんですか」

男は振り向くと、ぶっきらぼうに答えた。

「俺が社長だよ」

それが遠藤《えんどう》との出会いだった。

半年の見習い期間を経て、遠藤は慎一郎を正社員にしてくれた。職歴や学歴などは一切訊《たず》ねられなかった。

かなり後になって、そのことを遠藤に訊くと、「学歴みたいなもんで車は磨けないだろう」と笑って答えた。そして付け加えた。「俺自身、中卒だしな」

コーティングの仕事で一番重要なのは「磨き」だった。電動のポリッシャーでボディー全体を磨いていく。この「磨き」が完璧《かんぺき》でなければ、その上にガラスコーティングをしても美しいボディーにはならない。だからこそ、遠藤は「磨き」に関しては厳しかった。

最初のうちは、遠藤は慎一郎にまったく車を磨かせてくれなかった。しばらくの間、慎一郎の仕事はガレージの掃除や先輩たちの雑用、それに客の送迎と事務の手伝いのようなものだった。

一ヵ月くらいが過ぎたころ、休憩時間や仕事が終わった後に、ガレージの隅に置いてあった不要なドアやボンネット部分にポリッシャーをかけて磨く練習を始めた。

最初はまったくうまくいかなかった。磨きすぎて塗装の色が変わってしまったり、均一に磨けなくて、遠目に見ると明らかに光沢にムラができていたりした。簡単そうに見えていた「磨き」は実に難しいものだというのがわかった。

それで雑用の合間に、遠藤や先輩たちの仕事をじっくりと観察した。どんな角度でポリッシャーをかけるのか、コンパウンドの溶液をどれくらい垂らすのか、何度くらいポリッシャーを往復させるのか。すると車によって、全然やり方が違うことに気が付いたのだ。もちろん人によっても微妙に方法が違っていた。慎一郎は、これは体で覚えていくしかないなと思った。

遠藤から「磨き」のコツを教えてもらえたのは、練習を始めて三ヵ月目のことだった。

ポリッシャーで白いレクサスを磨いていると、遠藤に声を掛けられた。遠藤の声は太いどら声で、たいていガレージ中に響くような声で喋《しゃべ》る。

「腕を上げたな」

「いえ、まだまだです」

慎一郎はポリッシャーのスイッチを切って答えた。話しながらポリッシャーをかけると、集中力が落ちるからだ。

「反対側のフェンダーを見たが、見事な出来だ」

「ありがとうございます」

2

久しぶりの休日の午後、慎一郎は買い物がてらぶらりと川崎に出た。その日は珍しく朝から晴れていた。

JR川崎駅前の繁華街を歩いていると、不思議な光景を目にした。はるか前を歩く小太りの中年女性の横で、赤いハンドバッグが宙に浮いて揺れているのだ。

目を凝らしてよく見ると、バッグが宙に浮いているのではなく、バッグを持つ女性の白いブラウスの半袖《はんそで》から出た腕がほとんど透けていたのだった。すぐに数日前に電車内で見た光景を思い出した。あの時と同じだ！　いや、あの時よりもずっとはっきり透けている。

女の腕はかろうじて輪郭が残っているくらいで、透けた腕を通して向こう側を歩く人々や道路が見える。

今度は目の錯覚とは思えなかった。燦々《さんさん》と注ぐ太陽光の下で、腕が透けて見える錯覚など有り得ない。不思議なことはそれだけではなかった。道行く人の誰も彼女に注意を払わないのだ。みんなには彼女の腕が透けているのが見えないのか。空中で赤いハンドバッグがふわふわと揺れているのが見えないのか――。

女を近くで見ようと足を速めた。しかし横断歩道の手前で赤信号に遮られた。横断歩道を半ばあたりまで歩いていた女は道路の向こう側に渡った。慎一郎は女の行方を目で追ったが、女は雑踏の中に紛れていった。

信号が青になると同時に横断歩道を渡り、女が歩いていった方に向かって走った。しかし女を見つけることは出来なかった。三十分以上周囲を歩きまわったが、徒労に終わった。女は街から忽然《こつぜん》と消え去っていた。

さっき見たのは何だったのか――。自分の目が信じられなかった。白昼夢を見たのだろうか。それとも、真昼の幽霊に出会ったのだろうか。

慎一郎は雑踏の中に立ちすくみ、女が消えた方角をいつまでも見つめていた。

女のことは誰にも喋らなかった。幽霊を見たと言っても、本気にするものなどいないだろうし、第一、幽霊であるという確証はない。自分が見たのは、ただ腕が透けていたということだけだ。何かの勘違いだろうと言われるに決まっている。あの時は確信を持っていたが、時間が経《た》つにつれて、錯覚だったかもしれないと思い始めていた。

一番の理由は、通りを行く誰もが彼女に注意を払っていなかったことだ。電車の中で吊革を握る男の手が透けているのに気が付かないことはあっても、真昼の雑踏の中でハンドバッグが空中にふわふわと浮いているのに気付かないはずはない。つまり周囲の誰の目にも彼女の腕が透けて見えてはいなかったのだ。

自分は二度も見た。腕が透けて見えるような人間が複数いるはずがない。自分の頭がおかしくなったのか。いやいや、そうは考えたくない。電車の時は残業後だったし、川崎駅前の時は熱い日差しで少し頭がぼんやりしていた。上手《うま》く説明はできないが、多分、光の具合でそんなふうに見えたのに違いない。もっと間近でしっかり見ていれば、ちゃんと見えたはずだ。二度とも確かめる前に姿を見失った——。いや、それとも自分が見たのは、やはり幽霊のような存在だったのか。

数日の間、慎一郎の頭の中は、そんな考えの堂々巡りばかりだった。もう忘れてしまおうと何度思ったかわからない。しかし頭の中からそのことを追い出すことは出来なかった。

不意に背後から「おい」と声を掛けられた。

「同じところを磨きすぎだぞ」

社長の遠藤に言われて、はっとして手元を見た。気が付けば、さきほどからベンツのフロント部分の同じところばかりにポリッシャーをかけていた。ボディーをポリッシャーで磨きすぎるとクリアー部分を必要以上に削《そ》いでしまう。そうすると塗装の色が変わってしまう場合もある。

「仕事中は絶対にぼんやりするな。お前の年収よりもはるかに高い車を磨いてるんだからな」

「すいません」

慎一郎が頭を下げた。後ろで、先輩の何人かがこれみよがしに笑った。しかし遠藤はそれには気付かないようだった。

「お前にしては珍しいこともあるもんだ」彼は言った。「恋でもしたのか」

「いいえ」

「何か悩み事か」

慎一郎は首を横に振った。遠藤に同じ話をもう一度する気はなかった。理解してもらえないどころか、しつこく繰り返せば頭がおかしくなったかと思われるだけだ。実際、自分自身でもそう思っているのだ。

「だったら、しっかりと仕事をしてくれよ、エース」

遠藤は慎一郎の肩を軽く叩《たた》くと、その場を立ち去った。

慎一郎は仕事に集中しようと気持ちを切り替えた。いくら例のことが気になっていても、仕事中にまで考えているようではプロ失格だ。遠藤を失望させるようなことは絶対にしたくない。ここまで育てて貰《もら》った社長には大きな恩義がある。

切り替えはうまくいった。その後は仕事に集中できた。

会社は遠藤が二十年前に一人で立ち上げたものだった。自動車整備工場で働きながら、磨きとコーティング技術を学び、二十七歳で独立して作った会社だ。最初はガレージもなく、オーナーのところへ出張して車を磨いたという。三年後、鶴見の産業道路沿いに最初の工場を作り、その四年後に今の場所に引っ越した。十三年が経った今では従業員が十人を超える会社となった。

ガレージはもともと倉庫だったもので、広さは百五十坪ほどあった。天井は体育館ほどの高さがあったが、改装して二階の一部を事務所にしている。月に扱う車は五十台以上。そのほとんどが高級外車だ。コーティング費用は車種によって違うが二十万円前後する。だから顧客はたいてい金持ちだ。車好きの間では有名な会社で、東京都内や横浜からわざわざ辺鄙《へんぴ》な場所にあるこの工場に車を持ってくるほどだった。

遠藤の磨きとコーティング技術は素晴らしく、今もその腕は会社で一番だ。経営者というよりも根っからの職人だった。最近は営業などに時間を取られることが多くなっていたが、工場には誰よりも早く来て、一番遅くまで残って仕事をしていた。慎一郎はそんな遠藤を心から尊敬していた。

昼休み、事務所でコンビニ弁当を食べていると、突然、立花美津子《たちばなみつこ》から、「私の箸《はし》の持ち方、変でしょう」と言われた。

「えっ？」

美津子は二人いる女性事務員の一人だった。年齢は五十歳で、皆からは「ママさん」と呼ばれている。本人は「スナックのママみたいだから、やめて」と言っているが、本気で怒っているわけではないようだった。美津子は慎一郎が唯一《ゆいいつ》気軽に話せる人間だった。

「子供の頃からなの。母親にずっと注意されていたんだけどね」

美津子は箸を持つ自分の指先を見つめながら言った。

「違うんです」慎一郎は慌てて首を振った。「考え事をしていたんです」

「うそ。さっきからずっと私の箸の持ち方を見てたじゃない」

「違います、違います。本当に考え事をしてたんです」

慎一郎は必死で言い訳しながら、気を付けなくてはと思った。いつのまにか他人の手に目がいくのが癖になっている。電車の中で乗客を見ると、必ず吊革を握る手に視線が向いてしまう。しかし職場でも無意識にそうしていたとは、美津子に言われるまで気付かなかった。

「ホント？」と美津子は軽く睨《にら》んだ。

「うん」

「じゃあ、いいわ」

その笑顔を見て、慎一郎はほっとした。

「慎ちゃんは箸の持ち方が綺麗ね」

「そうでもないです。普通です」

「普通の持ち方を綺麗な持ち方って言うのよ。お母さんに躾《しつ》けられたの？」

「いいえ」

「お母さんじゃないの」

「僕には——母がいないんです」

慎一郎は敢《あ》えて淡々と答えた。

「四歳の時に亡《な》くなりました。だから母の記憶がほとんどないんです」

「そうだったの」

「箸の持ち方は施設の先生に教わりました――多分」

美津子は驚いたような顔で慎一郎を見つめた。

「火事でした」と慎一郎は言った。「父も母も、二歳になる妹もみんな死にました。助かったのは僕だけ――どんなふうにして助かったのかもわかりません。ただ火の中を泣きながら逃げたことだけしか覚えていません。足と背中には大きな火傷《やけど》の痕《あと》があります」

「ごめんなさい。嫌なこと訊いちゃったね」

「かまいません」

慎一郎は笑顔を作った。

「でも、慎ちゃんにそんな辛《つら》い過去があったなんて、これまで全然知らなかった」

「自分から進んでする話でもありませんから」

「社長は知ってるの？」

「はい。前に両親のことを訊かれた時、話しましたから」

「苦労したのね」

「そうでもありません」慎一郎は笑って答えた。「子供だったから、よくわからなかったんです」

それは嘘《うそ》だ。父と母と幼い妹を同時に失った悲しみは一生忘れられない。十五歳まで暮らした施設の先生たちは優しかったが、小学校に入るまで毎日泣いていた。いや、小学校の低学年の頃でも、そのことを思い出すたびに一人隠れて泣いていた。

「でも、辛かったでしょう」

「いいえ、楽しかったですよ」慎一郎はおどけるように言った。「施設には仲間もたくさんいたし、毎日が修学旅行みたいで、面白かったですよ。いたずらばかりして」

美津子の目が潤《うる》むのを見て、慎一郎は嘘をついたことを少し後悔した。

気さくで誰にでも優しい美津子は社員たち全員から慕われている。慎一郎はふくよかな丸顔にくるりとした優しい目の彼女に、密《ひそ》かに母親のイメージをダブらせていた。もし母が生きていれば、こんなお母さんになっていたかもしれないと勝手に想像することがよくあった。それで今、美津子の涙を見た時、亡き母のことを思い出して胸が詰まったのだ。

「どうして、今まで言わなかったの」

「どうしてって——ママさんに訊かれなかったから」

慎一郎は笑いながら言った。

「それはそうだけど——」

美津子がティッシュで涙を拭《ふ》くのを、慎一郎は弁当を食べながら見ないふりをした。記憶の底にある家族の顔を思い出そうとしたが、それは鮮明な映像では浮かんでこなかった。

家が全焼したため、写真やアルバムはすべて無くなっていた。だから両親はおろか幼い妹のなつこの顔も、歳《とし》を経るごとにぼやけた印象になってしまった。兄の自分を「ニー、ニー」と呼んで笑っていたなつこの顔を瞼《まぶた》に甦《よみがえ》らせることが出来なくなった時、心の中で妹に詫《わ》びた。

仕事を終えて帰ろうとした時、金田たちに呼び止められた。

「木山よぉ」

金田は慎一郎の肩を抱いてきた。

「ちょっと、金、貸してくんないか」

後ろにいる松山《まつやま》と後藤《ごとう》がにやにやと笑っていた。

「先月に貸した分をまだ返してもらってないんですが」

「あれはすぐ返したじゃないか」

金田は金髪をかきあげながら言った。

「いいえ」

「おいおい」金田はわざとらしく驚いたような顔をした。「次の日、一緒にコンビニに行った時、レジの前で返したじゃないかよ、なあ」

後藤たちの方を振り向いて同意を求めた。二人は「うん、見たよ。返してたな」とうなずいた。

慎一郎はまたかと思った。金田たちはこうやって寸借詐欺《すんしゃくさぎ》みたいなことをしょっちゅうやってくる。一回の金は数千円程度だが、これまで総額十万円くらいは貸したままになっている。

断ればいいのだが、そうすると、ロッカーの中のものが無くなったり、作業服が破られたりする事件が起こる。金田は少年院に入っていたこともあると吹聴《ふいちょう》している男で、三十代半ばになっても素行はチンピラそのものだった。ただ、仕事の腕はいい。松山と後藤はそれほど性格が悪い男たちではなかったが、金田の子分のような存在だった。

「二千円しか貸せないけど――」

慎一郎は財布から千円札を二枚取り出した。

「悪いな。週末には返すからな」

金田は細い指で千円札を挟むと、素早くグレーの作業服のポケットに入れた。それから二人を従えて、意気揚々と立ち去った。

慎一郎は苦々しい思いでその背中を見つめていたが、小さなため息をつくと、いじめには慣れているさ、と心の中で呟いた。施設に入った頃もそうだった。一番小さい自分は年上の子供たちにさんざんいじめられた。彼らの多くは親から虐待《ぎゃくたい》を受けて施設に入った子供たちだった。慎一郎のように両親を亡くした子は少数だった。

年上の子供たちに仲間外れにされ、理由もないのに暴力を振るわれた。施設の先生にそのことを告げると、彼らは先生の前では途端に純真無垢《むく》な子供になった。それでいつも子供同士のふざけ合いとみなされた。

さんざん叩かれて泣かされた時は、こんな境遇に自分を追いやった両親を憎むような気持ちにさえなった。

施設内でずっといじめられたため、人と交わるのがすっかり苦手になっていた。生来の人見知りで引っ込み思案の性格もあって、小学校に入学してもクラスの誰とも友だちになれず、高学年になるころには、いつも教室の端で一人黙って座っているような子供になっていた。

中学校を卒業し、工場に勤めながら定時制高校に通っているときも、友だちは一人も出来なかった。その後、いくつかの職に就いたが、孤独は常に慎一郎の一番の友だった。しかしそれを苦痛だと思ったことはない。むしろ人と話すことの方が苦手だった。

だから今の仕事は慎一郎にとって心地よいものだった。誰とも話さず、ひたすら車を磨く。その作業なら何時間でも続けることができる。同僚たちの多くが、遠藤のいないところでは私語ばかりかわしていたが、慎一郎は決してその輪の中には加わらず、休憩中も彼らと打ち解けることはなかった。

3

季節は七月に入っていた。

慎一郎は川崎大師のアパートと浜川崎の工場を電車で往復する日々を送っていた。この五年間ずっと変わらぬ毎日だった。

その後、腕が透き通って見える人には出会っていない。いつもと変わらぬ日常が戻ってきたことに安堵《あんど》していた。一時は本気で自分の精神がおかしくなったのではないかと不安になったこともあったが、日が経つにつれ、あれはやはり気のせいだったのだという気持ちになっていた。職場でも電車の中でも、他人の手が気になるということはなくなった。

ある日、仕事を終えた慎一郎は電車に乗った瞬間、嫌な気配を感じた。自分でも説明のつかない奇妙な感覚だった。

何かを見たのかもしれない——と思った。ドア近くに立ったまま、ゆっくりと周囲を見渡した。はたして、そうだった。乗降口近くの席に座っていた若い男の手が透けていた。またもやあらわれたのだ。

一旦《いったん》目を閉じ、心を落ち着かせてから、もう一度男を見た。二十代前半だろう若い男は左手でスマートホンを持ち、右手の指で操作していた。男を上から見下ろす形になっている慎一郎の目には、彼の右手を通して、本来見えないはずのスマートホンの画面が見えた。

目の錯覚でないことを確かめようと、さらに男の全身をくまなく見た。ピンクの半袖シャツを着てジーンズを穿《は》いた大学生風の男で、どこにでもいるような若者だった。決して特殊な人間という感じではない。

それから周囲の人たちを観察した。若者の手に気付いている者は誰もいないようだ。慎一郎は乗客たちに男の手に注目させる方法がないかと考えた。周囲の人たちが若者の手を見て何のリアクションもなければ、自分にしか見えていないことになる。

若者に「その携帯電話は変わっていますね」などと喋りかけたりしたら、乗客たちは男の携帯に目をやるだろう。すると必然的に男の手が透けていることがわかる——。しかしいきなりそんな言葉をかけるのはあまりにも不自然だ。それに、もし「腕が透けている人間」たちが何かしら危険な存在だったとしたら、自分の身が危うくなる。自分が彼らのことに気付いているということを知られるだけでも、もしかしたら恐ろしい事態になるかもしれないのだ。

慎一郎は男の電話が鳴ることを期待した。突然、呼び出し音が鳴れば、何人かの乗客は男の携帯に目をやるだろう。しかし、そんなことは起こらなかった。

自分の携帯のカメラで男の手を撮影することを思いついたが、その勇気は出なかった。シャッター音に気付かれるのが怖かったのだ。

電車が次の駅に着き、何人かの乗客が降りた。代わって何人かが乗ってきた。何気なく目をやった慎一郎は、息が止まるほど驚いた。その中にシャツとズボンしか見えない乗客がいたからだ。

まるで透明人間が服を着ているようだった。白い半袖のワイシャツが慎一郎のすぐ後ろを移動し、やがて止まった。それから右袖がゆっくりと上がった。吊革《つりかわ》あたりを凝視すると、それを摑《つか》む右手の輪郭がかろうじて見えた。よく見ると男の顔の輪郭もぼんやりと見える。顔も腕も一見、透明に見えるが、うっすらと形だけは残っている。

他の乗客たちはその男には目もくれなかった。男の存在に気が付いていないのか。いや、そうではない。彼らには、透明人間が普通の人間に見えているに違いない。その証拠にちゃんと彼の立つスペースは空けている。

これまでに三人の透けて見える人間に遭遇していたが、いずれも手だけで、顔は透けてはいなかった。しかし今、目の前にいる男は服から出ている部分すべてが完全に透けていた。いったいこれはどういうことなのか。これまでに見た人たちと何が違うのだろうか。

冷静になれ、と自分に言い聞かせた。今、同じ車両に体が透けて見える人間が二人いる。二人の距離はわずか数メートル、座っている若者は相変わらず透明な手で携帯を触っている。新たに乗り込んできた透明人間は若者に背を向けて吊革を摑んで立っている。二人は互いにまったく関心を払わない。彼らはたまたま体が透けているだけのあかの他人なのか。この車両に二人がいるのは偶然なのか、それとも何らかの理由があるのだろうか。

いや、本当は体など透けていないのかもしれない。自分だけに透けて見えるのだ。

それなら、なぜこの二人の人物の体が透けて見えるのか。待てよ、まだ幻覚の可能性もある。自分の頭の回路がおかしくなって、本来透明でない人間の体が透けて見えるという錯覚を引き起こしているのではないか。あるいは二人の人間の体が同時に透けて見えるということは、二人に何かしら錯覚を引き起こす共通点があるのかもしれない。

電車が八丁畷《はっちょうなわて》駅に着いた。透明人間が降りるのに続いて、慎一郎も降りた。男は慎一郎が乗り換えるホームではなく、出口に向かった。慎一郎は少し迷ったが、彼の後を追いかけた。

このまま男の後を追いかけても、何かがわかるという手応《てごた》えはなかったが、そうせずにはいられなかった。

目の前を歩く男の首から上はほとんど透明だった。しかしこの奇妙な姿にホームにいる誰も目を向けない。

ワイシャツ姿の透明人間は駅の改札を抜けると、売店の前に立った。売店の中年女性が顔のない男に向かって何か話している。慎一郎はそれを眺めながら、目の前の空間が歪《ゆが》んでいくような気持ちを味わった。

シャツの右袖が少し動いたかと思うと、ズボンのポケットから小銭が出てきて、空中に浮かんだ。小銭は空中を舞って売店の女性の手の中に入った。女性は代わりにドリンク剤の瓶を差し出した。ドリンク剤は男のシャツの前で、ふわふわと浮いていた。男の腕と頭の輪郭はさきほどよりも薄くなっていた。

透明人間は売店から離れ、ゴミ箱の前で立ち止まった。瓶の蓋《ふた》だけがくるくるとまわり、宙に浮いたかと思うと、ゴミ箱の中に吸い込まれた。それから瓶が袖と共に浮き上がり、透明な顔のあたりにくると、横に倒れた。中の液体がどんどん減っていくのが見える——ワイシャツの透明人間が飲んでいるのだ。

慎一郎は現実離れした光景を受け入れることができなかった。何よりも怖《おそ》ろしかったのは、この不思議な現象を目にしているのは自分だけということだ。思わず目を閉じた。再び目を開ける時には、目の前にワイシャツを着たサラリーマンがドリンク剤を飲んでいる、ごく当たり前の光景があってほしいと願った。しかし目を開けると、その願いは裏切られた。

不意にドリンク剤の瓶は空中をゆっくりと移動し、ゴミ箱に飛び込んだ。

透明人間は駅を出ると、夜の通りを歩いていった。慎一郎は半ば夢遊病者のように、男の十メートルほど後ろを歩いた。

目の前をゆくワイシャツとズボンを見つめていた慎一郎は男の見え方がさきほどと

違うことに気が付いた。電車の中ではうっすらと見えていた輪郭がほとんど消えていたのだ。彼の頭も腕もまったく街灯の明かりには照らされていなかった。今や完全な透明だった。この変化はどういうことだ。

慎一郎は男のシャツをはぎ取ってみたい衝動にかられた。服を取り去れば、全身が透明なのだろうか。それとも胴体の部分はちゃんと形が見えるのだろうか。しかしもちろんそんな真似《まね》は出来るわけもなかった。

シャツとズボンは歩道の上を移動していく。ズボンの裾《すそ》から覗く靴は正確に歩を刻んでいた。すれ違う人たちは誰も彼に関心を払わない。一度だけ、若者と少し肩が触れた。若者はちらっと見ただけで、何事もなかったかのように歩いている。

慎一郎は慎重にズボンのポケットから携帯を取り出し、手探りでカメラ機能を操作して目の前の男に向けた。画面を覗く余裕はなく、歩きながら見当をつけて何枚か写真を撮ると、ポケットに携帯をしまった。

男は帰宅しようとしているのだろうかと思った。家だって――？　すると家族がいるのだろうか。家族は彼の姿が透明なのを知っているのだろうか。それとも家族もまた透けている人々なのだろうか。

家ではない別のところに向かっている可能性もある。そこはもしかしたら、彼と同じような透明な人たちが集まる場所かもしれない。もしそうなら、自分はとんでもなく危険な場所に近付いているのかもしれない――。

男は通りを曲がった。慎一郎は近付きすぎては危ないと思い、少し距離を取った。シャツとズボンだけの透明人間との距離はおよそ二十メートルに広がった。

男が横断歩道を半分くらい渡りかけた時、青の信号が点滅し始めた。慎一郎は男に追いつこうと足を速めた――次の瞬間、耳をつんざくようなブレーキ音に思わず足が止まった。慎一郎の目の前で、バイクにはねられたシャツとズボンが宙を舞った。

シャツとズボンは空中を数メートル飛び、道路に落ちて鈍い音をたてた。女性の悲鳴に混じって、何人かが大声をあげた。たちまちのうちに地面に落ちたシャツの周囲に人が集まった。

引き寄せられるように慎一郎も人の輪に近付いた。人々の頭越しに見ると、背中が大きく裂けた白いシャツと同じく膝《ひざ》の部分が破れたズボンが道路の上にあった。靴は片方がなくなっていた。そのすぐ横にバイクを運転していたらしい若者が呆然《ぼうぜん》と立っていた。

シャツもズボンもぴくりとも動かなかった。周囲は騒然となっていた。

「救急車を呼べ！」

誰かが叫んでいた。

「ああ、もう助からないな」

前にいた髪の薄い中年男が呟くように言った。

「怪我《けが》がひどいんですか」

慎一郎は訊ねた。中年男は振り返ると、首を振りながら「出血がひどい。頭もやられている」と言った。

慎一郎の目には血も見えなければ、傷ついたという頭も見えなかった。しかしここにいる人々の目にはたしかに見えているのだろう。

誰かがシャツとズボンを道路の脇《わき》に寄せようとしたが、「動かさない方がいい」と別の誰かの声にその手を止めた。

慎一郎は立ちすくんだまま、ぼろ布のようになったシャツとズボンを見つめていた。シャツもズボンも中身があるように盛り上がっていたが、体の部分は何も見えなかった。

まもなく救急車のサイレンの音が遠くに聞こえた。

ほとんど無意識にサイレンの方に一度頭を向けてから、シャツに目を戻した。突然、目に鮮やかな赤が飛び込んできた。それはシャツに付いた血だった。白かったワイシャツは血で真っ赤に染まっている。思わず声をあげそうになった。

アスファルトの上に男が倒れているのが慎一郎の目にもはっきりと見えた。道路の上には血が大量に流れていたが、夜だったので黒く見えた。男は頭が割れ、脳漿《のうしょう》のようなものが飛び散っていた。吐き気を催して、手で口を覆《おお》った。

「救急車が来てもダメだろう」

誰かが諦《あきら》めたように呟く言葉に、何人かが同調するように頷いた。

慎一郎にも男がもはや助からないのは明らかに思えた。いや、既に死んでいるのかもしれない——。その時、脳裏に閃《ひらめ》くものがあった。男の姿が急に見えたのは、男がたった今死んだからではないか！

ということは、透明に見える人は死ぬ間際《まぎわ》の人間ということか——それはあまりにも飛躍した論理に思えた。いくらなんでも馬鹿《ばか》げている！ 慎一郎はその考えを追い払おうとした。が、できなかった。

「道を空けてください！」

という大きなスピーカー音が轟《とどろ》いた。野次馬たちが分かれて、救急車に道をあけた。

車から救急隊員が降りてきて、道路に倒れている男に駆け寄った。すぐに男の体は担架に乗せられ、救急車の中に運び込まれた。少し遅れてパトカーのサイレンが近付いてくるのがわかった。

慎一郎は野次馬たちと同じように事故現場から離れた。そして夜の街を歩きながら、自分が見たことを反芻《はんすう》した。

あの男は電車の中ではかろうじて輪郭が残っていた――頭もうっすらと形が見えた。それがホームに降り立ったくらいから輪郭がぼやけてきた。彼が売店でドリンク剤を飲んでいる時は輪郭がかなり薄くなっていた。そして駅を出て通りを歩いていくとますます透明感が増していった。横断歩道を渡っている時は、完全な透明人間になっていた。これはいったい何を意味するのだ。

アスファルトに倒れている男の姿が突然見えたのは、彼が完全に死んだからかもしれない。男の頭は割れ、脳漿が飛び散っていた。事故のあとしばらく透明だったのは、まだ息があったからだ。しかしほどなく命の火は消え、男の姿が実体を持った肉体として見えるようになった――。いや、それはもはや肉体ではない。ただの物体だ。

男は死に近づいていくにしたがって、どんどん透明になっていったのかもしれない。そして死んでただの物体になった途端、見えるようになった――荒唐無稽《こうとうむけい》な考えというのはわかっていたが、そうとしか思えなかった。

それを確かめるにはどうすればいいのだ。今後、もし街で体が透けて見える人を見つけたとき、その人をつけてまわればいいのかもしれないが、会社の中や家の中まで入っていくことはできない。

さきほどの男みたいにほとんど透けて見える人間なら、目の前で死ぬ瞬間を見ることができるかもしれないが、そんな人に簡単に出会えるとも思えない。

おいおい待てよ、と慎一郎は心の中で思わず叫んだ。死ぬ瞬間が見られるって——俺はそんなものが見たいのか。とんでもない！　だいたい、これからも体が透けて見える人間を何度も見ることになるなんて御免だ。さきほどの男がバイクにはねられた光景だって思い出すだけで吐き気がするほどだ。

頭を空にしようと、たまたま目に入った喫茶店に入った。熱いコーヒーを飲むうちに少し落ち着いてきた。もしかしたら考えすぎかもしれない。さっきの男が死んだのは単なる偶然で、透明に見える現象とは関係がないかもしれない。そもそも人が透明に見えるなんてことが不可解なのだから、そこには意味や理由なんて何もないのかもしれない。

ふと、さきほど男を携帯のカメラで撮ったことを思い出した。ポケットから携帯を取り出し、画像を開いた。夜の歩道で、しかも歩きながらの撮影だったために、画像は暗くてピンボケだった。画像を拡大して画面に目を近づけると、男の姿が見えた

——驚いたことに、男の頭も腕もはっきり写っていた。男が写った写真は三枚あったが、どれも男の体はどこも透き通ってはいなかった。写真に写っているということは、やはり錯覚だったのか、と慎一郎は思った。そう考えると、すべてが妄想のように思えてきた。ここ最近の、人が透明に見えたいくつかのケースは単なる錯覚か勘違いだという気がしてきた。もちろん心からそうは思えなかったが、無理やりにでも信じたかった。

とにかくもうすべて忘れよう。こんな気味の悪いことはこれ以上は考えないようにするんだ。慎一郎は自分に言い聞かせると、携帯の写真を削除して、喫茶店を出た。

4

しかし事故の記憶はあまりにも強烈で、数日経っても、何でもないことと割りきることは出来なかった。自分に「他人の死の予兆」が見えるということも、冷静に考えれば、やはり有り得ないことと思えた。いくらなんでも馬鹿げている。

それでも気になって、インターネットで「人が透明に見える」現象について調べてみた。しかし、そんな事例はどこのサイトにも出ていない。「死の予兆」についても調べてみると、こっちのほうは意外なほど出てきた。

たとえば「近くに黒い影が見える」、あるいは逆に「本人の影が薄くなる」といった現象があった後に、その人が亡くなったという事例がいくつも見つかった。人物が二重に見えるとか顔がぼやけて見えるというのもあった。また死の直前にドッペルゲンガーが見えるというのもあった。ドッペルゲンガーとは同じ人物が同時に別のところに現れるという現象だ。視覚以外のものでは、匂《にお》いが変わるというのもあった。しかしどれもまったく科学的でも論理的でもなく、巷《ちまた》によくある都市伝説か奇談の類《たぐい》に思えた。納得のできる話は一つもなかった。調べれば調べるほど、あの時考えた「死の予兆」というものが有り得ないことだという結論に達した。

「死の予兆」でなければ、やはり幻覚ということだろうか。慎一郎は「幻覚」についても調べてみた。幻覚という言葉は精神医学の用語の一つだというのを初めて知った。医学的には、外界からの入力がない感覚を体験してしまう症状をさすらしい。つまり簡単に言えば実在しないものが見えるということだ。アルコールや薬物による意識変容がもたらすケースが多く、それ以外には精神疾患によっても引き起こされると書いてあった。

慎一郎はあるサイトに「統合失調症の患者が幻覚を見るケースがある」という文章

を見つけて、強い不安にかられた。そんな自覚はもちろんなかったが、統合失調症の場合は多くが自覚症状がないと書いてあり、よけいに不安になった。

この不安から逃れるには仕事しかない。単純な作業は、かえって雑念を飛ばすことができた。車に白いコンパウンド溶液を垂らし、ポリッシャーを回転させながら、ボディーの上を何度も滑らせる。それを繰り返しているうちに、自分という存在は消え、世界は車とポリッシャーだけになる。

車磨きの仕事は、ポリッシャーに取り付けた刷毛《はけ》あるいはバフを回転させて、車の表面のクリアー面についた小さな傷を取ることだ。しかし実際には傷は取れていない。全体をわずかに削り、傷を目立たなくさせているだけだ。実はポリッシャーをかけることで、ボディー全体に微小な傷をつけている。もちろんバフは段階的に目の細かいものにしていくので、最終的にそれらの傷はほとんど見えなくなる。気をつけなくてはいけないのは、ポリッシャーを一定方向だけに動かすと、離れて見た場合、CDのような立体的な反射光が出てしまうことだ。「オーロラマーク」と呼ばれるもので、磨き街でもたまにそういう反射光を出している車を見る。板金修理や再塗装の時に、磨きが適当だったせいだ。

オーロラマークを出さないためには、方向を変えて何度もポリッシャーをかけなければならない。要するに手間を惜しまずに磨くことなのだが、磨き過ぎるとカラー塗装の上に塗られたクリアー面を必要以上に削ってしまうことになる。そうすると車は光沢を失う。厄介なのは、車によってクリアーの厚さも違えば、硬度も違うことだ。だから一流の「磨き屋」と呼ばれるためには、車を見た瞬間にどの程度磨けばいいのかを判断できる目を養わなければならない。

そうして磨いた車に今度はコーティングを施す。液状のコーティング剤を刷毛で塗る作業だ。それが硬化すると、車のボディーは透明の膜に覆われ、新車のような輝きが生まれる。磨きとコーティングが上手くいけば、入庫して来た時とは見違えるような美しさに変わる。慎一郎はその瞬間がたまらなく好きだった。

あの事故を見た後は、とり憑《つ》かれたように仕事をした。遠藤からも、「最近、すごい勢いで仕事をしてるな」と言われたほどだった。

「何かあったのか？」

と訊《き》かれたが、慎一郎は「何もありません」と慌《あわ》てて答えた。「死の予兆」のことを忘れるためなどと言ったら、頭がおかしくなったと思われるだけだ。いくら自分に好意を持ってくれている遠藤でも、理解してもらえるはずがない。いや、自分でも精神の変調かと不安を抱いているくらいだったから、それを誰かに語れる道理はなかった。

あの事故の後は街で透明な人を見ることがぱったりとなくなった。

初めのうちは、通りを歩いていても、電車に乗っていても、いつ透明な人に出会うかもしれないとびくびくしていたが、二週間も経つ頃には、気にならなくなった。そうなると、むしろ一連の出来事は、疲れからくる一種の気の迷いのようなものだったのかもしれないと思えてきた。そうであってほしいと慎一郎は願った。人が透明に見えたり、「死の予兆」が見えたり、などということはあまりにも現実離れしている。すべては自分の錯覚に違いない。

そんなある日、工場に見覚えのある紺色のベンツSクラスがやってきた。二年前に慎一郎がコーティングした車だ。去年もメンテナンスをやっている。

ちょうど手の空いていた慎一郎がガレージ前の露天駐車場に誘導した。

ベンツから降りてきた大柄な男を見て、一瞬固まった。男の腕も顔もほとんど透けていたからだ。

開襟《かいきん》シャツとズボンしか見えない男は「社長は？」と尋ねた。よく見ると、顔の輪郭だけがぼんやりと浮かんでいる。

「――今、所用で、出かけています」

慎一郎は緊張しながら答えた。体が透けて見える人間と会話を交わすのは初めてだった。しかもまったくの見ず知らずの人間ではない。

「そうかあ」と男は残念そうに言った。「前もって電話しておいたらよかったなあ」

慎一郎は頷《うなず》きながら、この客はたしか前田《まえだ》さんだったと頭の中で確認した。顔が見えないために、ベンツSクラスから記憶を辿《たど》ったのだ。自分の担当した車のオーナーの名前と顔はすべて頭の中に入っている。

「今日はどういったご用件でしょうか」

慎一郎はぼやけた顔の中心部分に視線をやりながら訊いたが、うまく前田と目が合っているのか自信がなかった。

「そろそろメンテをしてもらいたいんだけどさ」

「かしこまりました。来月で一年になりますね」

よく見ると、前田の目の縁の部分がうっすらと認識できる。しかし眼球はまったく見えなかった。

「お車はいつお預かりしましょうか」

「このまま預かってもらえるなら、置いていくよ」

「わかりました。それでは二階の事務所へどうぞ」

ベンツの助手席から前田の妻が降りてきた。慎一郎は素早く彼女の細身の体を観察したが、どこにも透けて見えるところはなかった。事務所では二人の女性事務員が電話中だったため、慎一郎が必要な書類を用意して前田夫妻に対応した。

「前回と同様のメンテでよろしいでしょうか」

慎一郎は書類に目を落としながら言った。前田の顔を見て話すと向こうの壁が見えてしまう。動揺するのと、目の焦点がおかしくなるのを避けるためだった。

「いいよ」

「それでは、お手数ですが、ここにお名前をお書きください」

前田はボールペンで書類に署名した。彼が書類に名前を書き入れる時、ボールペンだけが紙の上をするすると動いて字が書かれていくのを見るのは気味が悪かった。前田は時折、妻と軽口をかわしている。透明な顔から大きな笑い声だけが聞こえた。

慎一郎は冷房の効いた事務所にいながら、背中に汗が浮き出てくるのがわかった。それでも契約書の書類に集中するふりをしながら、何とか対応した。

書類を整えた後は、前田夫妻を伴って駐車場に戻り、車に傷がないかを点検した。後で揉《も》めることがないよう、傷があれば客に確認してもらう必要がある。車を点検している間も、慎一郎の頭の中には自分の後ろに立つ前田のことしかなかった。彼は近いうちに死ぬのだろうか。だとしたらどんな形で死ぬのだろうか。

車の周囲を移動しながら濃紺のボディーを見ていると、あっと思った。ボディーに映っている前田のいかつい顔が見えたからだ。慌てて振り返って彼の顔を見たが、開襟シャツの上には何も見えなかった。

「どうした。傷でもあったか？」

前田が言った。

「いえ」慎一郎はボディーの方を向いて答えた。「綺麗《きれい》に乗っておられますね。目立った傷はありません」

「それはよかった」

慎一郎は傷を確かめるふりをして、もう一度ボディーに映る前田の姿を見た。妻と軽口を叩《たた》いている彼の笑顔がはっきりと見えた。時折、手を動かしているが、それもボディーに映っている。そう言えば写真の時もそうだった、と思った。どういうからくりがあるのかはわからないが、何かを通して見れば、透けて見えることはないのだ。

「やっぱり目立った傷はありません」

慎一郎が立ち上がってそう言うと、前田は透明な顔で鷹揚《おうよう》に頷いた。

「駅までお送りします」

慎一郎は送迎用の車に二人を乗せ、JRの川崎駅まで送った。

バックミラーに映る前田の顔はまったく透けていなかった。慎一郎は前田の顔をちらちらと覗《のぞ》き見たが、浅黒く日焼けした精力的な彼がまもなく死ぬとは到底思えなかった。はたして本当に自分に「死の予兆」など見えているのだろうか――。

会社に戻った慎一郎は、二階の事務所に上がって作業のための書類を作った。

「どうしたの、大きなため息をついて」

美津子が声をかけた。

「汗びっしょりよ」

「いや、ちょっと暑くて――」

言いながら手で額の汗を拭いた。

慎一郎は駐車場に戻るとベンツをガレージに移動させた。そこでじっくりと車のボディーの状態を確かめた。

全体に細かい傷がいくつもある。洗車傷だ。機械で洗車すると、肉眼ではわかりにくいが、小さな傷がいくつもできる。それを繰り返すと、いくら綺麗に洗っても美しい光沢が出なくなる。

慎一郎はクリアー面をどれくらい磨けばいいのかを判断するために、車に蛍光灯の光を当てて、全体の傷の具合を観察した。洗車傷はたいしたことはなかった。コーティングの上についているだけだ。軽く磨いてやるだけでほとんど見えなくなる。

ベンツにコンパウンド溶液を垂らし、ポリッシャーをかけて磨き作業を始めたが、前田のことが頭から離れなかった。同時に、脳裏に先日の事故のことが甦ってきた。もし「死」の直前に体全体が透明に見えるということなら、前田もまもなく死ぬことになるのだろうか――。そんなことはないと思いたかったが、不安は消えなかった。

一旦ポリッシャーを止めて、深呼吸をした。仕事中に余計なことを考えるな、と自分に言い聞かせた。ぼんやりしたまま磨きすぎてクリアー面をダメにしたら、とんでもないことになる。塗装のやり直しとなれば、儲《もう》けが吹っ飛んでしまう。この仕事は利益も小さくはないがリスクはそれ以上に大きい。一千万円以上する車を傷つけてしまったりしたら大変だ。だから仕事中は余計なことを考えてはいけない。

前田が死ぬはずはない。さっきまであれほど大きな声で笑っていた頑丈な体をした男の命が、残りわずかしかないとは到底思えなかった。「死の予兆」なんて見えるはずがない。先日見た事故は単なる偶然にすぎない。

仮に万が一――と慎一郎は思った。前田が事故か何かで亡《な》くなる運命だとしても、自分には関係ないことだ。それに自分にはどうすることもできない。

作業を開始して十分も経《た》つと、車を磨く慎一郎の心から前田のことはすっかり消えた。頭の中にはいつものように目の前の車のことしかなかった。


三日後、慎一郎がガレージ内の椅子《いす》で休んでいると、遠藤がやってきた。

「木山」

「はい。何ですか」

遠藤の固い表情を見た時、何かトラブルでもあったのかなと思った。

「お前が今、メンテをしているベンツだがな」

「午後には全部終わりますが、お急ぎですか」

「いや」

遠藤はちょっと複雑な表情をして言った。

「今、奥さんから電話があってな——オーナーの前田さん、亡くなったそうだ」

慎一郎は返事が出来なかった。驚きはあったが、一方で、やはり、という気持ちがあった。

「亡くなられたのは、いつですか」

「奥さんの話では、うちに車を預けた夜に亡くなったそうだ」

「うちに来た日ですか」

「ああ」

「事故ですか」

「訊かなかった。急死らしいから事故かもしれんな。心臓麻痺《まひ》かもしれんし」

「――即死ですか」

「さあ、そこまでは知らん」

遠藤は暗い顔で言った。

「ベンツは葬儀が終わって、落ち着いてから、取りに来るらしい」

ぼんやりと目の前の紺色のベンツに目をやった。

「オーナーは車が綺麗になるのを楽しみにしていた。供養《くよう》だと思って、しっかりと磨いてやれ」

遠藤は彼の肩を軽く叩くと、事務所へ戻って行った。

慎一郎はベンツを眺めながら、三日前に見た前田の姿を思い浮かべた。腕は透けてほとんど見えなかった。事務所のテーブルの上で、ボールペンだけが紙の上を踊るように動いていたのをはっきりと覚えている。顔も透けていて、目のあたりを見つめると、そのまま後ろの壁にかけてあるカレンダーが見えた。

あの後、前田は死んだ。何時間後かは知らないが、その日のうちに死んだ。とすると、あれはやはり「死の予兆」だったのだ。もし、亡くなる直前の彼を見る機会があれば、その体は完全に透明になっていただろう。

やはり自分には死期が迫った人間がわかる。その人物は透けて見える——死が近づくにつれてどんどん透明になっていくのだ。いや、実際には透明になっているわけではない。ただ、自分にだけ、そう見えるのだ。

めまいがしてきた。目を瞑《つむ》って椅子に座っていると、今度は吐き気が襲ってきた。

何かの間違いだと思いたかった。そんなことがあるわけがない！　死ぬ人間がわかるなんて、まるで神様か何かではないか——いや、死神か。

自分は平凡な人間だ。いたって普通の人間だ。そんな能力なんかあるはずがない。だいたい、これは能力と言えるものなのか。仮に能力だとして、いったい何の役に立つと言うのだ。

慎一郎はこのひと月くらいの間に見た体の透けた人たちを思い浮かべた。彼らは今頃はもう亡くなっているのだろうか。川崎駅前の繁華街を颯爽《さっそう》と歩いていたあの女性も今はこの世にいないのか。自分の前で吊革を握って立っていたあの男も——。彼らはどういう死に方をしたのだろう。交通事故なのか、それともそれ以外の原因による死なのか。

慌てるな——と慎一郎は思った。結論を急ぐな。自分が「結果」を知ったのは、バイクにはねられた男と前田の二人にすぎない。これだけで結論は出せないはずだ。心の中でそうは言ってみたものの、自分を説得することはできなかった。

その日、仕事を終えて事務所でぼんやりしていると、立花美津子から「帰らないの？」と言われた。

「いや、もう帰るところです」

「疲れたの？」

美津子が笑いながら訊く。下町のおばさんふうの明るい彼女の笑顔にはいつも心がなごむ。

「いや、ちょっと考えごとをしてたんです」

「最近、なんかいつもボーッとしてない？」

慎一郎は美津子の勘の鋭さに驚いた。

「そう見えますか」

「見えるわよ。何か悩みごとでもあるの？」

美津子は少し心配そうな表情で首を傾《かし》げた。

慎一郎は「ママさん――」と言った。

「何？」

「もし、ママさんが人の運命がわかる能力を身に付けたら、どうします？」

慎一郎は冗談めかして言った。しかし美津子は真面目《まじめ》な顔をして慎一郎の目を覗きこんだ。

「木山慎一郎はとうとうその能力を身に付けたのね」

どきっとした。なぜ彼女はそれを知ってる？　何か言おうと思ったが声にならない。

突然、美津子が笑いだした。

「何を真面目な顔してるのよ」

「えっ」

「まるで本当にその能力を身に付けたみたいな顔をしないでよ」

笑って応えようとしたが、まだ顔の一部がこわばったままだった。

「慎ちゃんが言ってるの、予知能力ってこと？」

「いや、たとえば死ぬ前の人間がわかるとか――」

「うわー、嫌だ」

「やっぱり？」

「当たり前じゃない。友だちとか家族とかが死ぬことがわかるんでしょう」

それを聞いた途端、なるほどと思った。たしかに、そんなことになればゾッとするどころではない。

「大事な人がいつ死ぬかなんか絶対に知りたくない」

「そうですよね」

「だいたい、いったい何の話よ」

美津子は少しすねたような顔をした。

「何か悩みごとがあるみたいに見えたから心配してあげたのに――。最近、そんな筋書きの超能力映画か何か見たの？」

慎一郎は曖昧《あいまい》に、ええ、と答えた。

「そんなことだと思った。慎ちゃんって子供みたいね」

そう言うと、美津子は椅子から立ち上がった。

「じゃあ、帰るわね」

慎一郎は事務所に一人になってから、美津子との会話を反芻した。

——大事な人がいつ死ぬかなんか絶対に知りたくない。

たしかにそうだ。病気などの理由もなしに、ある日、愛する人がまもなく死ぬとわかれば、気が狂いそうになるだろう。人は自分のことも含めて未来がわからないからこそ、生きていけるのだ。

帰る支度をしながら、能力とはとても呼べないようなこの不思議な力が早くなくなってほしいと思った。多分近いうちにそうなるだろうとさしたる根拠もなく思った。突然やってきたものなら、ある日また突然去っていっても不思議ではない。そう考えると、少し気持ちが軽くなった。

5

一週間が過ぎた。

その間、一人も透明な人間を見なかった。街で、通りで、駅で、電車の中で目にした人間は千人は下らないだろう。それだけの数を見て透明な人に遭遇しなかったのだから、不思議な「力」は去ったと考えてもいいかなと思った。ほっとすると同時に、少し寂しい気がして、慎一郎は自分のそんな気持ちの変化に苦笑した。

夕方、横浜の山手町に住む顧客の家にボルボを届けた。慎一郎の会社には、特別料金さえ払えば車を自宅まで届けるサービスがある。安くない金額だったが、顧客の中にはたまにそれを利用する人がいる。

車を届けた帰り、駅までの道を歩いていると、雨がぽつりぽつりと降ってきた。梅雨は数日前に終わっていたし、天気予報でも雨になるとは言っていなかった。

駅まではかなり遠かった。早足で歩いたが、だんだん強い降りになってきた。たまたま目についたマンションの玄関で雨を避けた。すると、そこに一台のタクシーが通りかかった。慎一郎は右手を挙げてタクシーを止めた。

乗り込んだ途端、どしゃぶりになった。間一髪だったなと思いながら、慎一郎は、電車を乗り継いで駅から雨の中を工場まで歩いて帰るよりも、このまま自腹でタクシーに乗って帰ろうと決めた。滅多にしない贅沢《ぜいたく》だが、疲れているし、たまにはいいだろう。

運転手に行き先を告げると、彼は、

「高速に乗っていいですか？」

と訊《たず》ねた。

一瞬迷ったが、「いいです」と答えた。それから濡《ぬ》れた額を手で拭《ぬぐ》った。

タクシーは強い雨の中を走っていく。慎一郎はしばらく左横の窓から景色を眺めていた。信号で止まった時、何気なく前方を見た。その瞬間、運転手の首が見えないことに気が付いた。よく見ると、制服の襟の少し上に帽子が浮いている。どういうことだ、と思った。乗った時はちゃんと見えていた——。

体を少し前に乗り出して、運転手を斜め後ろから見つめた。帽子の下には顔はなかった。袖《そで》から先も何も見えなかった。ハンドルだけが自動運転のようにくるくる回っている。

——この運転手は死ぬ！

慎一郎は一瞬パニックを起こしかけた。体が完全に透明だ。前にバイクにはねられて死んだ男もその直前に全身が完全に透明になった。この運転手もまもなく死ぬ——。

事故か。だとしたら、自分も死ぬかもしれない。

「運転手さん！」

思わず叫んだ。

「何ですか」

顔のない運転手の声が聞こえた。

「停めてくれ！」慎一郎は怒鳴るように言った。「降りたいんだ！」

大きなブレーキ音がして、タクシーが止まった。慎一郎は急停車の勢いで、助手席のヘッドレストに額をぶつけた。

「大丈夫ですか、お客さん」

運転手の声がした。

「お客さんが慌てて停めろって言うもんだから」

「大丈夫です」

慎一郎は言いながら顔を上げた。白髪混じりの運転手が困ったような顔で自分を見つめているのが見えた。

——顔が見えている！

「降りますか？」

運転手は訊ねたが、慎一郎は返事をするのも忘れて、彼の顔を見つめていた。いったいどういうことだ。

「料金は七百三十円です。乗ったばかりで悪いですけど」

慌てて財布を取り出すと、金を払った。それを受け取る運転手の手も、小銭をつまむ指先までしっかりと見えた。

タクシーを降りると同時に、ドアが怒ったようにバタンと閉められた。走り去るタクシーを見た。リアのガラス越しに運転手の首の部分がはっきり見えた。

どしゃぶりの中、遠ざかるタクシーを呆然と眺めていた。

少し落ち着くと、何が起こったのか、おぼろげながらわかってきた。自分がタクシーを急停車させたことで、運転手の「運命」が変わったのだ。俄《にわ》かには信じられなかったが、そうとしか考えられなかった。あのまま走っていたら、あのタクシーは運転手が死に至る事故を起こしていたのに違いない。もしかしたらその時は自分も死んでいたかもしれない――。

交通事故というのは一瞬のタイミングで起こる。もし二台の車の衝突事故だとしたら、どちらかの車が事故現場に到着するのが一秒でも早いか、あるいは遅ければ、衝突は避けられる。スピードが出ていれば、一秒もいらないだろう。どちらかが〇・一秒ずれるだけで衝突はしない。あの時、「停めてくれ!」の一言で、運転手がブレーキを踏んだ瞬間、数分後か数十分後に待っていた彼の事故が回避されたのかもしれない。

だとすると、運転手が事故に遭う運命はあらかじめ決まっていたことなのか――。

そこまで考え、待てよ、と思った。自分がタクシーに乗り込んだ時、運転手の顔は見えていた。運転手がわずかに振り返って、目が合ったのを覚えている。あの時、彼は透明ではなかった。

雨の中をふらふらと歩いていたが、自分が濡れていることさえ気づかなかった。

落ち着いて考えろ、と自分に言い聞かせるように心の中で言った。タクシーに乗った時には運転手の姿が見えていたということは、彼は事故に遭う「運命」ではなかったはずだ。それなら、いつ――どの瞬間に彼の運命が変わったのか。

あの時だ、と閃いた。運転手に高速を使うかどうか訊かれた時、少し迷って、そうするように言った――その時だ。あれに間違いない。あの自分の一言が、彼が事故死する運命を引き寄せたのだ。

思わず、うう、と声を上げた。なんということだ。自分は彼の人生を二度変えた。一度目は「死」へ、二度目は「生」へ。その時、左胸が錐《きり》で突かれたように痛んだ。咄嗟《とっさ》に胸を押さえたが痛みは去らなかった。あまりの痛みに立っていられなくなり、思わず歩道にしゃがみこんだ。

通りがかった老婦人が立ち止まって「大丈夫ですか」と声をかけてきた。返事をする余裕もなかった。女性はしばらく様子を見ていたが、そのまま立ち去った。

胸の痛みはしばらく続いたが、やがて少し楽になった。ゆっくりと立ち上がったが、動悸《どうき》は速く、まだ軽いめまいがした。

雨に濡れたガードレールにもたれていると、ようやく楽になった。全身がずぶ濡れになっていたが、そんなことはまったく気にならなかった。

今や慎一郎は確信した。自分には「死」が見える。いや、正確には死を見ることはできない――ただ、死を間近にした人間を見分けることができるのだ。普通に考えれば有り得ないことだが、そうとしか思えない。

そしてそれを確認する方法があることに気が付いた。

翌日、慎一郎は午前中に川崎駅の近くにある総合病院へと足を運んだ。この日は遅番で午後に職場に行けばよかった。

病院の手前で急に気後れした。玄関に足を踏み入れることが出来ず、何度もその前を行ったり来たりした。気持ちを落ち着けるために、近くの喫茶店に入った。

アイスコーヒーを飲みながら、臆《おく》するのは当然だ、と思った。これまで透けて見える人たちは、予期しない形で目に飛び込んできた。言うなれば向こうから勝手にやってきたのだ。こちらには避けることができなかった。

今からやろうとしていることはまったく違う。自分は積極的に「体の透けた人間」を見ようとしている。言い替えれば、死に向かおうとしている人たちを探しに行こうとしているのだ。はたして自分にはそんなことができるのだろうか。もし望み通りに見つけたとしても、どんな気持ちになるのか想像もできなかった。いや、人の命は見世物じゃない。面白半分に見るものじゃない。

目の前のコーヒーは半分以上なくなっていたが、味はほとんど感じられない。

慎一郎はこのまま帰ろうと思った。体が透けた人たちが病院に何人かいたとして、それを見てどうなるものでもない。「死が間近に迫った人」が透けて見えるとわかったところで自分の状況は何も変わらない。自分には病気で死ぬ運命の人を助けることなどできるはずもない。第一、末期ガンの患者がまもなく死ぬことなど、体が透けて見えなくても、医者や看護師にはわかっているはずだ。そんなことをわざわざ病院で確認したところで何の意味がある。

いや、と慎一郎は思った。病院には体が透けて見える人はいないかもしれない。自分に見えるのは、もしかしたら事故、つまり何らかのアクシデントによって亡くなる人たちだけかもしれないからだ。だから、それを確認するためにも病院に行かなければならない。

残ったコーヒーを一気に飲み干すと、意を決して病院へ向かった。

総合病院は十階建ての大きなビルだ。ロビーは明るく健康的な雰囲気に満ちている。

待合室のソファーには大勢の外来患者が座っていた。白衣を着た若い健康そうな女性看護師が忙しそうに歩いている。連れだって来た外来患者の話し声が方々から聞こえる。中には笑い声もあった。

一見すると死の影など微塵《みじん》もないように見える。慎一郎は広いロビーをゆっくりと歩き、ソファーに座る外来患者の姿を観察した。そこには体が透けて見える人はいなかった。

慎一郎はロビーを抜けて病棟に向かった。

「内科」と書かれた廊下を歩いていくと、車椅子に乗った痩《や》せた老人が看護師に押されて正面からやってくるのが見えた。すれ違う時に何気なくその患者を見た慎一郎は、思わず足を止めた——彼の両手と両足がなかったからだ。入院用のパジャマの袖と裾《すそ》からは何も見えなかった。顔は見えたが、よく見ると、それもうっすらと透けていた。

慎一郎は車椅子をやり過ごすと、いったん心を鎮《しず》めてから内科の待合室の小さなロビーに入った。

待合室のソファーには、十人ほどの患者が座っている。そこには腕が透けている人が二人いた。いずれもパジャマを着ていたので入院患者だろう。

——次から次だ、と慎一郎は心の中で呻《うめ》いた。この二ヵ月近くで六人の体の透けた人を見てきたが、病院に入った途端、早くも三人の人間を見た。やはり体の透けた人たちは「死」を間近に控えている人間なのか。

慎一郎は次に「循環器科」と書かれた病棟に向かった。途中の廊下で、腕が透けて見える太った中年男性に出会った。男は外来の患者らしく、サラリーマン風のいでたちだった。

循環器科の待合室のソファーには六人の患者が座っていたが、一人だけ腕と足がない初老の女性がいた。慎一郎は彼女を見つめながら、体の透けた人を見てもすでに大きな衝撃は感じなくなっていることに気付いた。感覚が麻痺してきているのが自分でもわかった。

その後も病院内をふらふらと歩き回った。一時間余り移動しているだけで、透けて見える人を十人近くも見た。そのほとんどは入院患者だった。中には見舞いに来た家族と思《おぼ》しき人たちと談笑している人もいた。

もう十分だ、自分にはやはり「死」が見える。その「死」は事故に限らない。病気も含めたすべての「死の運命」が見えるのだ。ただそのことを確認しても大きなショックは感じなかった。半ば予想していたことでもあったからだ。

とはいえ、病院をあとにして工場に向かう慎一郎の気持ちは重かった。

いったいなぜ、と慎一郎はひとりごちた。どうして自分には、死が間近に迫った人の体が透明に見えるのだ。これが「不思議な力」と呼べるものならば、なぜ、自分にこんな厄介な「力」が備わってしまったのか。こんなことは一度だって望みはしていない。これがいったい何の役に立つというのか。まったく無用なだけでなく、むしろ余計なことだ。

会社に着いて、事務所に入るなり、遠藤に「どうした?」と訊かれた。

「顔色が悪いぞ」

「大丈夫です」

慎一郎は努めて明るい声で答えた。

「朝食を食べてこなかったもので」

「腹が減っては仕事にならんぞ」

遠藤はそう笑いながら、工場に降りていった。

更衣室で作業服に着替えて、ガレージに入ろうとすると、美津子からも、「顔色悪いわよ」と声を掛けられた。続けざまに二人に同じことを言われ、ぎょっとした。もしかして、自分の顔が少し透けて見えているのかもしれない。

慌ててトイレに行って鏡を見た。たしかに少し顔色が悪かったが、透けてはいなかった。しかしすぐ、鏡に映すと透けて見えないのだということに気が付いた。

落ち着け、と自分自身に言い聞かせた。いいか、自分には何も起こっていない。自分の身に何か悪いことが起こったわけではない。仕事中は全部忘れるんだ。

しかし車を磨いている間も病院での光景が頭から去らなかった。今日、病院で見た体の透けた患者たちはまもなく死ぬ。おそらくそれぞれの病気が原因だろう。それはもう運命としか言いようのないもので、どうしようもない。それなのに、なぜ自分がそんなものを見せられるのか。彼らが死ぬことがわかっていても、どうにもできないではないか。

夕方、ガレージの片隅で休憩を取っていると、遠藤がやってきた。金田たちは近所の食堂に晩飯を食べに行っていて、ガレージには慎一郎しかいなかった。

「ちょっといいか」

遠藤は慎一郎が座っている古ぼけたソファーの横に腰掛けた。

「木山、お前、独立する気はないか」

唐突に言われて、慎一郎はなんと答えていいのかわからなかった。

「ここも手狭になってきたんで、第二工場を作ろうと思って、前からガレージに使えそうな物件を探してたんだが、なかなかいいのがなくてな」

慎一郎は黙って遠藤の話を聞いた。

「知り合いが蒲田《かまた》に小さなガレージを持っていて、それを譲ってくれると言うんだけどな、うちの工場にするには少し狭いんだ。どうせなら、お前がそこで独立してやったらどうかと思ってな」

「無理ですよ」

慎一郎は笑って両手を胸の前で振った。

「いや、お前なら大丈夫だ。小さいガレージで車は三台しか置けないが、一人でやるならそれで十分だろう」

「独立なんか考えたこともありません」

「まあ、今すぐという話じゃない」

「あのう」

と慎一郎は恐る恐る訊いた。

「もしかしてクビですか」

その言葉に、遠藤は大きな声で笑った。

「それはない！　そういうつもりはまったくない」

　それから少し真面目な顔をして言った。

「俺はお前って奴《やつ》が好きなんだ。もちろんずっとここにいてもらいたい。しかし、お前くらいの腕があるなら、独立してもやっていける」

「無理ですよ」

「急ぐ話じゃない。それに今お前に辞められたら、うちも困るからな」

　遠藤はそう言いながらソファーから立ち上がった。

「ゆっくり考えてくれ」

　慎一郎は曖昧に頷いた。

　遠藤は事務所に戻る途中、振り返ると、

「この話は、誰にもするなよ」

　と言った。

　広いガレージに一人残された慎一郎は遠藤の言葉を頭の中で繰り返した。

　独立などこれまで一度も考えたことがなかった。しかし、自分がこの工場にいつまでいるのかということも考えてこなかったことに気がつき、思わず苦笑いした。要するに、自分の人生をこれまで具体的に計画したことがなかったのだ。子供の頃から、ただその日を生きるために目の前のことだけしか見ない人生だった。遠藤の言葉は、そのことを初めて気付かせた。しかし独立にはまったく具体的なイメージが湧《わ》かなかった。

一日の仕事を終え、帰りの電車の中では努めて乗客を見ないようにした。雑踏の中でも下を向いて歩いた。透けている人間を見てしまうのが怖かったからだ。

アパートに戻るとようやく緊張が解けてほっとした。万年床に横になると、枕元《まくらもと》に置いてあるマンガ雑誌を手に取ってページをめくった。脳裏に今日一日の様々な出来事が次々に蘇《よみがえ》ってきて、全然ストーリーが頭に入ってこなかった。遠藤から聞かされた独立の話も印象に残っていたが、それよりも朝、病院で見た光景が心の大半を占めていた。

雑誌を閉じた時、不意に幼いころの記憶が蘇ってきた。なつこの記憶だった。慎一郎ははじかれたように上半身を起こした。心臓がばくばくと鳴っていた。なつこの顔が透けて見えたことがあったのをまざまざと思い出したのだった。

そうだ、俺は見た――なつこの顔が透けていたのを。その記憶は深い闇《やみ》の中から突然鮮やかな色彩をもってあらわれた。

なつこは眠っていた。あれはいつだったか——。慎一郎は目を閉じて記憶を辿った。しかしそれがいつだったのかどうしても思い出せない。無理に思い出そうとすると吐き気がする。

再び布団《ふとん》の上に横たわると少し楽になった。起き上がり、冷蔵庫からビールを取り出して飲んだ。いつもなら味わえる爽快感はなかった。もしかしたら、と思った。なつこの寝顔が透けて見えたのは火事の夜だったのかもしれない。はっきりした記憶はないが、なぜかそうだったような気がする。長い間、記憶の底に眠っていた光景だ。あの時、自分にはなつこの死が見えていたのか。透明なつこを見た時、どうしたのだろう。記憶の底を探ったが、何も思い出せなかった。気味が悪いと思っただけで、すぐに寝てしまったような気がする。

もし、その時に大声で泣き叫んで両親に知らせていたら、なつこは助かっていたのだろうか。火事は起きず、家族の運命は変わっていたのかもしれない。そう思うと、なつこに対して申し訳ない気持ちで胸が締め付けられた。自分はなつこを助けられなかったのだ。もしかしたら助けられたかもしれないのに——。それとも、どうあがいても結局はあの夜に火事が起き、両親もなつこも死んだのだろうか。

布団の上に座ったまま、タバコを吸った。二本三本と吸ううちに少し落ち着いてきた。

たしかに自分は不思議な「目」を持っている。それはまもなく死ぬ人間がわかるという目だ。おそらくは子供の時にも持っていたのだろう。その力は長い間眠っていた。なぜ今になって蘇ってきたのか。こんな「目」がいったい何の役に立つというのか。

いくら考えても答えは出るはずもなかった。

6

翌日、慎一郎が工場へ行くと、遠藤の怒鳴り声が聞こえてきた。怒られているのは金田だ。

「何かあったんですか？」

事務所で美津子に訊《き》いた。

「車にうっかり傷をつけて、黙っていたらしいの」

「どこに？」

「右のフロント」

「大きな傷だったんですか？」

「かすり傷みたいなもの。でも絶対にわかる」

それはそうだ。社長の遠藤は客に車を納品する時には、隅々までチェックをする。どんな小さな傷でも見逃さない。

「隠し通すなんて無理なのに」

「そうなのよ」美津子が少し表情を曇らせた。「ひどいのは、慎ちゃんのせいにしたことよ」

慎一郎は驚いた。

「俺じゃない、木山がやったんですって言ったらしい」

「僕じゃないですよ」

「わかってるわよ」美津子は言った。「社長もわかっているから、余計にかんかんなのよ」

慎一郎は小さなため息をついた。

車の扱いは慎重すぎるくらいにやっているが、それでもごく稀《まれ》に傷をつけてしまうこともある。その時は会社が契約している修理工場で直す。もちろん社長には注意されるが、よほどのミスでなければ、カミナリを落とされることはない。金田もちゃんと申告していれば何の問題もなかった。もしかしたら金田自身が傷つけたことに気付いてなく、社長に見つけられて咄嗟にウソをついたのかもしれない。

慎一郎が作業服に着替えてガレージに降りて行くと、遠藤はまだ怒っていた。

「今度、他人のせいにするようなことがあったら、許さんぞ」

金田はふてくされたような顔で黙っている。

「聞こえてるのか！」

遠藤が怒鳴った。

「聞こえてますよ」

金田はぶすっとした声で言った。その時、二階の事務所から美津子がやって来て、

「社長にお電話です」と告げた。

遠藤は金田の金髪の頭を右手で叩くと、「気を入れてやれ」と言って事務所に向かった。

遠藤が去ると、金田が舌打ちした。

「目に見えるか見えないかくらいの傷でギャーギャー言いやがって」

金田は同僚たちに強がるように言った後、慎一郎に気付くと、睨《にら》みつけてきた。

「俺は全然覚えがないんだ。木山、お前じゃないのか」

「違います」

「お前、金のことを恨んでやったんだろう」

「そんなことしません」

金田はまだ何か言おうとしていたが、慎一郎は自分の持ち場に移動した。背後からまたわざとらしい舌打ちが聞こえた。

不愉快な出来事だったが、車にポリッシャーをかけるとすべては頭から消えた。

この日、慎一郎が磨いているのはオレンジ色のフェラーリだった。イタリア車はドイツ車と違って塗装が薄い。それだけに慎重かつ丁寧に磨かないといけない。うっかり磨きすぎると、塗装の色が変化する。

磨きに集中したおかげで、余計なことを考えずに済んだ。昨日からずっと頭の中を占めていた「透けて見える体」のことも仕事中は完全に忘れることが出来た。

しかし午後に再び不愉快な事件が起きた。

昼の休憩を終えて、フェラーリの磨きに取り掛かろうとした時、左のドアにこすったような傷を見つけたのだ。朝にはなかった。

慎一郎は近くにいた遠藤に報告した。

遠藤はすぐに車の傷を確認すると、「いつできた」と訊いた。

「わかりません」と慎一郎は答えた。「見つけたのは今です。朝にはありませんでした」

「金田のバカの仕業だな」

遠藤は憎々しげに言った。

「金田さんは午前中に客に車を届けに行って留守です」

「午前中？　何時だ」

「たしか十一時頃だと思います」

「お前はその時間は何してた」

「ずっとこの車を磨いていました。十二時まで」

遠藤は腕組みをした。金田にはアリバイがある。慎一郎は松山か後藤のどちらかが金田に頼まれてやったのかもしれないと思った。二人は遠藤と慎一郎のやりとりなどは気付いていないふうで、せっせと車にポリッシャーをかけていた。

慎一郎は二人のうち、どちらかがやったかもしれないとは口にしなかった。証拠はないし、そんなことを言えば事態はさらにややこしいことになる。

しかし遠藤の金田に対する怒りは収まらなかった。

「絶対にあのバカがやったんだ。お前が気付いていない間にやったんだ」

遠藤が吐き捨てるように言うと、怒りは慎一郎にも飛び火した。

「お前がしっかり見ていないからそんなことをやられるんだぞ」

慎一郎は黙って頭を下げた。

「まったく——一日二回も車に傷がつくなんて気が抜けている証拠だ。連帯責任として、今月は全員から給料を引かせてもらう」

遠藤の大声に、ガレージで働いていた全員が振り返った。しかし遠藤の剣幕に誰も何も言えなかった。

その日の仕事は珍しく早く終わった。更衣室で服を着替えて、帰ろうとすると、美津子が声をかけてきた。

「ビールでも飲みに行かない？」

美津子から誘いを受けることは珍しかった。

「お付き合いします。どこに行きますか」

「川崎駅前のビヤガーデン。私が奢《おご》るよ」

慎一郎は顔の前で手を振った。

「いいのよ。私が誘ったんだから」

美津子はにっこりと笑った。

川崎駅近くにあるビルの屋上ビヤガーデンに着いたのは、七時過ぎだった。あたりはまだ明るく、ぬるい風が吹いていた。

二人は生ビールと鶏の唐揚げを注文した。まもなく大きなジョッキが運ばれてきた。軽くジョッキを合わせて、乾杯した。冷えたビールを喉《のど》に流し込むと、疲れが吹き飛ぶ。

「あの話、聞いたわよ」

「あの話って何ですか」

「誰かがフェラーリに傷つけたこと」

慎一郎は曖昧に頷《うなず》いた。

「どうしようもない奴ね」

美津子は怒ったような口調で言った。

「今朝の金田君の件にしたって、慎ちゃんのせいにするなんて、社長じゃなくても怒るよね」

慎一郎は黙って頷きながら、美津子がビヤガーデンに誘ったのはこの話をするためだったのだなと思った。

「さすがにおとなしい慎ちゃんも腹が立ったでしょう」

「いいえ」と慎一郎は言った。「腹が立つというよりも驚きましたけど——」

「たまには怒った方がいいよ」

慎一郎は苦笑した。

「金田さん本人も知らない間についた傷みたいだし、もしかしたら僕かもしれないと思ったんじゃないですか。それで、ぽろっと言ってしまったのかもしれません」

「私はそうは思わないな」美津子は言った。「あの子は性根が腐ってるのよ」

それに関しては口を挟まなかった。

「でも、金田さん、磨きの腕はいいですよ」

「慎ちゃんの方がずっと上だよ。金田君は仕事が雑。社長はいつも怒ってる」

それはたしかだった。金田はいい腕を持っているのに、仕事が適当だ。せっかくいい腕を持っているのだから、もっと真剣にやればいいのにと内心で思っていた。

「あんな嫌がらせ、気にしちゃダメよ」

「はい」

慎一郎は答えながら、美津子が自分を慰めようとして誘ってくれたのだということがわかった。その気持ちには素直に感謝した。

「せっかく美味《おい》しいビール飲んでるのに嫌な話しても何だね。今日はパーッと飲もうよ」

「はい」

唐揚げを食べながら勢いよくビールを喉に流し込むと、あっというまにジョッキの三分の二ほどが空になった。

「私みたいなおばちゃんが相手でごめんね」

「とんでもない！ママさんに誘ってもらえて嬉《うれ》しかったです」慎一郎は言った。

「本当ですよ」

美津子は笑った。

「慎ちゃんは恋人とかいるの？」

「そんなのいないですよ」

「背も高くてイケメンなんだから、その気になればモテると思うよ」

「全然イケメンじゃないですよ」

「ううん。整った顔してるよ。ちょっと草食系な感じもするけど」

慎一郎は苦笑するしかなかった。

「真理《まり》ちゃんとはお似合いだと思っていたんだけどね」

彼女の口から真理子の名前が出てきてびっくりした。

「二人はうまくいってると思ってたんだけどなあ」

「──何にもなかったですよ」

そう答えながら、慎一郎は胸に鈍い痛みを覚えた。

植松《うえまつ》真理子は二年前まで事務員として働いていた女性だった。年齢は慎一郎の三歳下だった。もともとは清涼飲料水の訪問販売員で月に一度やって来ていたのだが、やがて毎週来るようになり、遠藤とも親しくなった。真面目《まじめ》で誠実な真理子を気に入った遠藤は、たまたま事務員が一人辞めたこともあって、うちに来ないかと勧誘したのだ。

真理子は数字に明るい優秀な事務員だった。人当たりも良く、顧客にも人気があった。そんな真理子が自分のような男を気に入ってくれたとは今でも信じられない。

慎一郎は訪問販売に来てくれていた時から真理子に好意を持っていたので、彼女が会社に入った時は、少しときめいた。しかし自分から話す勇気はなく、会社で会っても挨拶《あいさつ》を交わすくらいだった。

真理子はたちまち会社のアイドルとなった。若い男性社員たちがアプローチしたが、誰にもなびかなかった。遠藤や美津子が同席する飲み会や食事会などには参加したが、同僚の男と二人きりで食事することはなかった。

金田はかなりしつこく誘っていたが、相手にされず、「あんな小便くさい処女なんて、面倒くさいだけだ」と口汚く罵《のの》った。ただ、その言葉は遠藤に聞かれ、こっぴどく叱《しか》られていたが。

慎一郎の目から見ても、真理子には男性経験はないように思えた。もっとも女性と付き合ったことがない慎一郎には本当のところはわからない。だからそれが自分の願望にすぎないことはわかっていた。

真理子が入社して三ヵ月ほど経《た》ったある日、慎一郎がミーティングルームと名付けられている部屋の机で一人コンビニ弁当を食べていると、真理子が「一緒に食べてもいい？」と隣に座った。慎一郎は「いいよ」と答えながら、内心は動揺を隠すのに必死だった。その時、真理子とどんな話をしたのかは記憶にない。他愛のない世間話だったような気がするが、午後からの仕事中は浮き立つ気分だったことだけははっきりと覚えている。

その日以来、ミーティングルームで昼食を二人で食べることが多くなった。最初は自分から話すことはなかった慎一郎だが、真理子の屈託ない雰囲気に気持ちがだんだんとほぐれて会話が弾むようになった。

会社の中でこんなふうにリラックスして話せる相手は美津子以外で初めてだった。

人見知りする慎一郎は遠藤が相手でも話す時は緊張した。しかし美津子に対する感情と真理子に対する感情はまったく違った。自分が真理子に恋しているのはわかっていた。

朝、起きると、真理子と一緒に過ごす昼食時間が待ち遠しかった。午前中はずっと浮き浮きしていた。昼食時間に甘い会話を交わすわけでもなかった。たいていは昨日観《み》たテレビドラマやニュースの話だ。会話の八割は真理子が話していた。タレントの噂《うわさ》話や読んでいる本の話もあった。彼女の明るいおしゃべりを聞くのが好きだった。

いつしか慎一郎にとって一時間の昼休みが一日の最高の時間になった。その時間のために生きていると言ってもおかしくないくらいだった。朝、どんなに眠くても昼に真理子に会えると思うと、いっぺんに目が覚めた。昼休みを終えて、午後の仕事の間も楽しい余韻が続いた。

ガレージで休憩中、すぐ上の二階の事務所で彼女が仕事をしていると思うと、それだけで胸が高鳴った。

真理子と慎一郎の仲は会社で半ば公然としたものになっていた。一度、金田が下品な冗談でからかったが、たまたまそれを聞いていた遠藤に、またしてもきつく叱られ、それ以後は聞こえる場所では言わなくなった。

実際のところ、二人の関係は恋人同士と呼べるものではなかった。互いに好きとは一度も口にしなかったし、二人きりでのデートさえしたことがなかった。帰宅時間が違うので一緒に帰るということもなかった。何度か真理子が「一緒に帰ろうか」と声をかけてきたことはあった。しかし、いつも遅くまで車を磨いている慎一郎は彼女を待たすのが申し訳なくて、そのたびに断った。遠藤が気を利《き》かせて「早く終わっていいぞ」と言ってくれたこともあったが、そんなふうに周囲に「お膳《ぜん》立《だ》て」されるのは恥ずかしくて、かえって意地になって遅くまで仕事を頑張った。

本当のことを言えば、自信がなかったのだ。真理子のような魅力的な娘が自分のような何の取り柄もない男を好きになってくれるはずがない。たしかに好意を持ってくれてはいるのかもしれないが、それは「恋」の感情ではないと思っていた。真理子にとって、遠藤は気軽に話せる相手ではないし、美津子とも年齢が離れている。金田や松山たちは不良っぽくて怖いイメージがあったので、真理子が会社でただ一人気軽に話せる安全パイが自分ということなのだろうと慎一郎は考えていた。

ただ、それでももしかしたら真理子は自分に好意以上の感情を持ってくれているのかもしれないと思う時もあった。昼食を食べている時などにふと会話が途切れた一瞬、彼女がじっと自分を見つめることがあったからだ。

そんな時、慎一郎は長いまつげに縁どられた大きな黒い瞳《ひとみ》を見つめ返すことが出来ず、いつも目を逸《そ》らしてしまった。それから、誤解するなと自分に言い聞かせた。彼女はたまたま何気なく見つめただけだ。いい気になって、いきなり手を握ったりすれば、大変なことになる——。優しい彼女は大騒ぎして自分を非難するようなことはしないだろうが、木山慎一郎という人間を見下げ果てた男と軽蔑《けいべつ》するだろう。それだけは耐えられない。そんなことになったら、もうこの会社にはいられないし、生きていくのさえ辛《つら》くなる。

自分は恋人なんて作れるような男じゃないと慎一郎は自分に言い聞かせた。そんなことを夢見たこともあったが、あくまで想像の世界だ。昼食の一時間を真理子と話せるだけで十分だ。いや、そのことが自分にどれだけ大きな喜びを与えてくれているか——。だからその幸福な時間を壊すようなことだけはしたくなかった。

「どうしたの？　深刻な顔して」

美津子に言われて、慎一郎はわれに返った。

「いや、急にやりかけの仕事のことを思い出して——」

無理に笑顔を作って言った。

「慎ちゃんは本当に仕事の虫ね。頭の中は車を磨くことしかないんじゃないの」

「そんなことはないです」

「社長も仕事の虫だけど、慎ちゃんはそれ以上ね」

いつのまにか少し酔いが回ってきた。

二人はビールのお代わりをし、枝豆とポテトフライも注文した。

「ねえ、あのカップル見てよ」

美津子がそう言って慎一郎の斜め後ろを指差した。

ビールを飲みながらそちらへ視線を向けると、そこにはスーツを着た若いサラリーマン風の男と、ノースリーブのワンピースを着た女性がいた。

ジョッキを摑《つか》む手がこわばった。ノースリーブの肩から先の腕がまったく見えなかったからだ。酔いが一気に醒《さ》めた。

慎一郎の目は女に釘《くぎ》づけになった。ビヤガーデンの喧騒《けんそう》さえも耳に入らない。

「何か揉《も》めてるのかしらね」

美津子が小声で言ったが、慎一郎は返事をするのも忘れて女を見つめた。

女は若い男と向かい合って座っていた。前にあるジョッキにはまったく口をつけておらず、下を向いている。おそらく美津子が言うように、喧嘩《けんか》でもしているのだろう。

一見何気ない光景だが、普通と違うのは女の手が見えないことだ。

ただ茶色い髪の毛は透けてはいない。向かいに座る男が時折、女性に何か話しかけていたが、女はずっと俯《うつむ》いたままだ。その顔は髪に隠れて見えなかった。

慎一郎は視線をテーブルの下の方にずらした。白いワンピース以外には何も見えなかった。床に赤いハイヒールだけが見える。鼓動が速くなるのがわかった。

「別れ話かな」

美津子の言葉に慎一郎は曖昧《あいまい》に頷きながら、相変わらず半身《はんみ》のまま女を注視した。

やがて女が少し顔を上げた。白い化粧が施された顔が見えた。しかし目の部分はぽっかりと穴が開いていた。それを見たとき、慎一郎は不吉なものを感じた。もしかしたら顔の化粧をすべて取れば、顔も頭もすべて透き通っているのではないかと思ったのだ。だとすれば、彼女の目の前には死が待っている――。

能面のような化粧の顔が揺れ、女性の茶色の髪の毛が左右にたなびくのが見えた。首を横に振ったのだ。髪が透けて見えないのはおそらく染めているからだろう。向かいに座る若い男は女から顔をそむけて椅子《いす》に大きく背をもたせかけた。女性は再び下を向いた。

「木山君」

美津子が少し注意するように声をかけた。

「あんまりじろじろ見るもんじゃないわよ」

慎一郎は「はい」と答えると、美津子の方に向き直ってビールを飲んだ。そして枝豆をいくつか口に放り込んだ。しかしすぐに女が気になって振り返った。女は相変わらず下を向いている。ハンカチが顔の前で揺れているのは泣いているからだろうか。

「ちょっと――」

美津子が呆《あき》れた声を出した。

「気になるカップルというのはわかるけど、やじうまみたいに見ないの」

「すいません」

慎一郎は女から視線を外した。

もう女を見るのはやめよう。彼女がどうなるかは自分には関係のないこと、と言い聞かせた。仮に死が迫っていたとしても、自分にはどうすることもできない。ここで彼女に話しかけたとしても、彼女の運命が変えられるものかどうかはわからない。それに実際のところ、彼女が本当に死ぬかどうかなんてわからないんだ。病院で多くの透明な人たちを見たのはたしかだが、だからと言って今このビヤガーデンのテーブルでビールを飲んでいるあの女性が死ぬとは限らない。女のことは頭の中から追い払って、今はビールを楽しむことだけを考えよう。

「暗くなってきたわ」美津子が空を見上げた。

気がつけばいつのまにか陽は落ちていた。しかし相変わらず暑かった。

「やっぱり暗くないとビヤガーデンの雰囲気は出ないわよね」

頷きながら、新しく運ばれてきたジョッキに慎一郎が手を伸ばしたとき、後方で椅子が倒れるような音と同時に、グラスが割れる音がした。振り返ると、さっきのテーブルに白いワンピースの女の姿がない。

周囲を見渡すと、テーブルから少し離れたところで、ワンピースがひらひらと飛ぶように動いている。テーブルの男が呆然《ぼうぜん》とそれを見つめている。

白いワンピースはビヤガーデンのフェンスに向かって飛んでいった。慎一郎は咄嗟《とっさ》に立ち上がると、彼女を追って走り出した。

ワンピースはフェンスの前にたどりつくと、ゆっくりと上へ浮かんだ。ワンピースの下で二つの赤いハイヒールが網目を昇っていく。

慎一郎はテーブルの間を必死で走った。フェンスの網目に引っ掛かったハイヒールの一つが床に落ちるのが見える。周囲にどよめきが起こった。

「やめろ！」

思わず大声で怒鳴った。ワンピースはフェンスの上で、動きを止めた。女が振り返り、濃い化粧をした能面のような顔がこちらを見た。しかしその目は黒い穴がぽっかりと開いているだけだった。慎一郎は椅子に足を引っ掛けて転倒したが、すぐに立ち上がり、必死でフェンスに向かって走った。

慎一郎が駆けつけたときは、ワンピースはまだフェンスの上でふわふわと漂っていた。タックルをするように、スカートの裾《すそ》を摑もうとした。しかし一瞬遅かった。白いワンピースはその手をかすめると、フェンスの向こう側に落ちていった。

フェンスの網目を摑んで目を閉じた慎一郎の耳に、ビルの下の方から鈍い衝撃音が聞こえた。その直後、ビヤガーデンに悲鳴が轟《とどろ》いた。

慎一郎が目を開けると、目の前に網目に引っ掛かった赤いハイヒールが見えた。その下には床に転がったもう一つのハイヒールがあった。さっきまでこれを履いていた女性はもうここにはいない。

フェンスの周囲に人々が群がってきた。ビヤガーデン全体が騒然となり、ビルの下からも大きな声が聞こえる。何人かが道路を眺めようと網目に足をかけてよじ登っている。慎一郎はビルの下を覗《のぞ》き込む気はなかった。

フェンスから遠ざかる慎一郎の背中から、飛び降り現場を覗きこんだ人が上げた叫び声が聞こえた。

テーブルに戻ると、美津子が青ざめた顔で慎一郎を見つめた。他のテーブルにはほとんど人がいなかった。

「間に合わなかった――」

慎一郎が呻くように呟《つぶや》いたが、彼女は答えなかった。生ぬるくなったジョッキの把手《とって》を摑んだが、とてもそんな気分にはなれないことに気付いて、再びテーブルに置いた。

「木山君――」

美津子がようやく口を開いた。

「あの人が飛び降りようとしているのがわかってたの？」

慎一郎は慌《あわ》てて首を横に振った。

「じゃあ、どうしてすぐに追いかけたの？」

「何かよくないことが起こりそうだったから――」慎一郎は絞り出すような声で言った。「もしかしたら、飛び降りるかもしれないと思ったんです」

美津子はいぶかるような目で慎一郎を見つめた。

「私は飛び降りるだなんて全然思わなかったわ」と美津子は言った。「男と喧嘩して逃げただけだと思ってた」

慎一郎は黙って頷いた。

「でも、木山君はやめろって言って追いかけた。まるで最初から飛び降りるのを知ってたみたいに——」

「いいえ」慎一郎は苦しそうに答えた。「本当に知らなかったんです——ただ、何か嫌な予感がして」

美津子はそれ以上は何も言わなかった。

まもなくビヤガーデンは次々に人がやってきて騒然となった。店員やビルのガードマンたちの「入らないでください！」という声が響いた。ビルの下からは救急車やパトカーのサイレンが聞こえていた。まもなく「本日は閉店いたします」というアナウンスが流れた。

慎一郎と美津子は勘定を済ませてビヤガーデンを後にした。

エレベーターを降りてビルを出ると、歩道は人だかりだった。人々の頭越しにパトカーの回転する赤いランプが見える。

二人は歩道の人混みをかき分けるようにして現場を離れた。

「飲み直す気分じゃないわね」

美津子の言葉に、慎一郎は「そうですね」と答えた。彼女はまだ何か言いたそうな顔をしていたが、黙って頷いた。

京急川崎駅で美津子と別れた。

アパートに戻ってからも後悔に苛《さいな》まれた。もう少し、女から目を離さないでいたら、助けることができたかもしれない。フェンスによじ登る前に捕まえることができただろう。そうしたら彼女は今も生きていた――。

おそらく彼女は男と別れ話でこじれたかどうかして、怒りと絶望で発作的に飛び降りたのだろう。もしかしたら、男が追ってきてくれるのを期待していたのかもしれない。フェンスの上で一瞬、振り返ったのは、それを確かめたのに違いない。しかし追ってきたのは見知らぬ男だった。彼女はテーブルに座ったままの男を見て、悲しみのあまりフェンスの向こう側へと身を投げ出した――。

いや、彼女が飛び降りた理由なんかどうでもいい。男と女の事情など、第三者にわかるわけがない。問題は――彼女が死ぬのがわかっていながら、見殺しにしたことだ。彼女の全身が透けていたということは、「死」がすぐそばまで迫っていた証拠だった。それなのに、どうせ自分には彼女の運命を変えることはできないと、知らぬ顔を決め込んだ。

部屋の明かりを消して布団の上に倒れこんだ。しかし眠ることはできなかった。脳裏にはフェンスの鉄柵《てっさく》を通して落ちていく白いワンピースの映像が何度も蘇ってきた。

「畜生！」

暗がりの中で思わず呟いた。自分のせいじゃない！

頭の中の映像が不意に形を変えた。白いワンピースを着た幼い女の子が、伸ばした手をすり抜けて落ちていく——。慎一郎は咄嗟に上体を起こした。落ちていった女の子は、なつこだった。

胸が激しい動悸《どうき》を打っていた。息が苦しかった。あの夜——なつこの顔が透けて見えたのは、気のせいではなかった。幼い自分には既に「死」が間近に迫った人を見抜く力があったのだ。あの時、もしかしたら、なつこを、そして両親を助けることができたかもしれない。しかし助けられなかった。

あの夜以来、人が透けて見えたことは一度もない。自分でも長い間そんなことを忘れていたくらいだ。なぜ今頃になって、こんな力が戻ってきたのか。なつこと両親の命を助けることができなかった自分には、まるで無意味な力であるばかりか、後悔がつのるだけのものではないか。もしかしたら、これは罰なのか。なつこを救えなかった報いとして、人の死を見つめ続けさせられていくのだろうか。

それとも、この力には何か別の意味があるのだろうか。そう思ったとき、それまで感じたことのない得体の知れない不安と恐怖を覚えた。

慎一郎は布団の上に座ったまま、じっと暗闇《くらやみ》を見つめていた。

7

翌日の昼休み、事務所でコンビニ弁当を食べていると、美津子が隣にやってきた。

彼女は周囲に誰もいないのを確かめてから言った。

「昨日の女性、亡《な》くなったって」

「そうなんですか」

「朝刊に小さく載ってた」

あの高さから飛び降りればまず即死だろうとは思っていたが、あらためて死を聞かされると、再び心に小さな痛みを覚えた。

「あの時、慎ちゃん、ずっとあの女の人を見てたよね」

美津子は詰問《きつもん》するような感じで訊いた。

「何かを感じたの？」

「前に一度――見たんです」

慎一郎は苦し紛れに言った。

「目の前で自殺した女の人を」

美津子はびっくりした表情をした。

「そうだったの」

「その時の様子に似ている感じがして——それで、つい気になって見ていました。だから彼女が走り出したとき、無意識に後を追っていたんです」

「そういうことか」

美津子は納得したように頷いた。

「私、慎ちゃんが超能力者なのかと思ったわ」

「そんなことあるわけないじゃないですか」

「それはそうなんだけど、あの時の慎ちゃんは普通じゃない感じがしてたわよ。あ、そうか！」

美津子は突然、思い出したように言った。

「前に慎ちゃん、死ぬ人の運命がわかったらどうするとか何とか言ってたじゃない。前に自殺を見たからなのね」

慎一郎は曖昧にうなずいた。

「やっぱり何か感じるもの？」

「何となく、です」

「どんな感じなの？」

「うまく説明できないです。ただ、ふわーっとした感じで、何となくとしか言いようがないんです」

美津子は納得できない感じだったが、それ以上は追及してこなかった。

「それにしても」と美津子が口を開いた。「五十も超えて、よくあんな死に方ができるわね」

慎一郎は思わず、「えっ？」と言った。

「昨日の女の人ですか」

「そうよ。新聞に載ってたよ。五十二歳、私の二つ上。主婦だって」

「そうだったんですか」

「結構年もいってるのに、あんな白塗りの厚化粧して、ひらひらのワンピースなんか着て変な人だとは思っていたけど、まさか飛び降り自殺するとは思わなかったわ」

道理で化粧の顔がはっきりと見えていたはずだ。美津子がじろじろ見るのをやめろと言ったのは、そのこともあったからだろう。

「女の人と話していた男はどうしたんでしょう」

「飛び降りたあと、こっそりと店を出て行った」

「見てたんですか」

「うん」美津子は小さく肩をすくめて言った。「気になったからね」

「そうですか」

「少なくとも身内じゃないね。多分、ホストか若いツバメかな。まあ、薄情な男というのはたしかね」

慎一郎は今更ながら、死んだ女に同情した。そんな男のために死ぬことはないだろう。一時の激情のために命を落とすことはない。同時に、彼女を助けられなかった自分を責めた。

「ママさん」

と慎一郎は言った。

「どうしたの、真剣な顔して？」

「ママさんは、人の運命って最初から決まっていると思いますか？」

「どうしたの、急に？」

「いや、人の運命って、生まれた時から全部決まっているのかなと、ふと思って

「──」

「私も若い頃はよくそんなことを考えたわ。人生っていろんな選択肢があるように思えるけど、実は最初からどれを選ぶか全部決まっているんじゃないかって」

「はい」

「それでね、ひとつだけわかったことは──」

慎一郎は身を乗り出した。

「いくら考えてもそんなことはわからないということ」

美津子の言葉に思わず苦笑した。

「だって、人生はやり直しがきかないからね。過去に戻って選び直しってできないからね」

慎一郎は大きくうなずいた。

「でも、若い頃に読んだ本ですごく印象的な話を覚えてるわ。こんな物語よ。バグダッドの裕福な商人のところに、市場に買い物に出かけた召使が震えながら戻ってきて、こう言うの。『ご主人様、市場で死神に会って、脅かされました。今すぐ馬を貸してください。サマラの町まで逃げます』と。商人が馬を貸すと、召使はサマラの町まで逃げた」

「それで」

「その後で、商人が市場の人ごみの中に死神を見つけたの。それで死神に、『今朝、どうして私の召使を脅かしたんだ』と尋ねたら、死神は『脅してなんかいない。彼とは今夜、サマラの町で出会うはずだったから、びっくりしたんだ』と言ったって話」

慎一郎は思わず唸《うな》った。

「その召使はサマラの町で死神に会って命を失うんですね」

「そういうこと」と美津子は言った。「結局、人の運命は変えられない」

「けど、もしも召使が市場で死神に会ったとき、自分の運命はこれまでと思って諦《あきら》めて、おとなしくバグダッドに留まっていたら、どうだったんでしょう」

「うーん、その場合は、その夜にサマラの町で死ぬことはなかったかもしれないわね」

「ということは、召使の考え方次第で運命は変わっていたということじゃないですか」

「そうなるのかな」

「そうですよ、運命は決まっていたわけじゃなくて、変わる余地があったんですよ」

「そんなこと、私に言われても知らないわ」美津子は呆れたように言った。「おとぎ話みたいなものを真剣に考えても仕方がないじゃない」

慎一郎も彼女の言うとおりだと思った。これは本当にあったことではないし、死神なんか存在しない。

「ちょっと待って」

と美津子は何かに気付いたように声を上げた。

「召使が諦めていたら死ななかったって言ったけど、召使はそこで諦めるような性格じゃなかったかもしれないじゃない。実際に諦めなかったんだし」

「なるほど」

「そうよ。だから召使はサマラの町で死ぬ運命だったのよ。つまり、彼がサマラに行くことも最初から決まっていた」

強引な説に思えたが、それなりに説得力はあった。人生で何を選択するかはその人の性格次第だ。結局、それが運命だと言ってもいい。召使がサマラの町へ逃げようと思ったのも彼の運命だったし、それを聞いて主人である商人が馬を貸したのも運命だ。

でも、自分は前に、タクシー運転手の運命を二度変えた。一度目は「生から死」に。二度目は「死から生」に。あれはいったいどうなるのだ。いや、待てよと思った。よく考えてみれば、結局、彼の人生は全然変わらなかったということになるのではないか。つまり自分は彼の運命を何も変えなかった――。これはつまりタクシーの運転手の運命は最初からあそこでは死なないと決まっていたということなのか。

「二人でこそこそ何の話をしてるんだ」

不意に遠藤が話に割り込んできた。

「死神がどうしたって?」

「人の運命は決まっているのかって話をしてたの」

と美津子が答えた。

「運命か」

遠藤はテーブルをはさんで慎一郎と美津子の向かいに座った。

「運命が決まってるか決まってないかはわからんが、予測することは不可能だな」

「そうよね」

美津子が頷いた。

「ただな、物理的な意味では、未来は予測できるはずなんだ」

「どういうことなの?」

「物理学というのは、わかりやすく言えば予言学だというのを聞いたことがある」

「何ですか、それ」

「ある物体が動いているとして、何秒後にその物体がどこにあるのかを知るのが物理学だそうだ。ある星が一万年後にどこに位置しているのかも正確に知ることができる。つまり未来の変化を完璧《かんぺき》に予知する学問ということらしい」

慎一郎は心の中で遠藤の博識に感心した。定時制高校で学んだ物理学がそんな学問であるとは考えたこともなかった。

「物体にどんな力をどれだけ加えれば、何秒後にどんな変化を起こしているのかも正確に知ることができる」

「人間も同じですか」

「いや、木山。人間はそんなわけにはいかんな。自然落下している石が途中で物理法則から外れて速度を緩めたり速めたりはしないが、人間の行動は法則通りにはいかんし、予測がつかん」

「そうですよね」

「本の受け売りだが、何でも、人間は朝起きてから寝るまでの間に九千回も選択をしているらしいぞ。そういう意味では人間は物理学の法則から外れた存在なんだ」

なるほどと思った。

「私なんか、朝起きるまでに、起きようか、もう少し寝ようかと、そこで十回くらい選択してるわよ」

美津子の言葉に遠藤は笑った。

しかし慎一郎は、人間も大局的に見れば物理学の法則に当てはまるのではないかという気がした。体に強い力を加えれば死ぬことは予測できるし、どれだけ頑張っても百五十年も生きられない。人は皆、限られた時間の中で日々、小さな選択を重ねて人生を営んでいるだけではないか。その時々の変化は大きく見えるが、長い目で見れば同じようなものに思えた。しかしその考えは口にはしなかった。

「車はどれだけ磨けばどんな光沢が出るかきちんと予測がつくが、人間はどれだけ磨けば光るかがわからない。いくら磨いても全然ダメなやつはいる。逆に、ほっといても光るやつがいるかと思えば、ほっとくとどんどんサビつくやつもいる」

「私はほっとくとどんどん太っていくけどね」

その時、昼休憩終了のベルが鳴った。

「よし、予測ができる仕事をするか」

三人は同時に立ち上がった。

その日、慎一郎は仕事を終えて、駅からアパートへ戻る道すがら、小さな公園に立ち寄った。昼に聞いた二人の言葉が頭に残っていて、一人で整理してみたかったのだ。遠藤の「物理学は予言学」という話も興味深いものだが、それ以上に美津子から聞いた「バグダッドの死神」の話が非常に印象的だった。

公園には誰もいなかった。水銀灯が二本あるだけで、あたりは暗く、しんとしていた。

慎一郎はブランコに腰掛けると、駅前のコンビニで買った缶ビールを開けた。それからゆらゆらとブランコの鎖を握り、足で軽く地面を蹴《け》って漕《こ》ぐ。

ゆらゆらとブランコに揺られながら、死神に会った召使のことを考えた。はたして彼の運命は最初から決まっていたのだろうか。だとすれば、人生はフィルムに焼き付けられた映画みたいに、あらかじめ結末まで決められているものなのだろうか。人間はそれを初めて観る観客のように、次に何が起こるかわからずにハラハラどきどきしているだけなのか。

昨夜、ビルから飛び降りた女性はあそこで死ぬことが決まっていたのだろうか。自分が彼女に追いつけなかったのも、決まっていたことなのだろうか。前に目の前でバイクにはねられて死んだ男も、そこでバイクと衝突することが決まっていたというのか。だとすると、彼をはね飛ばしたバイクの青年も、あの時間、あの場所で事故を起こすことが決まっていたのだろうか。

無意識に頭を振った。話が複雑すぎて、容易に理解できない。もう一度冷静に考えようと思った。

もしも――バイクの事故があらかじめ決まっていたのだとしたら、すべての人間の行動が決まっているということになる。あの時、はねられた男は、駅の売店でドリンク剤を買っていた。もし彼の前に誰かが並んでいたら、彼がドリンク剤を買う時間は変わり、その遅れによって、あの事故現場に行くタイミングもずれていた可能性がある。あるいは会計の際、お釣りが出ていても、そうなったはずだ。

バイクを運転していた青年にしたってそうだ。彼が家を出る時、誰かが「ちょっと待って」と話しかけていたりすれば、彼はあの時間にあの場所をバイクで通らなかっただろう。いや、逆に彼があの時間にバイクで通りかかる原因を作った人物がいたのかもしれない。誰かが彼に電話をかけて、そのせいで彼の出発が少し遅れたことで、あの時間、あの交差点に突っ込んだ可能性もある。だとすると、二人を取り巻くすべての人間の「行動」が、何年も前から決まっていたということになる。つまり、世の中のすべての人間の「運命」は初めから全部定まっているということなのか。それなら、なぜ自分にはそれが見える？　見えるということに、何か意味があるのではないか。

ブランコはいつのまにか止まっていた。

慎一郎は昨夜真っ暗な自室で感じたのと同じような、得体の知れない恐怖に捉《とら》われた。自分にはその「運命」を変える力があるのだろうか。自分は他人の「運命」を見ることができる。「見る」ことで、自分自身の行動が変化する——つまり、そのことで他人の「運命」を変えてしまう。もし「見る」ことがなければ、おそらく自分もまた「運命」のプログラムに乗ったまま、行動していたに違いない。

最初、その考えをはねのけたが、だんだん有り得ないことではないような気がしてきた。タクシー運転手の運命は結局、同じものになったが、それは彼の人生を二度変化させたからだ。ビルから飛び降りた女性も救うことができたに違いない。もう少し注意深く見ていたら、フェンスにしがみついていた彼女の体を捕まえることができたはずだ。

慎一郎は暗い公園のブランコに腰かけたまま、ぼんやりと前方の闇に目をやった。照明の影になった部分で、おそらくは藪《やぶ》か茂みだろうが、まるでブラックホールみたいにぽっかりと暗闇ができている。足元に転がっていた小石を拾うと、闇の中に投げ込んだ。かすかな音が一度しただけだった。あの石をもう一度拾うことなどできないだろうなと愚にもつかぬことを考えた。

人生なんてあの闇のようなものかもしれないと思った。誰も一寸先はわからない。でもそれがわからないからこそ、生きていられるのだ。もし、自分の運命がすべてわかっていたら、とても生きてはいけないだろう。

その時、不意に自分の死について考えた。もし、いつか自分が死ぬことになったら、自分の体の一部が透けて見えるのだろうか。そうだとしたら、その時の恐怖はどれほど大きいことだろう！

ただ、自分には運命を変える力がある。もし何らかのアクシデントによる「死」の運命が待っているなら、いつもの行動パターンに変化を与えるだけで、運命もまた変化するかもしれない。しかし、何をしても透明なままだったなら――その時はこの上もない絶望を味わうことになるだろう。

8

翌日の午後、慎一郎が工場前の駐車スペースに水をうっていると、真っ赤なフェラーリが入ってきた。

車から降りてきた若い男を見た瞬間、嫌な記憶が蘇《よみがえ》った。宇津井和幸《うついかずゆき》という名前もはっきりと覚えている。

宇津井は慎一郎を見ると、「社長はいる？」と訊《き》いた。

慎一郎が頷《うなず》くと、宇津井は車のキーを彼に渡し、二階の事務所に向かった。

慎一郎は車を駐車スペースの端に移動させるために、フェラーリに乗った。フロントガラスに貼《は》られた検査証のシールを見ると、一年前に登録されていた。車内は新車の匂《にお》いがした。宇津井は三年前にやってきたときも同じ赤のフェラーリに乗っていて、磨いてコーティングしたのは慎一郎だ。その時の車種は「カリフォルニア」だったが、今回のは「イタリア」という車種で、グレードアップされている。

あの日、事務所で手続きをしたのは植松真理子だった。宇津井は真理子が気に入ったらしく、手続きの書類を書いている間、冗談ばかり口にしていた。

宇津井から、「今度、フェラーリでドライブしよう」としつこく誘われたと、昼食を食べているときに真理子が笑いながら言った。しかし慎一郎は笑えなかった。今まで中年男性客が真理子を冗談半分で口説いても何とも思わなかったのに、このときはなぜか動揺せずにはいられなかった。おそらく宇津井が自分と同じくらいの年齢の男だからだと思った。

慎一郎は平静を装《よそお》って「ドライブしたいの？」と訊いた。すると真理子は「まさか」とえくぼを浮かべた。慎一郎はほっとしたが、真理子は続けて「でも、一生に一度くらいはフェラーリに乗ってみたいな」と言った。

「今、ガレージに置いてあるから、乗ってみたら？」

「止まっているフェラーリに乗ったって、意味ないじゃない」

「じゃあ、ガレージから駐車場まで移動させるから、それに乗る？」

真理子はくすくす笑った。

「木山さんでも冗談を言うことあるんだ」

別に面白いことを言ったつもりではなかった慎一郎は戸惑った。

昼食を終えてガレージに戻ると、赤いフェラーリが目に入った。

それまでこの工場にやってきたオーナーに対して羨《うらや》ましいと感じたことすらなかった。同僚たちはよく、「一生に一度でいいから、こんな車に乗ってみたい」とか、自嘲《じちょう》的に、「世の中はポルシェに乗る奴《やつ》と、ポルシェを磨く奴の二つに分かれるんだなあ」というセリフを吐くことはあったが、慎一郎自身はそんなことは一度も考えたことがなかった。車を磨くことは自分の仕事であり、高級外車に自分が乗れないということとは全然関係のないことだった。しかし真理子の言葉を聞いた時、初めて、フェラーリの持ち主を羨む気持ちを味わった。

宇津井は輸入雑貨を扱っている会社の社長だと聞いていた。二十代の若さで高級外車を乗りまわしているのだから、相当羽振りがいいのだろう。絵に描いたような青年実業家だ。フェラーリを運転する男の助手席に乗ってみたいと若い女性が思っても不思議ではない。しかし自分にフェラーリに乗る人生なんか訪れないように、多くの女性にもそんな人生はやってはこない。

慎一郎は宇津井を羨んだりした自分を恥じた。それで彼のフェラーリはいつも以上に丁寧に磨いた。コーティングにもたっぷりと時間をかけ、自分でも会心の出来と思えるほどのものになった。

一週間後の朝、車を受け取りに来た宇津井は、慎一郎から作業報告を受けると、「事務所に真理子ちゃん、いる?」と訊いた。慎一郎が「いますよ」と答えると、車体の確認もそこそこに二階の事務所へと上がっていった。

宇津井はなかなか降りてこなかった。慎一郎が車の前で待っていると、美津子が別の用事でガレージに降りてきた。慎一郎の姿を見つけると、彼女が困ったような顔をして、「フェラーリのお客さんが真理ちゃんを口説いているのよ」と言った。慎一郎は笑おうとしたが、うまく笑顔が作れなかった。

「心配しないでいいよ」美津子は言った。「真理ちゃん、軽くあしらっていたから」

それを聞いても、嫌な気持ちは去らなかった。真理子が宇津井になびくかどうか以前に、真理子が言い寄られていること自体が不快だった。

やがて宇津井が降りてきた。不機嫌そうな彼の表情を見て、少しだけ気分が良くなった。

その日の昼休み、いつものように二人で昼食をともにした。真理子は楽しそうに昨夜観《み》たテレビドラマの話をしていた。会話の途中に、慎一郎が「午前中、フェラーリの客と長話をしてたみたいだね」と言うと、真理子は初めて少し顔をしかめた。

「携帯の番号を教えてくれって、何度もしつこくて」

「ああ、そうだったの」

「あんまりしつこいから、仕方なく教えちゃった」

その言葉を聞いた途端、慎一郎は心が冷えていくのを感じた。真理子はそんな慎一郎の気持ちを察したのか、にっこり笑うと、「デートに誘われても断るから」と明るく言った。

慎一郎は涙が出るかと思うくらい嬉《うれ》しかった。

真理子と宇津井が付き合っていると知ったのは二ヵ月後のことだった。

ある日、美津子が「真理ちゃん、前にうちに来たフェラーリのお客さんと交際してるみたいよ」と言った。真理子の電話を偶然に物陰で耳にしてしまったということだった。真理子は事務所に誰もいないと思って、宇津井とすごく親密な感じで話していたらしい。

慎一郎が「常連さんとは親しく話すものでしょう」と言うと、美津子は、「ただのお客さんにあんな声は出さないわ」と、ため息をついた。それから少し怒ったような口調で付け加えた。「何もあんなのと付き合わなくったってねえ」

慎一郎は衝撃を受けたが、一方で、やはり、という気持ちもあった。なぜなら少し前から真理子の変化に気付いていたからだ。話好きで、思いつくことを何でも楽しそうに話してくれた真理子が、昼食の間もあまり話しかけてこなくなっていた。最初は自分の気のせいかもしれないと思っていたが、そんな状況が長く続くと、さすがに何かあったなと思わざるを得なかった。もしかしたら、工場内で誰か好きな人が出来たのかもしれないと思った。まさか宇津井だとは夢にも思わなかった。それを美津子から聞かされたときは、目の前が真っ暗になった。その日はどんなふうに仕事をして帰宅したのかも記憶にない。

その翌日から、昼食はガレージの端にある作業机で一人で食べるようになった。恋人ができた真理子にとって自分と一緒にご飯を食べることは苦痛だろうと思ったからだ。真理子の恋を祝福してやりたい気持ちはあったが、本人に告げる勇気は出なかった。そして、そんな自分が嫌になった。真理子は慎一郎が昼食の時間にミーティングルームに来なくなった理由を彼に尋ねはしなかった。それで美津子の言っていたことは本当だと確信した。

慎一郎と真理子が一緒に昼食を取らなくなったことで、二人の仲が終わったことは皆の知るところとなった。金田は面白がって、弁当を食べている慎一郎に声をかけた。

「ふられ男がこんなところで寂しくコンビニ弁当を食ってるぜ」

慎一郎は何も言い返すことなく、黙って弁当を食べた。もともと付き合っていたとは言えない関係だっただけに、そんな風に言われるのは真理子にとっては迷惑なことだろうと思ったが、それをむきになって主張する気はなかった。

真理子は、慎一郎とは何でもなくなったと皆に知られたことで、むしろ宇津井とのことを周囲に隠さなくなった。休憩時間には事務所に人がいても平気で宇津井と電話やメールをするようになり、まもなくそのことは社員全員に知られることになった。

「フェラーリに乗ってる奴じゃ、勝ち目はないわなあ」

「相手が悪すぎたな」

金田たちは何度も慎一郎をからかった。彼は一切無視した。

彼らは反応のない慎一郎を相手にするのには飽きたようだが、真理子のことはその後も折に触れて話題にした。

「女はいいよなあ。玉の輿《こし》に乗れて」

「まったくだ。エレベーターでヒューッと上がっていくみたいだからな」

「本当だ。男にはそんな目はないよなあ」

それらの言葉を聞くのは辛《つら》かったが、真理子が幸せを摑《つか》んだのなら素敵なことだ、と思おうとした。フェラーリを運転する男の妻になるなんて、どんな女性にもあるチャンスではない。真面目《まじめ》に頑張ってきた彼女に神様が与えた幸運に違いない――。

しかし金田たちはそんな真理子を貶《おとし》めるようなことも口にした。

「あいつ、元々、それを狙《ねら》ってうちに来たんじゃないのか」

「そうかもな。でないと、うちみたいな安月給のところにわざわざ転職なんかしないぜ」

「可愛《かわい》い顔して、実は相当なタマだったんだな」

慎一郎はそれは違うと叫びたかったが、唇を噛《か》みしめていた。

金田たちはさらに品のない冗談も言った。

「女ってのは、ちょっといい車に乗ってる奴には、簡単に股《また》を開くんだなあ」

「いい車に乗る奴は、女にも簡単に乗れるってか」

彼らの下品な軽口は慎一郎の心をさらにえぐった。

でも金田たちの言うことは当たっている部分もあると思った。たしかに宇津井と自分では比べものにならない。彼の魅力はフェラーリを持っているということじゃない。フェラーリを持てるだけの仕事と金を持っているということなのだ。男としてどうあがいても勝ち目はない。宇津井が真理子に惹《ひ》かれた時点で、自分の恋は終わった——。

もし宇津井が現れる前に真理子に告白していたら、と一瞬想像した。それなら真理子と恋人のような関係になっていたかもしれない。しかし、すぐにそんなことをしなくてよかったと気付いた。もし万が一にも真理子とそんな関係になれたとして、そこに宇津井がやって来て彼女の心を奪い取ったなら、自分の苦しみはこんなものではなかったはずだから——。

宇津井と付き合うようになってから、真理子の雰囲気は変わった。髪を明るく染め、化粧も上手になっていた。それに加えて、以前よりも社交的になった。誰に対してもよく喋《しゃべ》るようになったし、笑顔も増えた。事務所に上がったとき離れた席から見る真理子の笑顔は、今まで以上に魅力的に見えた。女性は恋をすると美しくなるというのは本当だと痛感した。

しかし真理子の輝くような美しさは長くは続かなかった。宇津井と付き合い始めて半年ほどしたころから、彼女の顔から笑顔が消えた。そして社員たちと積極的に話すことが少なくなった。それどころか、仕事にミスが目立ち始め、勤務中に何度も私用メールをして遠藤にも注意されるようになったと美津子から聞いた。以前の彼女からは想像もつかないことだ。目を真っ赤に腫《は》らして出勤することもあるという。

真理子と宇津井の仲がうまくいっていないという噂《うわさ》が慎一郎の耳にも入ってきた。彼女が悩みを抱えているらしいのは、たまに事務所で見る彼女の様子からも伝わってきた。相談に乗ってやりたいと思ったが、話しかける勇気はなかった。彼女はやがて有給休暇を頻繁に取るようになり、それが尽きてからは無断欠勤をするようになった。そして突然、会社を辞めた。最後の挨拶もなかった。

噂では、その少し前に宇津井とは別れたということだった。二人の間にどんな事情があったのかはわからない。しかし口さがない金田たちは面白がって勝手なことを口にした。

「所詮《しょせん》は遊び相手としか思われてなかったのに、それがわからねえんだから、真理子のやつもお目出たい女だぜ。本人は玉の輿と喜んでいたんだろうけど、世の中、そう上手《うま》くいくもんかよ」

「真理子も馬鹿《ばか》だなあ。乗り逃げされてやんの」

「試乗だけされたようなもんだな」

金田は慎一郎に向かって、「よかったなあ。お前も少しはスカッとしただろう」と笑いながら言った。

慎一郎はそんな気持ちにはならなかった。あの真面目だった真理子が会社に迷惑をかけ、最後は逃げるように去っていくほどに思い詰めたことが、ただただ可哀想《かわいそう》でならなかった。

慎一郎は二年前の記憶を頭の外に追いやった。

宇津井の真っ赤なフェラーリ「イタリア」をガレージ内に移動させながら、仕事のことだけを考えようと思った。助手席からかすかに香水の匂いがする。おそらく少し前まで女性が乗っていたのだろう。

余計なことは考えるなと自分に言った。宇津井と真理子の間に何があったのかは知らない。宇津井が最初から真理子を遊びの相手としか思っていなかったのか、それとも、真剣に付き合っていたがうまくいかなかったのか――当事者でない自分がわかるはずもない。所詮は男と女のことだ。宇津井を恨むような権利はない。真理子は自分の恋人でもなんでもなかったのだ。

フェラーリを降りると、ボディー全体をチェックした。私情を持ち込むな、と再び自分に言い聞かせた。自分の仕事は車を一所懸命に磨くこと、そして客に喜んでもらうことだ。

仕事を終え、アパートに戻ってからも、気持ちは重かった。

真理子の記憶が脳裏に蘇ったまま消えなかったからだ。おそらく宇津井はフェラーリを乗り換えるように真理子を捨てたのだろうと思った。真理子の悲しみを想像すると、たまらなかった。彼女が今どこで何をしているのかは知らない。会社を辞めたあとは一度も会うことがなかった。彼女が会社を辞めて半年ほど経《た》った頃、思い切って携帯に電話してみたが、既に解約されていた。

真理子は宇津井の車に乗って何度もドライブをしたのだろう。恋する男性と高級車に乗ってのドライブは、胸がときめくようなものだったに違いない。あの頃、真理子は本当に美しかった。恋する喜びに全身が輝いているのが事務所で働く姿からもわかった。彼女をそんなふうに磨いたのは宇津井だ。自分にはできなかった——。自分がやれるのは、ただ車を磨くことだけだ。ほかのことは何もできない。多分、これから先もそうだ。

慎一郎は万年床の上に仰向けになり、暗い天井をぼんやり眺めた。見慣れた、薄汚れた壁紙が目に入った。壁の縁はところどころ紙がめくれて、破れている箇所もあった。おそらくこの貧しいアパートにずっと一人で暮らしていくことになるだろう。自分の人生はただアパートと工場を往復するだけだ。「幸せ」などという言葉は一生自分には無縁なのだ。

真理子と恋人関係にならなくてよかったと、あらためて思った。自分には女性を幸せにする力なんて何もない。

不意に、人が透けて見える力のことを思い出して苦笑した。こんなものが何の役に立つ？　声を出して笑ってみたが、その声は一秒も経たないうちに闇《やみ》の中に消えた。

9

日曜日の昼前、慎一郎は久しぶりに近所を散歩した。

季節は八月に入っていた。

先週、ビヤガーデンから飛び降りた女性を見て以来、体の透けた人間には一度も会っていない。街を歩くときはたいてい下を向いていたし、電車に乗っているときは目をつむっていたからだ。できれば、二度とあんなものを見たくはないし、他人の人生に絡《から》みたくもない。

コンビニでビールとサンドイッチを買って公園に足を向ける。うだるような暑さがこもる部屋で食べるよりも、同じ暑さでも開放的な青空の下で昼飯を味わいたいと考えたのだ。

公園はマンションが立ち並ぶ一画の中にあった。慎一郎は空いているベンチに腰を下ろし、缶ビールを開けた。

焼けるような日差しがまともにベンチを直撃していたが、それだけによく冷えたビールが一層心地良かった。しかし缶ビールを半分ほど空けた頃には、みるみる汗が滲《にじ》んできた。

見上げると抜けるような青空で、木々からはミンミンゼミの声が喧《やかま》しいくらいに響いていた。公園では、幼い子供たちが何人も遊んでいた。その母親であろう若い女性たちがいくつかのグループになってお喋りをしている。

目の前の砂場で三歳くらいの小さな子供が四人で山を作っていた。四人とも何か喋りながら作業をしているが、お互いに相手の言葉を何も聞いていないようで、ほとんど会話になっていない。慎一郎にはそれが微笑《ほほえ》ましかった。自分もこんなふうに妹のなつこと遊んでいたに違いない。悲しいことに、その記憶はとっくの昔に幻のように消え去っていた。

ベンチの横に目をやった。砂場にいる子供たちと同じような年頃の男児が二人、ブランコに乗って遊んでいる。一人は上手に漕いでいるが、もう一人はうまく漕げないようで、すぐに止まってしまう。

母親たちは喋りながらも子供たちに目を配っている。彼女たちの視線が自分にも注がれているのを感じた。それはそうだろう。日曜日の昼に公園のベンチに腰掛けてビールを飲んでいる三十前の男なんて、まともな社会人にはとうてい見えないに違いない。まして小さな子供たちを眺めているなんて、普通の母親なら不安に思うはずだ。

やはりこんなところでビールを飲むのはまずい。慎一郎は場所を変えようと、飲みかけの缶ビールを持ったまま、ベンチから立ち上がりかけた。その時、視界の端に何かを見た気がした。

まさか——。

胸騒ぎを感じながら周囲を見渡した。しかし体の透けた人間はいない。母親のグループにも目をやったが、彼女たちの誰も体は透けてはいなかった。落ち着いて、もう一度、公園全体に目をやった。すると、公園の中央に作られた大きなコンクリート製のタコのオブジェに目が留まった。大人の背丈くらいの山になったタコの頭の部分に黄色い子供服がゆらゆらと揺れているのが見えた。

それは頭と手足が透明になった小さな子供だった。子供はタコの頭の部分によじ登ろうとしていた。

慎一郎は目を凝らした。頭も手足も完全に透けている。この子はまもなく死ぬ——。

次の瞬間、慎一郎はベンチから立ち上がって駆け出していた。

目の前の砂場で遊んでいた子供の砂山を踏みつけたときにバランスを崩して手をついたが、すぐに体勢を立て直してタコのオブジェに向かって走った。

「そこ、動くな！」

慎一郎は走りながら、子供に向かって大きな声で叫んだ。タコのオブジェの黄色い服の動きが止まった。

慎一郎がオブジェに走り寄ったとき、子供の姿が突然くっきりと姿を現した。小さな男の子はタコにしがみつきながら驚いた目で慎一郎を見つめていた。

助かった――と思った。子供は「死」を免れた。慎一郎はタコの前で立ち止まり、大きなため息をついた。その時、若い母親がタコのオブジェから子供を抱き取ると、慎一郎をきつく睨《にら》みつけてきた。続いて何人かの母親たちが彼女を守るように集まり、全員で慎一郎を睨んだ。砂場の方からは山を壊された子供の泣き声が聞こえてきた。

慎一郎は母親に抱かれている男児にもう一度目をやった。不安そうな顔をして母親の服を小さな指でしっかりと摑んでいた。慎一郎はそれを確認してから無言のままタコのオブジェから離れた。

母親たちの突き刺さるような視線を背中に感じながら、ベンチに戻った。砂場の近くまで来ると、そこにいた子供たちは怯《おび》えたような顔で慎一郎を見ている。

「せっかく作ったのに、壊してごめんね」

慎一郎はそう言って、砂場にしゃがんで、崩れた砂山を元通りにしようとした。

そのとき突然、胸が締め付けられるような痛みを覚えた。砂場にしゃがんだまま両手で胸を押さえた。胸の痛みはおさまらず、続いて頭が割れそうなほどの激痛に襲われた。慎一郎は壊れた砂山を抱きかかえるような恰好《かっこう》でうずくまった。

どれくらいそうしていたのだろう。不意に肩を揺すられた。目を開けると、二人の警官がすぐそばに立っていた。若い警官と中年の警官だった。

まだ胸が苦しかったが、かろうじて立ち上がることができた。

「ちょっとお尋ねしますが、ここで何をしておられるのですか」

若い警官が尋ねた。

「すいません」と慎一郎は言った。「気分が悪くなったので、しゃがんでいました」

「お酒を飲んでおられますね」

「いいえ――あ、はい、ビールを少し」

年配の警官は砂場の横にあるベンチに目をやった。ベンチの下にはビールの缶が転がっていた。さっき駆け出したとき、無意識に投げ捨てたものだった。

「子供を脅かしたのはあなたですか？」

若い警官が尋ねた。

「いいえ」

「脅かしたと言ってる人がいます」

慎一郎はタコのオブジェの方を向いた。母親たちが自分を見ている。

「脅かしてはいません」と慎一郎は答えた。「子供があのタコの上から落ちそうに見えたので、声をかけました」

若い警官は中年警官の顔を見た。二人は小さく頷きあった。

「住所とお名前を訊かせていただけますか」

慎一郎は、なぜそんなことを言わなければならないのかと思いながらも、質問に答えた。若い警官がそれを手帳に控えている。

「身分証明書のようなものをお持ちですか」

慎一郎がズボンのポケットから免許証を出すと、警官はさきほど手帳に控えたものと照らし合わせた。

「子供を怖がらせているという通報がありましてね」

中年の警官が口を開いた。

「誤解があったようですが、あんまりまぎらわしいことをしないようにしてくださいね」

「はい」

「それと、公園はビールを飲んで寝るところではありません」

慎一郎は黙って頷いた。いつのまにか胸と頭の痛みは消えている。

「もう行っていいですか」

「どうぞ」

中年の警官がそっけなく言った。

慎一郎はズボンに付いた砂を手で払ってから、二人の警官に軽く頭を下げると、公園をあとにした。

通りを歩きながら、一連の出来事を振り返った。タコのオブジェに登っていた子供の体は完全に透けていた。おそらく、あの子は転落による「死」が間近に迫っていたのだ。しかし、自分の大声に驚き、動きを止めた。その瞬間、子供から「死」は去った——。

すると——と慎一郎は立ち止まって考えた。自分は子供の運命を変えたことになる。前に美津子が語ってくれた「バグダッドの死神」の話は、人の運命はすべて決まっているというものだったが、そうではなかった。もし、あの子供がどうしたって死ぬ運命だったなら、自分が声を上げて走り寄ったところで、死んでいただろう。もしかしたら、自分の大声に驚いて転落していたかもしれない。

そう思った瞬間、慎一郎はぞっとした。そうなっていたら、自分は間接的な殺人者になっていたのだ。いや、もっと恐ろしいのは、自分が運命の歯車に乗って動かされ、結局は子供を死に追いやってしまったかもしれないということだ——。

しかし、そうはならなかった。現実は、子供の「死」を予見することによって、命を救うことになった。もし、あの時、タコのオブジェに目をやらなければ、あるいは、声を上げて走り寄らなければ、あの子は死んでいただろう。やはり自分には人の運命を変えることができる。少なくとも何らかの行為によって「死の運命」を消してしまう力がある。だとしたら、ビヤガーデンの屋上から飛び降りた女性の命も救えたかもしれない。あの子と同じように、彼女の「死」は絶対に変えられない運命ではなかったのだから。

慎一郎は全身がひんやりするのを感じた。自分にそんな力が宿っていることがとつもなく恐ろしく思えたのだ。人の死が見えるということだけでも耐えられないほどの恐怖なのに、それを変えることができる「力」など、とても自分が背負いきれるものではない。

でも、その力があったからこそ、あの男の子は助かったのだ。自分が声を上げなければ、あの子は今頃、病院で息を引き取っていたかもしれない。家族は深い悲しみに襲われていたことだろう。その悲しみは何年にもわたって家族に暗い影を落としたに違いない。いや、そんなことより、あの子の人生があの年齢で終わってしまうなんてことがあっていいはずがない。未来があそこで断ち切られ、青春も恋愛も何も体験することなく、たった一度きりの人生がわずか数年で終わってしまうのだ。

あの子が助かって本当によかった、と慎一郎は心から安堵《あんど》した。自分にとっては望まない力ではあっても、一人の子供の命を救ったのは事実だ。この結果は呪《のろ》うべきではない。

アパートに戻ってからも、自分自身の不思議な能力について考え続けた。人の死が見えるというこの力がなぜ自分にあるのか、あるいはかつてあった力がなぜ今頃になって戻ってきたのか、それはわからなかったが、この力をもって人の命を救えることはたしかだ——。

これはもしかしたら素晴らしいことではないかと慎一郎は思った。病に冒されている人はさすがに救うことはできないだろうが、何らかの行為によって「死」を回避させることは可能なはずだ。行手に「死神」が待っている道を歩く人に、違う道を教えるようなものだ。

しかし、すべての人を助けることはできないと気付いた。たとえば街で体が半分くらい透けて見える人に出会ったとして、どうやってその人の命を救うことができるだろうか。その人がいつ、どのようにして死ぬのかはわからない。ずっとその人を見守り続けることは不可能だ。公園の子供やビヤガーデンの女性のように、間近に死が迫っている人なら助けることも可能だが、そうでない場合、結局は何もできないままに終わることになるだろう。

慎一郎は大きなため息をついた。そしてまた、なぜ自分にこんな力が宿ったのかという最初の疑問に戻った。しかしこればかりはいくら考えても答えが出なかった。

10

翌日の午前中、慎一郎がフェラーリの車内を清掃していると、「金田はいるか！」と怒鳴り声がガレージ内に響いた。

全員が作業の手を止めた。慎一郎がフェラーリから降りると、二階から遠藤が足音を荒々しく響かせて階段を降りてくるのが見えた。

「金田はどこだ！」

ガレージの中央で遠藤は大きな声で言った。ちょうど遠藤の死角になったところにしゃがんで赤いＢＭＷを磨いていた金田が、「はい」と不機嫌そうな声で答えて立ち上がった。

「お前っ！」と遠藤は振り返りざまに言った。「客の車を無断で使っただろう」

金田は首を横に振りながら、「知りませんよ」と答えた。

「嘘《うそ》つけ！」

「嘘じゃないですよ」

金田は皆の前で怒鳴られた恥ずかしさを隠すためか、にやにや笑いを浮かべた。

「何かの勘違いですよ」

「見た人間がいるんだよ」

金田は一瞬表情を強《こわ》ばらせたが、すぐにまた笑みを浮かべて、「そんなはずないですよ」と答えた。

「日曜日に、新横浜駅近くで、赤いＢＭＷのカブリオレに女を乗せて運転してただろ。お前が今、磨いている車だよ」

「知りませんよ。見間違いじゃないですか」

「見間違いだと――」

「誰が見たんです？　そいつを連れて来てくださいよ」

「その必要はない」

工場にいた全員が二人のやりとりを見守っている。

「ビーエムなんて、そこらじゅう走ってるし、金髪の男なんて珍しくないですよ」

「やかましい！」と遠藤は怒鳴った。「大人しく謝れば、許してやらんこともないと思っていたが、そこまでしらを切るのか」

金田は依然として口元に笑みを浮かべていた。

遠藤はＢＭＷのドアを開けると、運転席に頭を突っ込んだ。それから頭を出すと、金田に向かって言った。

「間違いない。お前が乗ってる」

「そんなの、なんでわかるんですか」

「入庫の時より百キロ以上メーターが回っている」

金田の口元から笑みが消えた。

「それともガレージ内を百キロも移動させたっていうのか」

「知りませんよ」金田がぶっきらぼうに答えた。「俺じゃないし」

「なら、誰なんだ」

「木山じゃないですか」

金田は慎一郎を指差した。

「こいつ、ビーエムが入ってきた時から、すごく乗りたそうにしてましたから」

遠藤は慎一郎の方を見た。慎一郎は、違いますという意味で小さく首を振った。遠藤はわかっているという風に大きく頷いた。それから金田の方に向き直ると、落ちついた声で言った。

「この期《ご》に及んで、他人に罪をなすりつけるとは、とことん見下げ果てた奴だ」

「本当に俺じゃないですよ。誰が見たって言うんですか。そいつを連れて来てください」

「もういい」

遠藤は低い声で言った。

「金田。お前は——今日限りで、クビだ」

「何もしてないのにクビですか」

遠藤は返事をしなかった。

「遠藤さん、あんた、調子に乗ってるんじゃないか、ええっ！」

金田はいきなりチンピラのようにすごんだ。

「労働基準監督署に訴えたらタダじゃすまねえよ」

「なんだと」

「不当解雇で、裁判を起こしてやるよ。あんた、後悔することになるぜ」

「やるならやってみろ。このクズが！」

遠藤は吐き捨てるように怒鳴った。

金田は屈辱と怒りから顔を真っ赤にさせた。その時、金田と慎一郎の目が合った。

「何、見てやがんだ。この野郎！」

金田は持っていたコンパウンドの容器を慎一郎の顔に向かって投げつけた。容器は慎一郎の頭をかすめ、後ろの壁にぶつかって派手な音を立てた。

その直後、遠藤の拳《こぶし》が金田の顎《あご》を一撃した。

金田は床に崩れ落ちた。

彼は自分の身に何が起こったのかわからない様子で、両手を床につきながら、呆然《ぼうぜん》と遠藤を見上げた。

やがて吹き出した鼻血を手でぬぐいながら呻《うめ》いた。

「野郎、やりやがったな」

「おう、やる気か」

遠藤は金田の前で仁王立ちになっている。

「来るなら来い。ぶちのめしてやる！」

その途端、金田の顔から戦意が消えた。よろよろと立ち上がったが、その目は怯えの色を帯びていた。顔の下半分は鼻血で真っ赤だ。

「大事な商売道具を投げやがって！　絶対に許さんぞ」

金田は小さい声で、すいません、と謝った。

「とにかくお前はクビだ」遠藤は許さなかった。「今日までの給料は払ってやる。あと、退職金も多めに払ってやる。それをもってとっとと出て行け」

金田はうつむいたまま黙っている。

「聞こえたのか！」

遠藤の怒鳴り声に、金田はまた小さな声で「はい」と答えた。

「服を着替えたら、事務所へ来い」

金田はすごすごと二階の更衣室に向かった。

遠藤はそれを確かめてから、金田を殴った右の拳を左手でさする仕草をした。それを見ていた慎一郎は思わず息を飲んだ——遠藤の手首から先が消えていたからだ。

見間違いかと思って凝視したが、遠藤の作業服の袖《そで》から先には何も見えなかった。

「お前たち、いつまで手を止めてるんだ。さあ、仕事だ」

遠藤は大きな声でそう言うと、両袖を胸の前で合わせる。同時に、パンパンという音が響いた。

全員が慌《あわ》てて作業に取り掛かった。慎一郎は突っ立ったまま遠藤を見つめていた。

「どうした、木山。ぼーっとして」

その声で我に返り、慎一郎も作業に戻ったが、ポリッシャーのスイッチを入れても集中できなかった。

遠藤に「死」が迫っている——その事実は慎一郎の気持ちを激しく揺さぶった。身近な人の体が透けて見えたのは初めてだっただけに、動揺はなかなかおさまらなかった。

思い出せ、と自分に言った。朝、会社に来たとき、遠藤の手は透けていたか。目を閉じて記憶を辿《たど》った。いや、少なくとも自分が会社に来た時は透けてはいなかった。ホワイトボードに午後の予定を書き入れていたのを覚えている。それなら、さっきガレージに降りてきたときはどうだ。

金田が知らないとしらを切った時、遠藤はBMWのドアを開けて車内のメーターを覗《のぞ》き込んだ——あの時、遠藤の指がドアノブにかかるのを見た。間違いない。なぜ車のドアを開けるんだろうと思ったのを覚えている。金田を殴った時も、遠藤の拳が彼の顎をとらえるのを見た。だから、手首から先が消えたのはその後だ。すると、手が透けて見え始めたのは、遠藤が金田を殴ったのが原因か。その直後に、遠藤の運命が変わったのだ。だとすれば、遠藤の「死」には金田が関わっている——。

額に嫌な汗が流れた。

慎一郎は作業を中断すると、二階の事務所に駆け上がった。

そこでは私服に着替えた金田が退職の事務手続きをしていた。彼の顔は左頬の下から顎にかけて紫色に腫れあがっていた。遠藤は社長のデスクで、むすっとした顔で部屋の端に立っている金田を睨みつけている。

「木山、どうしたんだ」

遠藤が慎一郎の姿に気付いて声をかけた。

「ちょっと指を切ったので、絆創膏《ばんそうこう》を取りに来ました」

そう言いながら、救急箱が置いてある戸棚に向かった。

背後で、「社長——」と言う金田の気弱な声が聞こえた。

「何だ」

「さっきは、その——すいませんでした。心を入れ替えますから、クビにはしないでください」

「もう遅い」

遠藤はにべもなく言った。

慎一郎は戸棚の中の救急箱を探すふりをしながら、こっそりと二人を見た。トラブルになれば、すぐにでも二人の間に割って入るつもりだった。

「どうしても、ですか」

「くどい」

金田はうなだれた。

事務所には美津子ともう一人の女性事務員がいたが、二人とも金田と遠藤のやり取りなど耳に入らないかのように机に向かって黙々と作業をしていた。

慎一郎は遠藤の顔を覗き見て、はっとした。うっすらと透けていたからだ。

彼が急速に「死」に近付いているのを感じた。遠藤がどういう形で死を迎えるのかはわからなかったが、おそらくは不慮の死、それには金田が関わると考えて間違いないと思った。慎一郎は金田の様子を窺《うかが》いながら、いつでも動けるように身構えた。

しかしその心配は無用だった。金田は退職金を受け取ると、拍子抜けするくらいおとなしく部屋を出た。

金田が階段を降りていく音を確かめてから、慎一郎は小さくため息をついた。

「指は大丈夫なのか」

遠藤が声をかけてきた。

「はい、かすり傷です」

「オーバーな奴《やつ》だな」

そう言って笑う遠藤の顔は既に半分くらい透けている。慎一郎は遠藤に何か声をかけようと思ったが、言うべき言葉が見つからない。

事務所を出てガレージに戻ると、一連の出来事を頭の中で反芻《はんすう》しながら確認した。遠藤の「死」は金田を殴るまでは決まっていなかった。つまり、それまでは遠藤はそういう「運命」にはなかったということになる。もし遠藤が金田を殴るということが決まっていたなら、朝から遠藤の手は透けていたはずだ。つまり遠藤がホワイトボードに予定を書いているときは、金田を殴る運命ではなかった。それなら、なぜ殴ったのだ？　遠藤が金田を殴るという運命の変化に繋《つな》がる出来事があったはずだ。あの時だ——自分が金田と目が合った瞬間だ。かっときた金田がコンパウンドの容器を投げ付け、それを見て遠藤が怒って彼を殴った。

慎一郎は心の中で唸《うな》った。結果的に自分が遠藤の運命を変えてしまった。あの時、もしも遠藤が金田を叱《しか》っているのを見ていなければ、金田が自分にコンパウンドの容器を投げ付けることもなかった。それなら、金田はおとなしくクビになっていただろうし、遠藤も金田を殴らなかったはずだ。
しかし自分が遠藤の運命の車輪の向きを変える石になってしまった。だから、もう一度遠藤の運命を変えなくてはならない。

遠藤の体の透け具合から見て、彼の命は長くないように思える。おそらく今日中に、金田がクビにされた恨みと殴られた怒りで、何らかの報復に出ると考えるのが自然だった。

慎一郎は金田が現れたらすぐに気が付くように、その日の午後はずっとガレージの入り口近くにフェラーリを置いて作業した。

終業時間までついに何も起こらなかった。それでも同僚たちが全員帰るまで二時間近く残業した。

八時を過ぎた頃、作業に一段落つけた慎一郎は二階の事務所に上がった。既に二人の事務員は帰っていて、部屋には遠藤しか残っていなかった。

机の上で書きものをしていた遠藤は、慎一郎に気付くと、「遅かったな」と声をかけた。

「きりのいいところまでしてたんで」

言いながら遠藤の顔を見つめた。その顔は数時間前よりもさらに透けていた。慎一郎は胸の鼓動が速まるのを感じた。

「社長は帰らないんですか？」

「帳簿をつけ終わったら帰る」

「どれくらいかかりますか？」

遠藤は怪訝《けげん》そうに顔を上げた。

「あと一時間くらいだが。何か用か」

「いや、その——」

慎一郎は一瞬、言葉に詰まったが、思い切って口にした。

「メシを食べてないんで、もし社長もまだだったら、一緒にどうかなと思って」

「そりゃ、いいなあ。よし、メシに行こう」

遠藤はにっこりと笑うと、ノートを閉じた。

「帳簿はどうするんですか？」

「明日にする」

「そんな——仕事の邪魔したみたいで申し訳ないです」

「いや、いいんだ。ちょっと疲れてたからな」

遠藤はそう言って帳簿のノートを机のブックエンドに差すと、椅子《いす》から立ち上がった。

数分後、私服に着替えた慎一郎と遠藤は会社を出た。

あたりの工場街はほとんど灯が消え、通りもすっかり暗くなっていた。

「お前とメシを食うのは久しぶりだな」

遠藤は楽しそうに言った。

「半年ぶりです」

慎一郎はそう答えながら、遠藤の体を観察した。手も顔も輪郭がわずかに残っているくらいだった。

二人は駅までの道を歩いた。

やがて高速道路の下にさしかかる。このあたりはガレージや駐車場しかなく、人通りもほとんどない。高速道路の真下は、どこかの工場の資材置き場になっていた。

「何が食いたい？」と遠藤が訊《き》いた。

「何でもいいです」

慎一郎は横を歩く遠藤の顔をちらりと見て、ぎょっとした。シャツの上には何も見えなかったからだ。さっきまでうっすらと見えていた輪郭も完全に消えていた。

「八丁畷の居酒屋でもいいか」

シャツの上の部分から声がする。慎一郎は「いいですね」と答えたが、動悸《どうき》を抑えることができなかった。遠藤はもうすぐ死ぬ——それは居酒屋でのことなのか、それともこの通りでのことなのか。慎一郎は周囲を見渡そうと立ち止まった。後ろを振り返ったとき、資材置き場の陰から黒い影が飛び出してくるのが見えた。

慎一郎は咄嗟《とっさ》に遠藤をかばうように前へ出た——直後、脇腹《わきばら》に激痛を覚えた。思わずしゃがんだ次の瞬間、額に衝撃を受けて地面に倒れ込んだ。

上半身を起こした慎一郎の目に遠藤と金田が揉《も》み合っているのが見えた。遠藤を助けなければと思って起き上がったが、腰がふらついた。何とか立ち上がって二人に近づいたときには、遠藤が金田を地面に組み敷いていた。傍らには野球のバットが転がっている。

「離せ！　このクソ野郎」

金田が怒鳴ったが、彼の体に馬乗りになった遠藤はその顔面を何度も殴りつけた。するとと金田は急におとなしくなった。

「貴様、どういう料簡《りょうけん》だ」

遠藤は金田の襟首を摑《つか》んで喉《のど》を締め上げている。その手も顔もはっきりと見えていた。

金田はかすれた声で「離してくれ」と呻いた。

「クビにされた逆恨みか」

金田は喉の奥で何か言おうとしているが、ほとんど言葉にならなかった。

「社長、死んでしまいます」

慎一郎が思わず声をかけた。

遠藤は襟首を締めていた力を緩めた。途端に、金田が咳《せ》きこんだ。

「もう二度とやらないか」

遠藤は左手で襟首を摑んだまま、右手で金田の髪の毛を摑むと、頭を何度も地面に叩《たた》きつけた。金田は涙声で、許して下さいと言った。

「もう二度とやらないと言え」

「二度とやりません。本当です。田舎に帰ります」

「新潟に帰るんだな」

「はい」

遠藤はもう一度金田の襟首を締め上げると、「俺や木山の前に二度と顔を出さないと約束するか」と言った。金田は泣きながら「はい、はい」と何度も顔を縦に振った。

それで遠藤はようやく手を離して立ち上がった。遅れて金田もよろよろと立ち上がると、逃げるように通りを走っていった。

金田が去ったのを確かめてから、遠藤は「木山、大丈夫か」と振り返った。

「大丈夫です」

慎一郎は答えながら遠藤の顔を見た。そこには水銀灯に照らされた心配そうな顔があった。遠藤の運命から「死」が完全に去ったのがわかった。ほっとして全身の力が抜けそうになった。

「どこを殴られた」

「脇腹と頭です。額を殴られましたけど、もう平気です」

「見せてみろ」

遠藤は慎一郎の額に手をやった。彼のすべての指が見えた。

金田に遠藤を殺す意思まであったのかどうかはわからないと思った。本当に殺意があれば、木製バットではなく刃物を用意していたはずだからだ。ただ、バットで殴って憂《う》さを晴らしたかっただけかもしれない。しかし遠藤にはたしかに「死」の運命が待っていた。自分がいなければ、彼は死に至るダメージを受けていただろう。

「あいつ、こんなものまで用意しやがって」

遠藤はバットを拾い上げた。

「まったく、とんでもない野郎だ。ここで俺を待ち伏せしてやがったんだ」

「怪我《けが》がなくて、よかったです」

遠藤はバットを金網越しに資材置き場に投げ込むと、「行こうか」と言った。

二人は公園を抜け、駅前に向かった。

「ところで、お前――」遠藤がふと気付いたように言った。「俺が金田に襲われるかもしれないと思っていたのか」

慎一郎は慌てて「いいえ」と首を振った。

遠藤は笑った。

「お前は嘘が下手だな」

慎一郎はどう答えていいのかわからなかった。

「だいたい、お前がメシを一緒に食おうと言い出すなんて、珍しいこともあるもんだと思ってたんだ」

「金田さんは根に持つタイプのように見えたんで――何かあるかもと思っていたんですが」

「あいつは虚勢を張ってるだけで、何もできない奴だと思っていた。まさかこんなところで待ち伏せしてやがるとはな。いや、お前のお陰で助かった。ありがとう」

「気付いたのは偶然です。社長が殴られなくてよかったです」

「後ろからやられてたら、大怪我してたよ」

慎一郎はあらためて冷や汗をかいた。後頭部を一撃されていたら、大怪我どころではすまなかったかもしれない。

その時、頭に激痛を覚えた。同時に目の前が真っ暗になって、地面に倒れ込んだ。


気がつくと、道の端に寝かされていた。

「おお、気がついたか」

目を開けると、心配そうに自分を覗き込む遠藤の顔があった。

「今、救急車を呼んだ」

慎一郎は上半身を起こした。

「もう大丈夫です」

「動くな。頭をやられている」

軽く頭をふると、ズキズキと痛んだ。救急車のサイレンが聞こえた。

「殴られたって、伝えたんですか」

「迷ったんだが、転倒して頭を打ったことにしておいた。警察沙汰《ざた》になると、ややこしくなると思ってな。けど、お前がそうしたいなら正直に言おう」

「いや、言わない方がいいと思います。それに、もう大丈夫ですから、救急車は必要ないですよ」

慎一郎はそう言って立ち上がった。

「いや、頭は大切だ。きちんと見てもらえ。もし、大事になるようだったら、その時は警察沙汰にする。金田のやつに落とし前をつけさせる」

救急車が到着した。車の中から二人の救急隊員が降りてきて、「通報されたのはあなたたちですか」と訊《たず》ねた。遠藤が「私です」と名乗り、隊員たちに状況を説明した。

「転倒されたのですか」

隊員は慎一郎に訊いた。

「はい、コンクリートで頭を打ってしばらく失神していました」

「どれくらいの時間かわかりますか」

遠藤が「五分くらいです」と答えた。

「今はどんな具合ですか」

「大丈夫です。少し痛いくらいです」

「吐き気はありますか」

「さっきはありましたが、今はありません」

「頭部のダメージは外からでは判断ができません。とりあえず病院へお連れします」

と隊員は言った。「一人で車に乗れますか」

「はい」

慎一郎は救急車に乗り、簡易ベッドの上に横になった。慎一郎は遠藤に「先にお帰りください」と言ったが、遠藤は「病院で何も問題ないとわかれば帰る」と言い張って救急車に同乗した。

救急車の中で救急隊員に血圧や脈拍を測られながら、慎一郎は目を閉じて、今しがた起こったことを反芻した。金田に襲われる直前まで体が透けていた遠藤は、襲撃のあと、全身がくっきりと見えるようになっていた。つまり遠藤は死ぬ運命から逃れることができたのだ。自分が金田の襲撃を受けたことによって、運命が変わったのだ。

自分にはやはり運命を変える力がある。「死」を見るだけではなく、それを消し去る力もあるのだ。最初はタクシーの運転手、次は公園の男の子、そして遠藤と、三人の命を救うことができた。なぜ、こんな力が与えられたのかはわからないが、この能力を使えば、多くの人の命を救うことができる——。

まもなく救急車は川崎駅近くの総合病院に着いた。皮肉にも以前「透けて見える人」を確認しに行った病院だ。慎一郎は担架に乗せられたまま診察室に運ばれ、そこで宿直の医師から様々な検査をされた。生まれて初めて頭部のＣＴスキャンを受けた。結果はとくに異常はないというものだった。額の傷も擦り傷とこぶができていたくらいで、軽傷ということだった。

全《すべ》ての検査が終わって診察室から出たときは、十一時近くになっていた。遠藤は一階のロビーで待ってくれていた。

「どうだった？」

遠藤は慎一郎の顔を見ると、心配そうに駆け寄ってきた。

「何ともないようです」

「よかった」

遠藤は破顔した。

ロビーは照明がほとんど落ちていて、閑散としている。

「社長には迷惑をかけてしまってすいません。こんな遅くまで病院に付き合ってもらって」

「何を言ってるんだ。お前は命の恩人だ」

遠藤は慎一郎の肩を軽く叩いた。

「かなり遅くなったけど、今から食べに行こうか」

「いいんですか。随分遅いですが」

「腹ペコだし、今から帰っても、嬶《かかあ》はメシを作ってくれないしな」

「そういうことならご一緒します」

「酒は飲んでもいいのか」

「あ、医者にアルコールは控えてくださいと言われたんでした」

遠藤は笑った。

「ビールはダメでも、ご飯は大丈夫です。どっちみち何か食べないと、体が持ちませんから」

「じゃあ、川崎まで来たから、近くの居酒屋に行こう。川崎なら遅くまでやっているところがあるだろう」

二人が歩きかけたとき、パジャマを着た入院患者らしき男がロビーに現れ、飲料の自動販売機の前に立った。

何気なくその患者の方に目をやった瞬間、どきっとした。パジャマから出ているはずの体が全部透けていたからだ。

この人はまもなく死ぬ——。

男は紙コップを自動販売機から取り出した。そしてそれを持ったまま、歩き出した。しかし慎一郎の目にはパジャマの横に紙コップだけが空中にふわふわと浮かんで見えた。

パジャマの人物は二人とすれ違うように通り過ぎた。そのときに、会釈《えしゃく》をしたようで上半身が小さく揺れた。二人も軽く頭を下げたが、慎一郎にはパジャマの襟の上は何も見えなかった。

慎一郎にはパジャマの人物の性別も年齢も何もわからなかったが、その命がおそらく数時間、いや数十分後には消えるというのはわかった。

もし、その死がアクシデントのようなものなら、パジャマの人物の運命は変えることができるかもしれないと思った。たとえば、病室で発作か何かを起こし、たまたま看護師の発見が遅れたことによって死に至るようなものなら、あるいは階段か何かで転倒して死に至るようなものなら。それなら、その命を救うことが可能かもしれない。ほんの少し何かをずらすだけで、その運命は変わる——。

「すいません」

慎一郎は思わず声をかけた。パジャマの人物は振り返った。

「何でしょう」

パジャマの首の部分から若い男性の声がした。

「ええと——この病院に入院中の方ですか」

「そうです」

パジャマの男は答えた。

「実は私もここに入院しようかと思っているのですが、少し、お話を聞かせていただいてもよろしいでしょうか」

男は「いいですけど」と答えた。遠藤が驚いた顔をした。

慎一郎は照明を落とした薄暗いロビーのソファーに座った。遠藤は小さな声で、おいおい、と呆《あき》れたように言いながら、慎一郎の右隣に座った。パジャマの男は慎一郎の左隣に腰を下ろした。

「この病院の雰囲気はどうですか」

「そうですねえ。看護婦さんも親切ですし、悪くないんじゃないですか」

慎一郎はずっとパジャマの男の透明な部分を見つめていた。もし、こうして話していることで、彼の運命が変われば、透けている部分が見えてくるはずだ。

「入院は長いんですか」

慎一郎は訊いた。

「三日前です」

「なんのご病気なんですか」

「おい、木山」遠藤が口をはさんだ。「失礼すぎるぞ」

「すいません」

「いいですよ」パジャマの男が言った。「狭心症《きょうしんしょう》です」

彼の右袖が胸のところを押さえるのが見えた。指も手首も見えなかった。

慎一郎は焦《あせ》るような気持ちになった。もし、アクシデントのようなものが生じての「死」なら、こうして彼の行動に予期せぬ変化を与えることで運命が変わるはずだ。しかし彼の透明な体には何の変化も起きなかった。ここでどれだけ話していても、彼に取り付いた「死神」を追い払うことはできないのか――。いや、今この瞬間にも「死神」は彼のそばににじり寄っているのかもしれない。そう思うと、たまらない気分だった。

「発作を起こして救急車で運ばれたんですが、もう大丈夫です。明日、精密検査をして何ともなかったら退院することになっています」

「それはおめでとうございます」

「それじゃあ」

パジャマの男はソファーから立ち上がった。慎一郎はこの男を救えない自分にもどかしさを覚えたが、どうしようもなかった。彼にへばりついた「死神」を取り除くことはどうしてもできなかった——。

「すいません。こんな時間にお引き止めして」

「では、おやすみなさい」

そう言うと、パジャマの男はエレベーターの方に向かって歩いて行った。

男が離れてから、遠藤が「お前、入院するのか」と訊いた。

「いいえ」

「いいえって、お前、今そう言ってたじゃないか」

「あ、そうでした。医者が、できたら一日くらい入院して精密検査をした方がいいよと言ってたので」

それは嘘だった。

「おいおい、しっかりしろよ。頭打っておかしくなってんじゃないか」

遠藤は笑った。

「大丈夫です。ちょっと考え事をしていただけなので」

「医者がそう言うなら、そうしろ。検査代とか入院代は出してやるから」

慎一郎は遠藤を騙《だま》したことに後ろめたさを覚えた。

その時、少し離れたところで鈍い音がした。振り向くと、エレベーターの前でパジャマの男が倒れていた。

慎一郎と遠藤は慌てて駆け寄った。遠藤が「しっかりしろ」と声をかけて体を揺さぶったが、男は何も答えず、パジャマが揺れるだけだった。

遠藤は男を仰向けにすると、顔の部分に手をやった。

「息をしていない」

慎一郎には男の顔がまったく見えない。遠藤は男の胸に耳をつけた。

「心臓が、止まっている」

遠藤は慎一郎の方を振り返り、「誰か呼んでこい！」と叫んだ。

慎一郎は通用口に走り、警備員に状況を知らせた。警備員がナースセンターに連絡するのをたしかめると、再び、パジャマの男のところに戻った。

遠藤が懸命に人工呼吸と心臓マッサージを試みていた。

「どうですか」

「わからん」

遠藤は怒鳴るように言うと、両手をパジャマの男の胸に当てて、何度も押した。

まもなく医者と二人の看護師がかけつけた。遠藤はパジャマの男から離れた。医者と看護師は倒れている男にいろいろな器具を取り付けて、緊急措置のようなものを施した。慎一郎と遠藤はそれを呆然と見つめていた。

一人の看護師が遠藤に「知らせてくれたのはあなたがたですね」と言った。

二人は頷《うなず》いた。

「どんな状況でしたか」

「大きな音がして、振り向いたら、倒れていました」

遠藤が答えた。

慎一郎は二人のやり取りの間、ずっとパジャマの男を見ていた。医者がパジャマの襟を開いていたが、上半身は完全に透けていた。もちろん頭も腕も何も見えなかった。この人は助からない、と思った。

別の看護師がキャスター付きのベッドを押しながらやってきた。

パジャマの男をベッドに乗せるのに、遠藤と慎一郎も手を貸した。慎一郎は男の足を持った。体の透けた人間に触れるのは初めてだった。目には何も見えないのに、指先にははっきりと体の感触があるのが奇妙でならなかった。

医者と看護師はベッドを移動させ、エレベーターに乗り込んだ。

エレベーターのドアが閉まると、騒然としていた廊下は再び静まり返り、遠藤と慎一郎の二人だけが取り残された。

「あいつ、助かるかな」

遠藤が呟《つぶや》くように言った。慎一郎は答えなかった。

「心臓は少しくらい止まっても大丈夫らしいからな。多分、助かるだろう」

慎一郎は頷いたが、助からないという確信があった。医者が蘇生《そせい》を試みている間、男の体は一向に見えなかったし、最後にエレベーターに乗せられたときも同じだった。

「それにしても、お前、また一人の男の命を救ったな」

遠藤が嬉《うれ》しそうに言った。

「俺たちがあいつと喋《しゃべ》っていなければ、心臓発作で倒れてもすぐには発見されなかったぞ。そうしたら、今頃は、あの男、可哀想《かわいそう》に廊下で一人死んでいたかもしれない」

「そうですね」

慎一郎は半ば上の空で答えながら、心の中では、彼は今頃、集中治療室かどこかで亡《な》くなっていることだろうと思った。

あの男は心臓が止まることで死ぬ「運命」だった。それが病室であっても、廊下であっても、トイレの個室であっても、同じことだった。その発見が早くても遅くても、止まった心臓がもう一度動き出さないのは最初から決まっていたのだ。だから、彼の「死」が見えたところで、どうにもできなかった。病死の運命は変えることができない――。

二人は病院を出て、駅前の居酒屋に入った。十一時を大きく回ったにもかかわらず、店の中にはサラリーマンが沢山いる。慎一郎と遠藤は奥まった所にあるテーブルについた。

生ビールとウーロン茶で二人はグラスを合わせた。続いて刺身と串焼きと野菜の煮物が運ばれてきた。二人はそれを食べた。

「それにしても金田の野郎。とんでもない奴だな。俺を逆恨みしやがって」

「気をつけてくださいよ」

「ああ、用心しないとな」

金田はもう遠藤を襲うことはないだろう。なぜなら、もし今後、遠藤の身や工場に何かあれば、まっ先に彼が疑われることになるからだ。

「ところでお前、例の話は考えてくれているか」

遠藤が唐突に話を変えた。

「例の話って、何でしょう」

「独立だよ」

遠藤は呆れたような顔をした。

「僕には無理です」

「いや、お前なら大丈夫だ」

遠藤は刺身を口に放り込みながら言った。

「蒲田にあるガレージは俺も見に行ったが、悪くない物件だ。三台は車が置ける。一人で独立してやっていくには、手頃な大きさだ。仕事が軌道に乗ってくれれば、もっと大きなところに引っ越せばいい」

「仮に僕がやるとして、今の工場のメンバーが足りなくなりますよ。金田さんもいなくなったし」

「たしかに、金田のバカはそこそこ腕があった」

遠藤はそう言ってビールを飲んだ。それから口のまわりについた泡を指で拭《ふ》き取った。

「俺もかっとなって、金田をクビにしてしまったが、まあ人の補充に関してはそれほど心配はしていない」

「誰かいるんですか」

「あてがないわけじゃない。同業者に相談すればなんとかなるだろう。前から、同じ磨き屋の奴が会社の規模を小さくするんで、よかったら使ってやってくれないかと頼まれているのが何人かいるんだ。ずっと人が足りていたんで断っていたんだが、彼らを入れたら、なんとかなる」

「腕のほうはたしかなんですか？」

「金田やお前ほどの腕はないだろうから、そこは時間をかけて教えていく必要があるな」

「じゃあ、僕が独立すると困るんじゃないですか」

「言われてみればその通りだ」

遠藤は声を出して笑った。つられて慎一郎も笑った。

「たしかに金田をクビにして状況が変わった。今、お前に独立されると、ウチもちょっと困るな」

「でしょう」

遠藤はしばらく黙ってビールを飲んでいたが、慎一郎の顔を睨《にら》んで言った。

「たしかに今はお前にいてもらわないと困るが、いずれは独立しろ」

「なんで、僕を独立させたいんですか？　そんなに追い出したいんですか」

遠藤はにやっと笑ったが、すぐに真面目《まじめ》な顔になった。

「お前ももうすぐ三十歳だろう。いつまでも工場で下働きしているわけにもいくまい。お前は金田みたいな人間じゃない。自分の力で金を稼げ」

「まだ二十八歳ですよ」

「俺が独立した時は二十七歳だった」

「社長とは違います。僕には会社経営なんかできません」

「いや、お前なら大丈夫だ」

「松山さんや後藤さんは？」

遠藤は目の前で手を振った。

「腕がない。とても独立してやっていけない」

たしかに松山も後藤も下手というわけではないが、磨ける車が限られている。塗装のデリケートなイタリア車やボディーに凹凸のある車などを扱うと、上手には磨けなかった。

「今の工場のメンバーで独立してもやっていけるのは、お前だけだ」

「社長、本気で言っていますか？」

「さっきからずっと本気だ」

「ちょっと待ってください。全然、心の準備ができていません」

「慌《あわ》てることはない。今すぐというわけじゃないから。半年先くらいを目途に準備すればいい。経営の基本的なノウハウはその間に教えてやる。それに独立資金も出してやる」

慎一郎はどう答えていいかわからなかった。遠藤が自分のことを思って独立を勧めてくれているのはわかっている。普通に考えれば願ってもないチャンスだ。

しかし独立する自信はなかった。ずっと人に使われてやってきた自分が、たとえ一人だけの会社でもやっていけるとは思えなかった。その一方で遠藤の期待を裏切りたくはなかった。

「まあ、今すぐ返事しなくてもいい。しばらくゆっくり考えろ」

「わかりました」

慎一郎は重い気分で答えた。

11

遠藤を助けた日から、慎一郎の中で何かが変わった。

以前は電車に乗っているときも街を歩いているときも、なるべく人を見ないように目を閉じているか俯《うつむ》き加減でいることが多かったが、それがなくなった。その気持ちの変化は自分自身でも意識していた。もう透明な人間を見ることを恐れなくなっていた。

もし、街で透明な人間を見つけたら、その人の運命の車輪に少しばかりの「力」を加えてやりたいとさえ思うようになっていた。自分にはその力がある。行く手に「死」が待っている動く車輪に小石ほどの力が加わるだけで、車輪の進行は大きく変化することになる。そしてそれが「死」を回避することになるかもしれないのだ。

他人の命を救うことが自分にとって何らかの役に立つかどうかはわからない。たとえ救ったとしても、感謝されることもない。多くは気付いてすらもらえないだろう。いや、時によっては、先日の公園のように、変質者みたいな扱いをされることだってあるかもしれない。

しかしそんなことはどうだっていい。誰かに感謝してもらうために命を助けるのではない。当人にとっても大きな出来事だが、何より、その人の命が助かることで、家族や多くの人が泣かなくて済む。それだけで十分だ。

もちろん病院での出来事のように、変化しない運命もあるだろう。しかしそれは仕方がない。自分の力の及ばないものはどうしようもないからだ。それに実際のところ、何らかのアクシデントで亡くなる人であっても、すべての人を救うことなんてできやしない。数分後に死ぬとわかっている人なら可能かもしれないが、そんな人に出会うなんてことがそうそうあるとは思えない。

自分にできることは、溺《おぼ》れている子犬を見つけたら、手を伸ばして助けてあげるということだけだ。水辺で遊んでいる子犬すべてを水から引き離すことまではできない。

気がつけば盆も過ぎ、夏も終わろうとしていた。

その夜、慎一郎は会社からの帰り道、京急川崎駅のホームのベンチに座って電車を待っていた。時刻は十時を過ぎていた。

金田がクビになった後、遠藤は若いスタッフを二人、会社に入れたが、いずれも磨きの腕は今一つで、その分、慎一郎を含む以前からのスタッフにしわ寄せがきていた。

連日残業に追われ、八時までに帰れる日はほとんどなかった。

慎一郎は疲れた体でぼんやりとホームを眺めていた。ちょうど電車が発車したところで、乗客の姿もまばらだった。

ふと階段脇に立っているワイシャツ姿の男性に目が留まった。その瞬間、全身に緊張が走った。男の半袖《はんそで》から出ている腕が半透明だったからだ。

体の透けた男を駅で見るのは久しぶりだった。慎一郎はベンチから立ち上がって、さりげなく男のそばまで近寄った。男はスマートホンのゲームに夢中で、慎一郎がすぐそばまで来て眺めていても、気がつかないようだった。

顔の部分はうっすらと透けていたが、茶色い髪の毛だけがはっきりと見える。腕は両方とも輪郭だけしか見えない。すべてが完全に透けているわけではなかった。

その見え方から、慎一郎は男がすぐに死ぬことはないなと判断した。これまでの経験では、死ぬ直前の人間の体はほとんど見えなかったからだ。だからこの若い男もあと数時間の命などということはないはずだ。しかしそれほど長くもないだろう。

さらに男を観察した。顔ははっきりとは見えなかったが、体型や髪型から、年齢は二十代の前半くらいと思った。病気を患《わずら》っているふうには見えなかった。すると事故にでも遭うのかもしれない。もっとも先日、病院で見た男のように心臓疾患でも抱えていれば別だが。

若者は自分の命がもう長くないことも知らずに夢中でゲームをしていた。なんとか彼を助けてあげられないか。もし彼が今夜事故に遭う運命にあるなら、今ここで声をかけることで、それから逃れることができるかもしれない。電車を一本乗り過ごすだけで、運命が大きく変わる可能性だってある。ただ、その事故が明日以降なら、今夜、声をかけたくらいでは運命は変わらないだろう。病気の場合も同じだ。

それでも、何もしないよりはしたほうがいいに違いない。

慎一郎は思い切って、男に話しかけた。

「すいません」

男はスマートホンから目を離すと、驚いたように慎一郎の顔を見た。

「今、何時でしょう？」

「ええと――」

男は腕時計を見ようとしたが、すぐにスマートホンの画面に目をやった。

「十時四分ですね」

「ありがとうございます」

礼を言いながら、男の半透明の顔を観察したが、何の変化も表れなかった。

すぐに立ち去ろうとしない慎一郎を、男は怪訝《けげん》そうに見た。半透明の顔からでも、その表情は見て取れた。

「少しお話がしたいのですが、いいですか」

男は慎一郎を見たまま答えようとしない。慎一郎は焦った。

「ほんの少しでいいです」

「何の話ですか」

慎一郎は咄嗟に「仕事の話です」と言った。

「私は人材派遣の会社にいる者ですが、少し聞いてもらいたい話があるのです。決して悪い話ではありません」

「いや、いいです」

「時間は取らせません。ほんの五分です」

「結構です」

半透明の男は、にべもなく言った。取り付くしまもなかった。

慎一郎は「失礼しました」と頭を下げ、男から離れた。

しかしベンチに戻ってからも、男から目を離すことができなかった。彼の明日からの予定がわかれば、運命を変えることができるかもしれないと思った。そのためには親しくなる必要があるが、その第一歩で躓《つまず》いてしまった。今さら、どんな手段で彼に近付けばいいのか、何も思いつかなかった。

どうすればいいのだろう。目の前の人が死ぬことがわかっているのに、自分にはどうすることもできない。一瞬、正直に男に打ち明けようかと考えた。

あなたは数日以内におそらく事故か何かで死にます。もし事故なら避けることは可能です。これからしばらくの予定をすべて変更してください。いつもとは違う行動を取り、違う道を歩いてください。ただし、事故でない場合は、そんなことをしても無駄に終わりますが——。

駄目だ。そんなことを口にすれば、頭のおかしな人間だと思われるだけだ。真に受ける人間などいるはずがない。

「おい」

突然、後ろから声をかけられて、どきっとした。

振り返ると、すぐそばに見知らぬ中年男性が立っていた。男は黒いTシャツの上に派手な幾何学模様のシャツを羽織っていた。

「余計なことは考えるな」

中年男は慎一郎の顔を見て言った。

慎一郎はひょっとして自分の心が読まれているのではないかと動揺した。なんと答えていいのかわからなかったが、ようやくのことで口を開いた。

「――どういうことですか」

男はにやりと笑った。

「人材派遣なんて、口から出まかせだろう」

慎一郎は答えに詰まった。

「お前には見えているんだろう」

男の言葉に慎一郎は戦慄《せんりつ》した。瞬間的に、その言葉を心の中で反芻《はんすう》した。――彼はたしかに「見えている」と口にした。まさか、あのことを意味しているわけじゃないだろう。落ち着け！　動揺を気取られるな。

「おっしゃってる意味が――わかりません」

中年男はもう一度にやりと笑うと、ベンチの後ろからゆっくりと前に回り、慎一郎の隣に座った。

「お前には」

男はホームの若者を指差して言った。

「あの男が透けて見えているんじゃないのか」

慎一郎の全身が固まった。

その時、電車がホームに入ってきたが、ベンチから立つことすらできなかった。

「お前は、乗らなくていいのか」

派手なシャツを着た中年男はからかうように言った。ホームに目をやると、ゲームをしていた若者が他の乗客と一緒に電車に乗り込むのが見えた。

「いいのか。あの男が気になるんだろう」

中年男の言葉に答える余裕もなかった。やがてドアが閉まり、電車は走り去った。ホームには慎一郎と中年男の二人だけが残された。男は口元に小さな笑みを浮かべながら慎一郎の顔を見ていた。

「あなたも――」

ようやくの思いで口を開いた。

「見えるんですか」

中年男は小さく頷いた。それから電車が去った方向を見ながら呟くように言った。

「あいつは、三日後に死ぬ。ただし、死因はわからない」

慎一郎は一瞬、自分が今どこにいるのかもわからなくなるような感覚に陥った。もしかしたら、アパートの布団《ふとん》の中で気味の悪い夢でも見ているのかもしれないと思った。

自分の太腿《ふともも》を強く摑《つか》む。痛みは夢でないことを教えた。

今、自分の隣に座っている男は自分と同じ力を持っている——それだけでもパニックを起こしそうになるくらいの驚きだったが、彼に自分の力を見抜かれたことはそれ以上の衝撃だった。

「魂を抜かれたような顔をしているな」

男は慎一郎の顔を覗《のぞ》き込みながらにやりと笑った。

「どうしてわかったんだろうと思ってるな」

慎一郎は恐怖を覚えた。やはりこの男は自分の心まで読めるのか。もしかしたら、男は人間ではなく、本物の死神なのではないか——。

思わず男から遠ざかるように腰をずらした。

「まあ、落ち着け」男は穏やかな声で言った。「怖がらなくてもいい。お前に危害は加えない」

その言葉を聞いたとき、慎一郎は腹をくくった。この男は自分に危害を加えるつもりはないだろう。もしその気なら、わざわざ声をかけてきたりはしない。そう思った途端、妙に気持ちが落ち着いた。

「こんなところで、おかしな話をして、人に聞かれても厄介だ。場所を変えるか。それとも俺の話など聞きたくないというなら、ここで別れたってかまわんが」

ここまでくれば、男の話をじっくり聞こうと決めた。深呼吸すると、「聞かせてください」とかすれた声を絞り出した。

男は再びにやりと笑うと、ベンチから立ち上がった。

二人は駅の改札を出た。

男の後ろを歩きながら、慎一郎はまだ動揺を抑えることができなかった。はたして目の前を行くこの男は何者なのか。彼もまた自分と同じように、人の「死」が見えるのだろうか。こんな力があるのは自分一人と思っていただけに、今もなお信じられない気持ちだった。

男は少し歩いたところにある居酒屋に入った。どこにでもありそうな大衆的な店だったが、中に入ると、個室ふうの仕切りがあった。

男は椅子《いす》に座ると、「黒川《くろかわ》だ」と名乗った。慎一郎は少し迷ったが、「木山です」と言った。

「何を飲む？」

した。

「ビールを」

黒川はテーブルについているボタンを押して店員を呼ぶと、生ビールと枝豆を注文した。

店員が去ると同時に、慎一郎は「あなたも見えるんですか」と訊《き》いた。

黒川はそれを手で制しながら、「慌てるな。ビールが来てから、ゆっくり話そう」と言った。それから、タバコを取り出して火を点《つ》けた。

「この店のいいところはすいているところと、タバコが吸えるところだ」

慎一郎はうまそうにタバコを吸う黒川をじっと観察した。

年齢は五十歳くらいだろうか。派手なアロハシャツを着ていて、サラリーマンではなさそうだ。いや、職業などはどうでもいい。最も気になるのは、なぜ自分の力を見抜くことができたのかということだ。いったい目の前のこの男は何者なのか。自分に何を言おうとしているのだろう。もしかして、それはとてつもなく恐ろしいことではないだろうか。

黒川は、ホームに立っていた若い男が三日後に死ぬと言った。自分にも彼がおそらく近いうちに死ぬのはわかっていたが、それがいつなのかまではわからない。しかし黒川は「三日後」と断言した。なぜ彼にはそれがわかったのだろう。

黒川が一本目のタバコを吸い終わった時に、生ビールが運ばれてきた。

慎一郎は気持ちを落ち着かせようと、ビールを飲んだ。黒川もまた黙ってビールを飲み、枝豆をつまんでいる。

「びっくりしただろう」

突然、黒川が慎一郎の方を向いて口を開いた。

「俺だって驚いているんだ。俺と同じ力を持った人間を見るのは久しぶりだからな」

この能力を持った人間が自分と黒川以外にもいるということに衝撃を受けた。

「あいつがホームに立っているのを見たとき、俺もすぐに気が付いた。全身が透けかかっていたからな。もっとも俺はその男に別に興味も抱かなかった。ああ、まだ若いのに気の毒なことだと思ったくらいだ。しかし、そいつを熱心に観察している奴《やつ》がいるじゃないか」

黒川はビールを飲んだ。

「ホームに立っていたのが若くて綺麗《きれい》な女なら、じっと眺めている奴がいても不思議でも何でもない。しかしどこにでもいる若いサラリーマンを、あんなふうに近寄ってまでじろじろと見るのは普通じゃない」

まさか自分が観察されていたとは思ってもいなかった。黒川は二本目のタバコに火を点けた。

「最初はたまたまかと思っていた。しかしそいつはその男にこっそりと近付き、腕や顔をじろじろ見始めるじゃないか。それだけじゃない。今度は話しかけた。どう考えたって、そいつには何かが見えている。それでもまだその時は半信半疑だった」

慎一郎はじっと黒川の言葉を聞いていた。

「それで、カマをかけてみたのさ。余計なことは考えるな、って――。お前の驚きようったら、なかったぜ」

黒川は思い出したように笑った。

「それで確信した。こいつも見えている、と」

慎一郎は小さく頷いた。

黒川は慎一郎の顔を覗き込むようにして訊いた。

「お前はいつから見えている?」

「わかりません」と素直に答えた。「子供の頃に見えていたような気がしますが、本当に見えだしたのは、ここ数ヵ月くらいです」

「そうだろうな。そんな感じがした」

黒川はタバコを灰皿に押し付けた。

「黒川さんはいつから見えているんですか」

「そうだな。もう三十年にもなるかな。透明人間を何百人、いや何千人も見てきたぜ」

「そんなにですか」

「病院なんかに行けば、いっぺんに何人も見ることになるが、街を歩いていても、しょっちゅう出会《でくわ》す。街で見るのはたいていが事故か何かで死ぬ奴だな。さっきホームにいた奴もおそらくそうだろう。皆、自分の運命を知らずに、呑気《のんき》に歩いているぜ」

黒川はそう言いながら唇を歪《ゆが》めた。それから、ふと気付いたように、慎一郎に訊《たず》ねた。

「お前はさんざん迷った末に、あの男に時間を訊いたな。あの男の運命を変えようとでも思ったのか」

慎一郎が頷くのを見て、黒川は「そんなとこだろうと思ったぜ」と呟くように言った。

「一つ忠告しておいてやる。人の運命に関わるな」

黒川はそう言うと、またタバコに火を点けた。

「なぜ――ですか」

「俺たちはたしかに人の死がわかる。しかし、人の運命に関わるなんてことは許されないんだよ」

「許されないって、誰に許されないんですか」

「神だ」

予期せぬ言葉に慎一郎はどう反応していいのかわからなかった。

「神というのは大袈裟《おおげさ》かもしれないが、敢《あ》えて言えば、未来だな」

「未来、ですか」

黒川が大きく頷いた。

「未来というのは、誰にも見えない。人知を超えたものだ。ところが、なぜか俺たちには見える。しかし俺たちは所詮《しょせん》、人間だ。本来はそんなものを見るようにはできていない。だから、見えるからといって、勝手に未来を変えちゃならないんだよ。わかるか」

慎一郎は黙ったまま答えなかった。

黒川は、腕組みをして目を瞑《つむ》った。

「俺も最初はお前みたいなことを考えた。この力は人を救うことができる、とな。実際に何人かの命を救ったこともある」

慎一郎は頷いた。

「何年も前のことだが、深夜の新宿の街で、透明な男とすれ違ったことがあった。見た瞬間に、男がまもなく死ぬのがわかった。死因まではわからないが、そいつの寿命が一時間もないのはわかった」

「それで、どうしたんですか」

「俺は咄嗟《とっさ》に目の前に落ちていた空き缶を蹴《け》っ飛ばした。空き缶は派手な音を立てて道路に転がった。男は振り返った。次の瞬間、透明だった男の顔がくっきりと現れた」

「見えたということは——助かったということですね」

「そういうことだな」と黒川は言った。「男は空き缶の転がる音にちらっと振り返っただけだ。たったそれだけで男の運命は変わったんだ」

それはあり得ることだと慎一郎は思った。

男がどんな形で死を迎える運命であったのかはわからない。交通事故のようなものなら、ゼロコンマ何秒か行動が変化するだけで、運命が変わることがある。人間同士のトラブルにしても、わずかな行動の変化で変わる。だから、この時、男が一瞬振り返ったただけで「死」の運命が去ってしまったとしても不思議ではない。

「突然、街灯に照らされた男の顔が現れたものだから、その顔は強烈に覚えている。目が細く異常に色の白いのっぺりした顔立ちの若い男だった」

黒川はそこで一息つくと、生ビールを飲んだ。そして口のまわりの泡を指で拭《ぬぐ》うと、続けた。

「それから半年くらい経《た》ったある日、テレビのニュースをぼんやり見ていると、見覚えのある顔が映った。半年前に夜の新宿で見た男だった。他人の空似などではない。絶対にそいつに間違いない」

背中に冷たいものが走った。

「その男は——どうしてニュースに出たんですか」

「愛知県で起こった事件だと報じていた。その男は、マンションの隣の部屋に住む女を、犯して殺したんだ」

慎一郎は言葉を失った。

「テレビでは被害者の顔も映っていた。若くて綺麗な女だった」

黒川は淡々とした口調で言った。

「俺が半年前にあの男の命を救ったりしなければ、その女が死ぬことはなかった」

黒川の言おうとしていることがわかった。

「いいか、俺たちは神じゃない。他人の運命に手を出すことは非常に危険なことなんだ」

「おっしゃっていることはわかります。でも、その事件はあまりにも極端なケースじゃないですか」

「なぜ、そう言える？　現実に死ぬはずだった男を生かしたことで、別の人間が死んだ。その女を殺したのは、俺だとは言えないか」

慎一郎は何と答えていいのかわからなかった。一度にいろんな情報が溢《あふ》れかえり、頭の中の収拾がつかなくなった。

「でも、黒川さんが男を助けなくても、女は死んだかもしれないじゃないですか」

「強引な説だな」

黒川は笑った。

「たしかに女の人生がどうなったかはわからん。しかし、少なくともそいつに殺されることはなかった」

言われればそうかもしれないが、人を助けることを否定する考えには肯《うなず》けなかった。

「黒川さんの経験したケースは特別な例だと思います」と慎一郎は言った。「殺人を犯す人間の命を救うなんて滅多にないことです」

「まあ、たしかにそうだろう」

黒川は新たに運ばれてきた鮎《あゆ》の塩焼きの身を箸《はし》でほぐしながら続ける。

「しかし、他人の運命を知った上で、その運命を変えるというのは神に対する冒瀆《ぼうとく》だと思っている」

慎一郎は答えなかった。黒川の言うことにも一理あるような気がしたからだ。

「バタフライ効果っていうのを知ってるか」

慎一郎は首を横に振った。

「ちょっとした小さな出来事が大きな変化を起こすというものだ。カオス理論の一種だ」

「カオス理論って何ですか？」

「簡単に言えば、予測できない現象を扱う理論だ」

「よくわかりません」

「たとえば、北京《ペキン》で一匹の蝶《ちょう》が羽ばたくと、ニューヨークで嵐《あらし》が起こる。あるいは、アマゾンを舞う一匹の蝶の羽ばたきで、遠く離れたシカゴに大雨が降る――そんな話を聞いたことがないか」

慎一郎は再び首を横に振った。

「たった一匹の蝶々の羽ばたきが何千キロも離れたところの天候に大きな影響を及ぼすことから、バタフライ効果と呼ばれているんだ」

「不思議な話です」

「だろう」

「ですが――」と慎一郎は言った。「現実的ではないような気がします」

「そう言い切れるか」

「アマゾンの蝶々が羽ばたいたくらいで、シカゴで大雨が降るというのは、いくらなんでも――」

「まあ実際にはないだろう。これはたとえ話だ」

黒川はそう言いながら残りのビールを一気に飲み干した。

「しかし、俺がある男を助けたことで、別の女が死んだことはどう説明する」

「それは蝶の羽ばたきよりもずっと大きな出来事です」

「俺の言ったことをよく思い出せ」

黒川は右手の人差し指を立てて、慎一郎の目の前で振った。

「俺はあの時、新宿の街で空き缶を蹴っただけだ。そして、半年後に愛知県のマンションで女が殺されたんだ」

慎一郎は心の中で、あっと叫んだ。

黒川の言うとおりだ。空き缶が転がる音で男が振り返り、彼の命が助かった。しかしその男は半年後、女を殺した。つまり、彼の言うように、女の運命を変えたのはたった一つの空き缶だということになる。

もし、その時、彼の足元に空き缶が転がっていなければ、あるいは黒川が空き缶を蹴りそこねていれば、女は今も生きていたかもしれない――。ふと、前に遠藤が言っていた「人間は一日に九千回の選択をしている」という言葉を思い出した。

「俺の言う意味がやっとわかったか」

その言葉に慎一郎は大きく頷《うなず》いた。

「女が死んだことによって、さらに多くの人の人生が変わったことだろう。しかし、それはたった一つの空き缶がもたらしたことだ」

慎一郎は何も言えなかった。

「このケースでは、男が半年後に罪を犯したが、もしかしたら五十年後に大変な事件を起こしたかもしれない。しかし、その出来事がまさか五十年前に新宿の街に転がっていた、たった一つの空き缶が原因で起こったことだとは、誰にもわからないだろうよ」

慎一郎は奇妙な感覚に襲われていた。たしかに、黒川の言うように小さな出来事が多くの人の運命を大きく変えるというのは、本当だ。北京にいる一匹の蝶々の羽ばたきがニューヨークで嵐を引き起こすなんて、あまりにも荒唐無稽《こうとうむけい》な理論に思えたが、黒川の話を聞いた今、それは大いにありうることだと思った。同時に人間の運命の不思議を思わずにはいられなかった。ほんのささいな出来事が、十年後二十年後の世界を大きく変えることだってあるのだ。

「わかるか」

慎一郎は再び頷いた。

「つまり俺の言いたいことは」黒川は言った。「俺たちはそんなことに関わっちゃならないということだ」

しかしその言葉には納得できなかった。

「なぜ、ですか？」

「なぜ、だと？」

「だって、人間はどんなことをしても、そうなるのでしょう。自分のやっているすべてのことが未来に絡《から》んでいるのでしょう」

「だから、なんだ」

「うまく言えませんが、僕らが何をしても、未来がどうなるかはわかりません。だったら、目の前の人を救ってもいいんじゃないかと――」

「それは違う」黒川が強い口調で言った。「俺たちには未来が見える」

「でも、それは――」

「目の前の死の運命を背負った人間の未来だけだと言うのだろう。しかし、それだって未来だ。それは本来、誰にも見えないものだ。つまり人知を超えた何者かが作ったシナリオなんだよ」

「誰が書いたんですか」

「さあな。神かもしれん。そのシナリオは人間が見てはならないものだ。いや、人間には見えないはずのものなんだ。だから、人間が勝手にそれを書き換えてはいけない」

「僕はもう何度か書き換えました」

「お前がそうしたことによって、世の中に予期せぬ変化がもたらされた可能性がある」

慎一郎は全身にひやりとしたものを感じた。もしかして自分は黒川の言うように、してはならないことをしてしまったのか。神の書いたシナリオに勝手に手を加えてしまったのか——。

「空き缶を蹴る行為そのものは別に変わったことじゃない。たしかに都会の雑踏の中でやるには少々風変わりな行為かもしれんが、やったところで驚くようなことじゃない」

「はい」

「問題は、男の体が透明に見えたからそれをやったということだ。もし男が透明に見えさえしなければ、決してやらなかった。俺は未来が見えたことで、その未来を変えた。その結果、全然関係のない女が死んだ。これって、神の領域の行為じゃないか」

「けど——」と慎一郎は言った。「それなら医者だって、そうじゃないですか。治療をしなければ死んでしまう患者の命を救うことで、未来を変えています」

黒川の表情がかすかに変わったように見えた。

「俺たちの力は医者とは全然違う。病気を治すことと、本来見えないはずの運命の歯車を変えることはまったく別の次元のことだ」

たしかに言われてみればその通りだ。しかし心のどこかで黒川の言葉に反発したい気持ちがあった。

「納得していないという顔をしているな」

黒川は慎一郎の顔を覗き込んだ。

「俺がお前に、他人の運命をいじるなと忠告した理由は、実はそれだけじゃない」

「なんですか」

黒川はそれには答えずに黙ってビールを飲んだ。

「そのうちに教えてやる」

そのうちとはいつだろうと思った。今夜のうちなのか、それともまたどこかで会うということなのか。

そんなことを考えながら、皿の上の唐揚げを取ろうとしたとき、肘《ひじ》がジョッキに当たって倒してしまった。ビールがこぼれて慎一郎のズボンにかかった。黒川が笑いながら「大丈夫か」と言った。ズボンのポケットに入れていた携帯電話が濡《ぬ》れたので、テーブルの上に置いた。

「ところで、黒川さんは、さっきホームで出会った男があと三日で死ぬと言いましたね」

「ああ、言ったな」

「どうして三日とわかったんですか」

黒川は不思議そうな顔をした。

「お前はわからないのか」

「わかりません」

「なるほどな。お前はまだそこまでいってないんだな」

「どういうことでしょう」

「俺はもう三十年近く、透明な人間を見続けている。それで、その人の寿命がどれくらいかということまでわかるようになった。今では、ほぼ正確にわかる」

慎一郎はまたもや衝撃を受けた。

「信じられないか。しかしこれは本当だ。そいつが何年先に死ぬかもわかる」

「何十年も先までわかるんですか」

「いや、さすがに十年先となると、いつ死ぬかまではわからない」黒川は笑った。「しかし三年以内なら、ほぼ見える。一年以内なら正確にわかる。そいつの体のいろんなところの見え方で、だいたいわかるんだ。そいつの耳、鼻、目、そこに変化がある。その見え方の具合で、そいつの寿命がほぼ見える」

その人がいつ死ぬかが正確にわかるなんて、まるで死神と同じではないか。

「お前もそのうちにわかるようになってくるさ」

そんなものはわかりたくもなかった。

不意に黒川はにやりと笑った。

「俺には、お前の寿命も見えているぞ」

慎一郎はぞっとした。それは三年は死なないということなのか、それとも三年以内に死ぬということなのだろうか。

「教えてやろうか」

慌《あわ》てて首を横に振った。自分がいつ死ぬかなど知りたいはずがない。

二人のあいだに沈黙が生まれた。

黒川は黙って皿の上の枝豆をつまんでいる。慎一郎もまた無言でビールを飲んだ。

「黒川さん」と慎一郎が口を開いた。「どうして、こんな力が存在するんでしょう」

「それはわからん」

「わからないって――」慎一郎は詰め寄った。「何か理由があるはずでしょう」

「なんで理由がなければならないんだ」黒川が逆に訊いた。「美人に生まれた女には何か理由があるのか。あるいは障碍《しょうがい》を持って生まれた子供には何か理由があるのか。どうなんだ？」

慎一郎は答えに詰まった。

「俺がこの力を持ったのは二十歳のときだ。ある日、田舎の祖父の家に行ったとき、祖父の体が透けて見えたんだ。そりゃあ、驚いたぜ。それで、一週間後に祖父が亡《な》くなったときはもっと驚いた。その後、何年か経ってから、透明な人間をちょくちょく見るようになったってわけだ」

「はい」

「俺も最初はお前と同じように考えたさ。これには何か理由があるはずだ、と。しかしな、何の意味も理由もないんだ。ただ、何かの拍子に手に入っただけのことだ。あるいはコンピューターのバグみたいなものだ」

「――バグですか」

「おそらく、昔から、こういう能力を持った人間がいたんだろう。いや、いたはずだ。古代なら、預言者や占い師として、活躍したかもしれん。もしかしたらモーゼとかノストラダムスといった人間もそうだったかもしれん」

慎一郎はそうかもしれないと思った。

「さっき、僕以外にもこの力を持った人がいたと言っていましたね」

「ああ」

「どういう人ですか」

「お前と同じように若い男だった」

「その人ともこんなふうに出会ったのですか」

黒川は曖昧《あいまい》に頷く。

「その人に会えますか」

「会えない」黒川は顔を曇らせた。「そいつは死んだ」

彼の顔には、その話はもうしたくないという表情が浮かんでいた。

「黒川さん自身は、自分がいつ死ぬかわかるんですか」

「それはわからない」

「なぜわからないんですか」

「自分の体は、透けては見えないからだ」

「どうしてそれがわかるんですか」慎一郎は言った。「死ぬ前には透明に見えるかもしれないじゃないですか」

「俺たちと同じ力を持ったその男は、自分の体が透けているのが見えなかった」

慎一郎は言葉を失った。

「じゃあ、僕らは自分の寿命が見えないんですね」

「そういうことになるな」

黒川は苦笑した。

「ただし、俺にはお前の死が見えるし、お前もまた俺の死が見える」

その時、店員がやってきた。

「お客さん、そろそろ閉店です」

いつのまにか周囲の客はほとんどいなくなっていた。

「このビールを飲んだら、出るか」

二人はビールを飲み干すと、店を出た。

「すっかり遅くなったな」黒川が言った。「俺はタクシーを拾うよ」

「僕は歩いて帰ります」

終電の時間はとっくに過ぎていた。電車だと三駅分の距離だったが、歩けない距離ではない。

「最後に、もう一度言っておくが、他人の運命を変えると、後悔することになるぞ。お前にもいつかわかる時が来る――」

黒川はそこで言葉を切ったが、まだ何か言おうとしていた。慎一郎は次の言葉を待ったが、黒川は「じゃあな」と手を振ると、タクシー乗り場の方に向かった。

慎一郎はその背中に向かって声をかけた。

彼は「なんだ」と言って振り返った。

「黒川さんのお仕事は何ですか？」

「医者だよ」

黒川はそう言うと、去っていった。


慎一郎は京急川崎駅から夜の街を一人で歩きながら、はたして今夜あったことは現実の出来事なのだろうかと思った。

実に不思議な体験だった。まさか自分と同じような力を持つ人間に出会うとは思ってもいなかった。黒川は前にも同じような男を見たと言っていた。すると、この世の中にはごくまれに自分と同じような人間が存在するのだ。また彼は、昔から存在した力なのだとも言っていた。だとすれば、この能力には特別な意味はないのかもしれない。自分が選ばれた存在というわけでもないのだ。まったくの気まぐれのように与えられた能力にすぎないのだろう。

しかし、それが気まぐれに与えられたものなら、気まぐれに使ってもいいのではないか。黒川は他人の運命に関わるなと言ったが、その言葉に従う義務はない。この力はおそらく使うためにある。使えない力など存在する意味がないからだ。黒川の言うように、もし神が人の運命のシナリオを書いたとするなら、自分のような存在もその一部かもしれないではないか。それとも、本当に、コンピューターにあらわれる「バグ」なのか。

ただ、気になることがある。黒川が言った最後の言葉だ。「後悔することになるぞ」──あれはいったいどういう意味だろう。彼はお前にもいつかわかる時が来ると言った。あのあと、黒川は何かを言いかけた。いったい何を言おうとしたのだろう。

12

慎一郎は黙々と仕事をこなした。昨日の黒川との会話はずっと頭の中にあったが、仕事中は一切考えないようにした。

自分の仕事以外に、二人の新人の指導も行なった。二人とも二十代前半の真面目《まじめ》な性格で、慎一郎の言うことは素直に聞いた。

昼休みに遠藤が声をかけてきた。

「若いのはどうだ？」

「今朝、レクサスを磨かせましたけど、飲み込みが早いです」

遠藤は「それはよかった」と言って笑顔を見せた。慎一郎は遠藤の顔や指を観察した。どこにも透けたところはない。彼の危機は完全に去ったと考えてよかった。それを確認して、やはり自分のやったことは間違いではなかったと思った。彼が死ななかったことで、数十年後、誰かが不幸になることなど有り得ない。いや、むしろ遠藤が死んでいれば、より多くの人に大きな不幸が降りかかったはずだ。黒川の言っていることは必ずしも正しいとは限らないのだ。

夕方、時刻を見るために携帯を取り出すと、画面が真っ黒になっていた。再起動しても画面は戻らなかった。昨夜、ビールをこぼしたときに、機器の中に入ったのかもしれない。

仕事を定時に終えると、帰宅途中に川崎の携帯ショップに寄った。ちょうど混む時間帯だったようで、大勢の客がいる。

番号札を貰《もら》って順番を待っていると、二十分ほどして自分の番が来た。カウンターに行って、椅子に座ると、若い女性が微笑《ほほえ》んだ。

「どういったご用件でしょうか」

「携帯の画面が映らなくなったんです」

「拝見してもよろしいですか」

慎一郎はポケットから携帯電話を取り出して、カウンターの上に置いた。

女性販売員がそれを手に取って電源を入れ直したが、画面は真っ黒のままだった。

彼女はいろいろと操作した。

慎一郎は何気なくそれを眺めていた。次の瞬間、戦慄《せんりつ》を覚えた。彼女の指先が透けていたからだ。

慎一郎は携帯電話を操作する女性販売員の指先を注視した。今度ははっきりと見えている。

ほっとした次の瞬間、再び彼女の指先が透けて見えたような気がした。慎一郎は目をこすって、指先に集中した。今度は透けずにちゃんと見えた。どういうことだ、と思った。透けて見えたり、そうでなかったり、といったことは今まで一度もなかったはずだ。「壊れているようですね」

突然の彼女の言葉に、慎一郎は慌てて、「やっぱり、そうですか」と答えた。

「残念ながら、これは直せません」

慎一郎は携帯電話のことよりも、目の前の女性販売員のことが気になって仕方がなかった。なぜ、彼女の指先は消えたり見えたりするのだろう。慎一郎は彼女の顔を見た。年齢は二十代半ばくらいに見えた。髪を後ろで束ねていて、清楚《せいそ》な印象を受けた。

名札に目をやると、「桐生《きりゅう》」と書かれていた。

不意に目と目が合った。彼女はにっこりと笑った。慎一郎は思わず目を逸《そ》らした。

「どうされますか」

「新しいのを買うことにします」

慎一郎がそう答えると、彼女は少し申し訳なさそうな顔をした。その表情を見て、優しい女性だなと思った。

「ご希望の機種はありますか」

「いいえ、使えるなら何でもいいです。一番安いので」

彼女はくすっと笑うと、カタログを開きながら、いくつかの機種を説明した。慎一郎は彼女が指差す機種よりも、その指先が気になった。今度ははっきりと見えていた。

「これをお願いします」

慎一郎は一番安い機種を選んだ。彼女は品番をメモすると、「少しお待ちください」と言って、奥へ引っ込んだ。その時、カタログを持っている彼女の指先が一瞬消えた気がした。

慎一郎の頭の中は、彼女の指先のことでいっぱいだった。いったい彼女の指先が透けたり透けなかったりするのは、なぜなのか。もしかしたら彼女の運命がくるくると揺れているのだろうか。だとしたら、それは自分のせいなのか。

まもなく桐生が何種類かの色違いの携帯電話を持って戻ってきた。慎一郎は無難な黒色を選んだ。

彼女は早速、機種変更のための必要事項を書類に書き込んでいった。慎一郎はその指先を注意深く観察した。ペンを持つ指先は少しも透けていない。やはり、透けて見えたのは、目の錯覚だったのかもしれないと思ったが、すぐにその考えを自ら打ち消した。目の錯覚が何度も起きるはずがない。

もう一度じっと目を凝らした。すると指先の肉の部分が消えているのがわかった。やはり目の錯覚ではない。しかし爪《つめ》は透けていない。そうか、と心の中で言った。指先は消えているんだ。見えているのはネイルだ。大きめの付け爪でピンク色のストーンがあしらわれていた。

突然、ペンを持つ彼女の指先の動きが止まった。

「私の指が気になります？」

彼女が訊いた。

「いいえ」慎一郎は慌てて答えた。「どうして、ですか」

「さっき、私が携帯を触っているときも、ずっと指先を見られていたような気がしたものですから」

「すいません」

怪しまれるほどに凝視していたのだろう。慎一郎は冷や汗をかいた。

「ネイルが綺麗だったので、つい」

彼女は自分のネイルを見つめた。

「安物なんですよ」

慎一郎は言葉に詰まった。

彼女は黙って慎一郎の目を見つめると、右の手を開いて、慎一郎の前に掲げた。慎一郎の目はその指先に釘《くぎ》づけになった。そこにはネイルだけしか見えなかった。ふと正面を見ると、彼女が自分の顔を見つめていた。そのあまりにも真剣な表情に、思わずたじろいだ。

店を出たあとも、彼女のことが気になって仕方がなかった。

彼女の寿命はあとどれくらいなのだろうか。これまで街や電車で手が透明な人を何人か見てきたが、彼らの寿命がどれくらいかはわからなかった。一ヵ月くらいだろうか、それとも半年くらいなのだろうか。いずれにしても、そう長くはないような気がした。

二日後、慎一郎は再び携帯ショップに足を踏み入れた。新製品を見るふりをしながら、カウンターの中に座る彼女を観察した。しかし距離があったため、指先までは見ることができなかった。

翌日、もう一度、ショップを訪れた。前と同じように新製品を物色するふりをしながら、カウンターの中にいる彼女に目をやった。店の中は通勤帰りの客で混雑していたため、うろうろしていても目立つことはないだろう。

この日も距離があったが、前回とは彼女の指の見え方が異なっていた。というのは、ネイルが浮き上がって見えていたからだ。要するに指の第一関節から先が完全に消えていて、そのためにネイルが指から離れているように見えたのだ。

指の透明部分が増えている、それはつまり、彼女が確実に死に近づいているということにほかならなかった。

三日後、またショップを訪れた。カウンターの中にいる彼女を見て、ぞっとした。指がすべて消えていたからだ。見えるのはネイルと指輪だけだった。目を凝らすと、輪郭だけは見えるが、透明度の極めて高いビニールで作った手のようだった。

慎一郎は彼女の顔を盗み見た。顔はまったく透けていなかった。ぽっちゃりとした色白の愛くるしい顔はいかにも健康そうに見える。「死」を予感させるような影はどこにも窺《うかが》えない。彼女は朗らかな性格らしく、客にはいつも笑顔で接していた。同僚と話している時も、いつも笑顔を見せていた。性格の良さが表情に現れている感じだった。

この若く健康的な女性が近いうちに死ぬとはとても思えない。少なくともまもなく病気で死ぬとは考えられなかった。また自ら命を断つような悩みを抱えているようにも見えない。だとすれば、事故か――。何ヵ月後か何日後かに、事故に遭うという運命が待っているのだろうか。

彼女の死因を考えているうちに、嫌な文字が慎一郎の頭に浮かんだ。それは「殺人」という言葉だった。もしかしたら彼女は犯罪か何かに巻き込まれるのではないか。いやいや、と慎一郎はその考えを頭から追い出した。いくらなんでもそれはないだろう。殺人事件なんてそうめったに起こらない。

しかし一旦《いったん》脳裏に浮かんだその思いは容易には消えなかった。もし彼女が殺人事件に巻き込まれるなら、はたして自分はそれを防ぐことができるのだろうか。もしかしたら自分も巻き込まれるかもしれない。下手をすれば自分も被害に遭うかもしれない。いや、怪我《けが》をするだけではなく、命を失う可能性だってある。

黒川が言いかけたもう一つのことは、こういうことだったのだろうか。他人の運命に介入することで、自分の運命が捻《ね》じ曲がってしまう、あるいは悲惨な目に遭う——。

しかし慎一郎は彼女を見捨てる気にはなれなかった。彼女の目の前には大きな落とし穴がある。彼女はそれを知らないで歩いている。その落とし穴がどんなものかは慎一郎にもわからなかったが、少なくとも穴があるということは知っている。それなら、彼女にそのことを知らせる義務がある。たとえ黒川が「神への冒瀆」と言おうが、かまわない。

次の週も三度、携帯ショップに顔を出した。本当は毎日でも行きたかったが、仕事の都合でそうもいかなかった。

店の中に入るたびに、彼女の手が透明でないことを祈ったが、その願いはいつも裏切られた。彼女の手は見るたびに透明の部分が急速に増している。彼女を待ち構えている「死」は身じろぎもせず、彼女もまたそこに向かって進んでいるのがわかった。

こうして見ているだけではやはり彼女の運命は変わらないのかと思った。運命を変えるためには、何らかの働きかけが必要なのだろう。しかし、どうすればいいのかは見当もつかなかった。彼女に話しかけることで運命を変えられるなら楽な話だが、何を話せば「死」から逃れられるのかはわからない。彼女が「死」に向かって進んでいるのは間違いなかったが、問題は、その「死」の形が見えないことだった。その週の終わりには、半袖《はんそで》から見える部分がほとんど透明になっていた。

三日後、慎一郎が店に入った途端、女性販売員から「いらっしゃいませ」と声をかけられた。その顔を見て驚いた。桐生だったからだ。

「どういったご用件でしょうか」

慎一郎は戸惑いながら、「携帯を買い換えようかなと思って――」と言った。

「調子が悪いのですか」

「はい」

彼女は怪訝《けげん》な顔をした。

「この前、購入された携帯に、何か不具合でも？」

慎一郎は驚いた。自分の顔を覚えられているとは思ってもいなかった。

「いや、不具合というほどのものじゃないんですが」

「では、点検ですね」

桐生はそう言うと、番号札が出てくるボックスのボタンを押した。もっとも、慎一郎には彼女のネイルがボタンを押すようにしか見えなかった。

ボックスから出てきた紙はピンク色のネイルで摘まれ、空中を飛んで、慎一郎の目の前に差し出された。

「いや、いいです」慎一郎は言った。「それほど調子が悪いというわけじゃないですから」

慎一郎がそう言って立ち去ろうとすると、彼女は「お客さま」と言った。

「はい」

「三日前にもいらしてましたね」

「すいません」

「携帯の調子が悪かったら、遠慮なくおっしゃってください」

慎一郎は黙って頷いた。

「もしかして、前の週もいらっしゃってませんでしたか」

慎一郎は焦《あせ》った。毎週のように店に来ているのを知られていたのだ。まさか大勢の客の中で、自分が見られているとは思わなかった。となると、彼女をじっと観察していたのも気付かれていたのではないだろうか。

全身から冷や汗が流れた。

「すいません。もう来ません」

彼女は驚いた顔をした。

「こちらこそ、申し訳ありません。失礼なことを申し上げて」

慎一郎は小さな声で、いいえと言うと、逃げるように店を出た。

店を出たあとも、しばらく動悸《どうき》がおさまらなかった。迂闊《うかつ》だった、と思った。彼女に知られているということは、他の店員にも知られている可能性が高い。もし、彼女の身に何か事件が起これば、疑われるのは自分になる。おそらく防犯カメラの映像もあるだろうし、身元は割れている。もちろん、身の潔白を晴らすことはできるだろうが、それまでの間は嫌な時間を過ごすことになるかもしれない。

ちょっと待て、自分は何を考えているんだ。彼女の命がかかっている時に、なんて下らない心配をしているのだ。一番大事なことは彼女の命を救うことじゃないのか。そうだ、そのためにできることは何かということだ。

慎一郎は大きくため息をついた。肝心のその方法が何も思いつかないのだ。

実際に人の運命を変えるのは容易なことではないと思った。黒川が語った「バタフライ効果」によれば、北京の蝶々の羽ばたきでニューヨークが嵐になるということだったが、彼女とさっきのように会話をしても、彼女の運命は少しも変わらなかった。その透明な腕には何の変化もなかった——。

慎一郎は携帯ショップ通いをやめなかった。どうせ、知られていることだ。ストーカーと思われようがかまわない。人の命の方がはるかに大事だ。とはいえ、仕事の関係で、携帯ショップの営業時間内に毎日行くのは無理だった。店に入って、彼女を確認すると、すぐに出た。

初めて彼女を見て三週間ほど経《た》った頃には、顔も透明になり始めていた。

数日後、店に入った慎一郎は桐生の顔がほぼ完全に透けているのを見た。結局、彼女は運命から逃れられなかったのか、と思った。いや、自分にはまだできることがあるはずだ。

彼女は客の応対をしている。しかしその姿は慎一郎の目には透明人間としか見えなかった。

客が立ち上がった時に、慎一郎はカウンターに近付いた。ショップ内にいた他の女性販売員が「お客様、順番があります」と言ったが、慎一郎は「すぐに終わりますから」と言って、強引に透明な女性の前に座った。

「桐生さん」

慎一郎は名前を呼んだ。

「御用はなんでしょう」

表情は何も見えなかったが、その声は緊張していた。

「すみません、手短に済ませます」

「どうぞ」

「大切な話があります」慎一郎は小さな声で言った。「お店が終わってから、三十分だけ、時間をいただけませんか」

単刀直入なやり方だったが、他に方法が思い浮かばなかった。もし断られれば、それまでだ。それが彼女の運命だ。

しばしの沈黙があった。

「三十分でいいのですか」

透明な顔から声だけが聞こえてきた。

「はい」

そうは言ったものの、三十分で彼女の命を救える自信はなかった。しかし一つのチャンスは与えられた。

「どちらへ行けばいいですか」

「駅前のスタバで待っています」

「わかりました。八時半頃に行けると思います」

慎一郎は一礼すると、立ち上がって店を出た。

約束の時間より三十分早く川崎駅前のスターバックスに入った。コーヒーを飲みながら、桐生が来るのを待った。彼女は八時半に来ると言ったが、それを真に受けたわけではなかった。もしかしたら、追い返すために適当なことを言っただけかもしれない。なぜなら、「行く」と言ったときも、彼女の顔は透明なままだったからだ。もし、本当に来るつもりなら、その瞬間に彼女の運命は変わっていたはずだ。

小さくため息をついた。彼女が嘘《うそ》を言ったのなら、仕方がない。それが彼女自身の選んだ運命だ。

通りをぼんやりと眺めながら、いや待てよ、と考えた。必ずしもそうとは限らないのではないか。約束通りに来たとしても、彼女の運命が変わると決まったわけじゃない。彼女の運命は、これから自分と会ったくらいで変わるようなものではないのかもしれない。

いつのまにか、時刻は九時になろうとしていた。彼女は現れなかった。やはり来なかったかと思いながら、椅子《いす》から立ち上がろうとしたとき、「お待たせして、すみません」と声をかけられた。

目の前に青いワンピースを着た若い女性が息を弾ませて立っていた。一瞬、誰だかわからなかった。

「桐生です」

その女性が言ったとき、慎一郎は声を上げそうになった。目の前に立つ女性がかすかに笑みを浮かべているのがはっきりと見えたからだ。それどころか、腕も足もどこも透けていない。

——助かった。

慎一郎は全身の力が抜けそうになった。

「座っていいですか」

「あ、どうぞ」

桐生はアイスコーヒーが載ったトレイをテーブルに置くと、慎一郎の向かいに座った。

慎一郎は彼女の指先を見た。十本すべてが揃《そろ》っていた。ネイルの下の部分もくっきりと見えた。思わず笑みがこぼれそうになった。それを隠そうと手で口元を覆《おお》ったが、顔全体から笑みを消すことはできなかった。

「何か面白いことでも？」と桐生が訊《き》いた。

「いえ、違うんです」

そう言いながらも笑いを抑えることができない。目の前の彼女の顔ははっきりと見えている。不思議そうに慎一郎を見つめているその微妙な表情まで見てとれた。彼女の運命は完全に変わったのだ――。

「ところで、お話って何ですか」

唐突に訊かれて、慎一郎は何と答えればいいのかわからなくなった。

「実は、その――」

「何ですか」

「僕の悩みを聞いてもらいたかったんですが――」

「悩みですか」

「はい。でも、その悩みは今、消えました」

「消えたのですか」

「はい」慎一郎は答えた。「一瞬で消えました」

桐生は怪訝な顔をした。

「悩みは何だったんですか」

「言っても信じてもらえません」

「おっしゃってもらわないと、信じるも信じないもありません」

慎一郎は頷《うなず》いた。

「僕には人の運命が見えます」

桐生は驚いた顔も見せずに、「それで？」と訊いた。

「今、一人の命が助かったのです。こんな話、信じますか？」

桐生は微笑んだ。

「どうして助かったのですか？」

「それはわかりません。でも、助かったのは確かなのです」

桐生は口元に笑みを浮かべたまま、アイスコーヒーにミルクを入れて、マドラーで搔《か》き混ぜた。慎一郎は黙ってそれを眺めていた。

ややあって、彼女は静かな口調で訊いた。

「その助かった人というのは――もしかして、私ですか？」

慎一郎はどう答えようか少し迷ったが、小さく頷いた。意外なことに、桐生は表情をほとんど変えなかった。

不思議な女性だと思った。普通なら、こんな荒唐無稽《こうとうむけい》な話はタチの悪い冗談と受け取られて当然だ。しかし彼女は怒ることも笑うこともなく聞いている。

こんなふうに彼女の顔を眺めるのは初めてだった。これまでは指や腕の透明な部分ばかりに目を奪われていて、顔に注意を向けたことはなかった。決して美人ではなかったが、薄化粧の顔は健康的な魅力にあふれていた。

ショップでのイメージと違ったのは、店では束ねていた髪の毛を下ろしていたこともある。肩にかかる長い髪にはゆるいパーマがかかっていて、さっき声をかけられたとき、一瞬誰だかわからなかったのはそのせいだ。

「どうして、私が助かったと思ったのですか」

慎一郎は、これを説明するのはやめようと思った。いくらなんでも信じてはもらえまい。

「僕の勘です」

桐生は驚いた表情をした。

「勘――ですか」

「はい。多分、全然信じてもらえないと思いますが」

桐生は答えなかった。そして慎一郎の顔を見つめながら黙ってアイスコーヒーを飲んだ。慎一郎もまた何も言わなかった。

奇妙な沈黙の時間が流れた。

「信じてもらえなくてもいいんです。今日のことは忘れてください。僕ももう二度とあなたに会いません」

桐生は黙って頷いた。

これでいい、と慎一郎は心の中で呟《つぶや》いた。彼女に説明しても理解してもらえるはずがない。実際、彼女がなぜ助かったのかは自分にもわからない。そもそも、どうして命を失うことになるはずだったのかもわかっていないのだった。それに本当のところは、自分が彼女の運命を変えたのかどうかさえわからない。しかしそんなことを気にする必要はない。大事なのは彼女の命が助かったということだ。自分がどう思われようが問題ではない。

「では」と桐生が口を開いた。「私へのお話というのは、これでおしまいですか」

「はい」

慎一郎がそう答えても彼女は不快そうな顔をしなかった。

まもなく二人ともコーヒーを飲み終えて店を出た。

「おかしな話で時間を取らせて、すみませんでした」

慎一郎が小さく頭を下げると、彼女はにこやかに言った。

「この店に入ったのは久しぶりでした。のんびりできてよかったです」

「ありがとう」

慎一郎はそう言うと、手を振って彼女と別れた。駅に向かう道は一緒だったが、同じ道を歩くのは彼女も気まずいだろうと思って、敢《あ》えて反対方向へ歩き始めた。

その瞬間、胸に締め付けられるような痛みを覚えた。続いて腕と足が痺《しび》れて、思わず歩道にしゃがみこんだ。胸の痛みに加えてめまいで目の前が真っ暗になった。

地面に両手をつきながら、また来たか、と思った。予感はあった。透き通って見える人の命を救った直後にやって来る症状だ。これまでもうすうす気付いていた。だから桐生の顔がはっきりと見えたときから、来るかもしれないと思っていたが、今や確信を持った。人の運命を変えると、立っていられないほどの痛みに襲われる——。しかし他人の命が助かることを思えば、耐えられない苦しみではない。歩道にうずくまりながら、彼女の前でこうならないでよかったと思った。

やがて少し楽になったので立ち上がった。まだ若干めまいがしたが、歩けないことはない。

桐生の命を救うことができたのは嬉《うれ》しかった。結局、どうして彼女が死ぬことになっていたのか、そしてそれがどんなふうに回避されたのかはわからなかったが、そんなことはどうだってよかった。

本来、彼女の未来はここ数時間のうちに終わっているはずだった。しかし自分がコーヒー店に誘うことによって、その運命は変わった。今後どんな人生を送るのかはわからない。しかし彼女の運命が変わったことによって誰かが不幸になるとは思えなかった。

黒川は「神の領域に踏み込むな」と言っていたが、それはあくまで彼の考えだ。自分がそれに倣《なら》うことはない。


次の日、慎一郎が仕事を終えて更衣室で着替えていると、遠藤に声をかけられた。

「大事な話がある。あとで事務所へ顔を出せ」

慎一郎が私服に着替えて事務所へ行くと、遠藤が、こっちに来いと手招きした。

「何ですか？」

慎一郎は社長のデスクの横の椅子に座って訊いた。

「お前、来月から独立しろ」

遠藤はいきなり言った。

「ちょっと待ってください」

「例の蒲田のガレージを押さえた。そこで会社をやれ」

「子会社ということですか」

「いや、独立してお前が社長をやるんだ」

「いきなり言われても――」

遠藤は呆《あき》れた顔をした。

「前から言ってあっただろう」

事務所には二人の他に、美津子しかいなかった。遠藤の声は大きい。当然、美津子の耳にも届いているはずだが、彼女は黙々と書類を処理している。

「それって、社長命令ですか」

「そういうことになるかな」

遠藤は白い歯を見せた。

「でも、会社となると、登記とかいろいろやらなきゃいけないことがあるんじゃないですか。それにガレージの家賃も」

「事務的な手続きみたいな面倒なもんは、こっちで全部やる。知り合いの司法書士に任せる。ガレージもしばらくはうちとお前との賃貸契約ということにしよう。初期費用その他はうちからの投資という形でいいだろう」

「はあ――」

独立など当分先の話で、まさかこんなに急になるとは予想もしていなかった。

「前にも言ったように、ガレージはそんなに大きくないが、しばらくは一人だから、それで十分だろう。いずれ人を使って手狭になれば、また俺に相談に来い」

「事務をする人がいません」

「しばらくは立花に行かせる」

慎一郎は驚いて、美津子の方を見た。美津子は顔を上げて慎一郎の方を向くと、ウインクした。

「常駐されると、うちも厳しいから、週に三日、一日三時間のパートタイム勤務にさせてもらう」

慎一郎は「はあ」と頷いた。

「立花のパート代は払ってもらうぞ。その分は気張って働いてくれ」

「はい」

慎一郎が答えると、美津子が「頑張ってね」と言った。

どうやら、自分の知らない間にすべてが進んでいたようだった。こうなれば今更断るわけにもいかない。

その後、慎一郎は遠藤から会社立ち上げについての詳しいレクチャーを受けた。もっとも遠藤が言っていたように、登記や税金のことは当分慎一郎が自らやらなくていいようになっていた。だから実質は子会社のようなものだったが、遠藤自身は子会社にする気はなく、ゆくゆくは慎一郎に独り立ちさせる気でいた。

「顧客へは来週、連絡しておく。お前の腕を信頼している客が沢山いるからな。忙しくなるぞ」

「そうすると、社長のところに来る客が減るじゃないですか」

「それは大丈夫だ。うちは来年から、ディーラーを相手に商売していく」

「すると、契約が成立したんですね」

遠藤は頷いた。

彼は以前からいくつかの外車のディーラーと交渉していた。三ヵ月前からそうしたディーラーから受注した車を何台も磨いていた。おそらくコーティングの仕上がりを見てみたかったのだろう。契約が成立したということは、どうやら満足したようだ。

「ディーラーとは月に五十台の契約になっている」

「そんなにですか」

「いずれはもっと増えるだろう」

「ディーラーからの車ということは、全部、新車ですね」

「そういうことだ」遠藤はにやりと笑った。「つまり、それほどの腕がなくてもやっていける」

慎一郎もつられて笑った。

何年も乗られてきた車を磨くにはそれなりの経験が必要だが、工場から出てきたばかりの新車の場合は表面をさっと磨いてやるだけで十分だ。熟練の技術は必要ではない。しかもディーラーが同じだと車種も限られるので、その点でも仕事がやりやすい。

「というわけだから、手間ひまのかかる車は、お前のところに回そうかと思ってな」

横から美津子が「慎ちゃん、貧乏くじを引いたわね」とおかしそうに言った。慎一郎は苦笑したが、貧乏くじを引かされたとはまったく思っていなかった。遠藤がそんな形で顧客を回してくれるつもりでいたのはわかっていた。もっとも、今回のディーラーとの契約成立で、経営方針が具体的に決まったということだ。

「けど、僕一人では顧客のリピートはこなせないですよ」

「その時は、俺がやるよ。うちだって持ち主のいない新車ばかりを磨きたくない。大事に乗っているオーナーの喜ぶ顔を見るのは楽しみの一つだからな」

遠藤はそう言ってまた白い歯を見せた。

翌日、遠藤に連れられて、蒲田のガレージを見に行った。車はぎっちり詰めれば四台は置けそうだったが、一人で作業することを考えると、一度に預かれるのは二台が限界だった。

「月に十台磨けば、二百万円近い売上になる。家賃その他の経費を払っても、半分は残るだろう。軌道に乗れば、月に百万円以上稼ぐことだって可能だ」

そうなれば、今の給料の三倍近くになる。もっともガレージの内装やセキュリティーの費用など、初期投資は少なくない。その分は遠藤からの借金ということになる。

「なんで、社長は、ここまでしてくれるんですか」

「お前はうちへ来た時から、真面目一筋でやってきた。それに誰よりも磨きの腕を上げた。俺自身も職人だから、お前みたいな腕のいい職人タイプは独立させてやりたいんだ。それにな――」

遠藤は少し照れくさそうに付け加えた。

「お前には借りがある」

慎一郎は黙って頭を下げた。

13

十月一日、慎一郎は蒲田で開業した。

JR蒲田駅から歩いて十分の工場街だった。遠藤の会社からは距離にして約七キロほど離れていた。

会社名は「木山コーティング」とした。ガレージの内装外装その他の工事費が、合わせて一千万円近くかかったが、七百万円は遠藤から借りた。残りは慎一郎自身の預金をほぼ全額使った。遠藤の工場で五年間働いて貯《た》めたお金だった。使うあてもなく預けていたお金がこんなところで役に立つとは思ってもいなかった。

開業と同時に仕事を始めた。遠藤から事前に、慎一郎が独立するという案内状をもらっていた何人もの顧客が、コーティングのメンテナンスを頼んでくれたのだ。メンテナンスは一年ないし二年間隔で行うが、作業は簡単ですむ。表面をさっと磨いて、コーティングするだけだ。もちろん料金は正規の「磨き＋コーティング」と比較すると極端に安いが、その分台数がこなせる。

事務は週に三日だけ美津子が応援に来てくれた。それも正午から三時間だけだったが、仕事が少ないので、十分間に合った。

慎一郎は独立と同時に川崎大師のアパートを引き払い、ガレージの二階に引っ越していた。事務所の奥の三畳ほどの部屋が彼の居住スペースだった。会社に寝泊りするのは、通勤時間を節約したかったからだが、セキュリティーの意味あいもあった。防犯設備を整えてはいたが、万が一もある。保管している高級車を盗まれでもしたら大事《おおごと》だ。

慎一郎は毎朝五時に起床し、六時から夜の十時まで仕事をした。食事休憩を除くと一日十四時間くらいの労働になったが、疲れはまったく感じなかった。むしろ働くのが楽しくてたまらなかった。

最初は遠藤に言われて仕方なく開業した形だったが、いざ独立してみると、気持ちに張りが出た。仕事をしていても、気力が漲《みなぎ》るのが自分でもわかった。「一国一城の主《あるじ》」というのが、これほどの充実感をもたらすものとは思ってもいなかった。

涼しい季節になっていたので、ガレージの中に熱気がこもることはなかった。これが八月なら、とても長時間の作業はできなかっただろう。

「よく働くわね」

開業して二週目、昼食休憩のとき、美津子が感心したように言った。

「けど、あまり無理しちゃダメよ」

「大丈夫です。全然元気ですから」

美津子は一日おきにやってくるときに、野菜がたっぷり入った手作りの弁当を持ってきてくれた。慎一郎の工場には炊事設備がないので、栄養不足にならないようにとの心遣いだった。慎一郎は弁当代を払うと言ったが、美津子は「ついでだから」と笑い、断固受け取らなかった。

「このガレージもどんどん大きくなったら、いいね」

美津子は言った。

「今はそんなことまで考えられないです。とにかく目の前の仕事を一所懸命にやっていくことしか頭にありません」

「しっかりしてるね」

慎一郎は手を振った。

「全然しっかりなんかしてないですよ。ただ、仕事に責任感というのが出てきました」

「あら、今まではなかったの？」

美津子のからかうような言葉に慎一郎は苦笑した。

「今までもありました。でも今は、なんというか――すべての仕事に『木山コーティング』の名前がかかっているという気がするんです」

「わかるような気がするな。自分のブランドを背負っているわけだもんね」

「そんな大袈裟《おおげさ》なもんじゃないですけど、やっぱり、一つ一つ大切に仕事をして、信頼を築いていきたいです」

「立派ね」

慎一郎は照れくさくなって、弁当をかきこんだ。

「けど、この会社が軌道に乗ったら、慎ちゃんも次の大仕事に取り掛からないとね」

「何ですか、それ」

「結婚よ」

慎一郎は苦笑した。

「そんなもん、当分先の話ですよ」

「何を言ってるのよ。慎ちゃんももうすぐ三十歳でしょう。全然早くないし、それに、男は所帯を持ってこそ、一人前よ」

慎一郎は曖昧《あいまい》に頷いた。

「誰か好きな人はいないの？」

「そんな人、いませんよ」

「全然？」

「はい」

美津子は小さくため息をついた。

「たしかに慎ちゃんはずっと会社とアパートの往復だけだったもんね。女の子と知り合うきっかけもないし。今みたいに会社に寝泊まりしていたら、人との出会いなんかゼロになっちゃうね」

「お客さんとは出会っていますよ」

「何言っているのよ。若い女の子の話をしてるんじゃない」

慎一郎は、「すみません」とうつむいた。

「ああ、今にして思えば、真理ちゃんと慎ちゃんを無理やりにでもくっつけといたらよかったわ」

「僕には無理でしたよ」

「真理ちゃんがあんな男に引っかかったのは、慎ちゃんのせいでもあるのよ」

「僕のせい、ですか」

「そうよ。慎ちゃんが真理ちゃんをちゃんと摑《つか》まえていたら、あんな男にころりということはなかったはずよ」

「僕はフェラーリも持ってないですから。太刀打ちできないです」

「あんた、何言ってるのよ！」

美津子はきつい口調で言った。

「女が車なんかでなびくと思ってるの。それ、本気で言ってるの？　女を馬鹿《ばか》にしてない？」

温厚な美津子がこんなふうに怒るのを見るのは初めてだった。

「慎ちゃんがそんな男だとは思わなかった。車ばかり磨いていて、価値観が車だけになったのね」

慎一郎には返す言葉がなかった。たしかに美津子の言うとおりだった。宇津井が真理子にアプローチしていると気付いたとき、フェラーリに乗っている男なんかには勝てるわけがないと、自分から身を引いてしまった。あの時、真理子に想《おも》いを告げていたらどうなったかはわからない。うまくいかなかった可能性はもちろんあるが、それでも、そうするべきではなかったのか——。美津子の言葉は慎一郎の心にナイフのように突き刺さった。

「過ぎたこと言っても仕方がないけどね」と美津子は言った。「けど、やっぱり、真理ちゃんのことは可哀想《かわいそう》だった」

慎一郎は黙って頷いた。

「あの子は今時珍しいくらい純粋な子だったから、騙《だま》された分、傷も大きかったのよ。遊んでる子なら、いろいろあったってどうってことはなかったのにね。多分、あの子は男の人とは――」

美津子はそこで言葉を切ったが、慎一郎には彼女が何を言おうとしていたのかわかった。

今更ながら真理子を哀れに思った。同時に、彼女が悲しむことになった原因はやはり自分にあるような気もしてきた。あの頃、彼女に気持ちを打ち明けなかったのは、ふられて自分が傷つくのが怖かったからだ。真理子のことを慮《おもんぱか》ってのことではなかったのだ。

「僕が意気地なしだったからですね」

慎一郎は呟くように言った。

「ごめんね。そんなつもりで言ったんじゃないのよ」美津子は無理に笑って言った。

「男と女のことは、誰のせいでもない。真理ちゃんは自分で選んだんだから、それは真理ちゃんの自業自得《じごうじとく》。誰もあの子に、あの男と付き合えなんて言ってないんだから」

慎一郎は頷いた。

しばらく二人とも無言で弁当を食べていた。美津子が再びじれったそうに口を開いた。

「本当に全然、いないの？」

「女の子ですか」慎一郎は苦笑した。「だから、いませんってば」

「片思いでもいいから、いいなと思ってる子もいないの」

「いないですよ。女の子と話す機会だってないんですから。あ、ママさんは別ですよ」

「わざわざ言わなくてもわかってるよ。それに女の子じゃないし」

慎一郎は再び苦笑いすると、

「本当にそんな機会なんか一度も――」

言いながら、ふと桐生のことを思い出した。

「あ、今、誰か思い出したわね」

「いや、違うんです」慌てて手を振った。「前に携帯電話が壊れてショップに行った時、対応してくれた女性と喋《しゃべ》ったなあと思って。女性と話したのはそれくらいです」

「かわいい子だった？」

「よく覚えていません」

慎一郎は桐生の顔を思い浮かべたが、脳裏に浮かんだのは店にいるときの彼女ではなく、スターバックスに現れたときの姿だった。青いワンピースを着て、ウェーブのかかった長い黒髪が肩に落ちていた。

「その子の名前は？」

「知りません」

「声かけなかったの？」

「かけてません」

美津子は「ふーん」と言いながら、慎一郎の目を覗《のぞ》き込むように見た。嘘がばれたかなと思ったが、知らないふりをした。美津子はそれ以上は訊いてこなかった。

その夜、仕事を終えてガレージの二階の部屋で休んでいると、桐生のことが頭に浮かんだ。

彼女はどうしてスターバックスに来たのだろうか。見ず知らずの男である自分との約束などすっぽかしてしまってもよかったのに。いや、むしろストーカーみたいに何度も店に来たあげく、会って話したいと言う男に会う方がおかしい。もしかして、彼女は自分のことを少しは気に入っていたのだろうか。その証拠に自分のことを覚えていたではないか――。

慎一郎は頭を振った。そんなことがあるはずはない。たまたま気まぐれに会ってみようと思っただけだろう。あるいは退屈しのぎだったのかもしれない。でも、その気まぐれが彼女自身の命を救った。人の運命というのは、そういうものかもしれない。

あの日のことをぼんやりと思い出していると、スターバックスでの桐生との会話が不自然だったことに気がついた。というのは彼女が慎一郎の話を不審にも思わず、聞いていたからだ。普通、「君の命が助かった」と言われて、そうですかと頷く者などいない。しかし彼女はあっさりと受け止めた。どういうことなのかと尋ねもしなかった。緊張していたから、何とも思わなかったが、今にして思えば、不思議な会話だった――。

慎一郎ははっとして布団《ふとん》から起き上がった。もしかしたら、あの夜、彼女は自殺を考えていたのではないだろうかと思った。自殺する人の精神状態というのは尋常でないとも聞く。そんなとき、見知らぬ男からお茶に誘われたことは、何か運命的なものと感じられたのかもしれない。だからこそ、「君の命が助かった」と言われたときに、疑うことなく納得したのかもしれない。

それは十分に有り得ることだと思えた。とにかく、彼女は死を思いとどまった。理由は知らない。もしかしたら彼女自身でさえもわからないかもしれない。しかし、それも今一つ納得できないところがあった。なぜなら彼女がそんな思いを抱えているようには見えなかったからだ。客とは自然な笑顔で接していたし、その笑顔には悩みがあるようには見えなかった。

ふと心に嫌なものがよぎった。ひょっとしたら、彼女は正常な精神の持ち主ではないのかもしれない。もし、気の狂った女だとしたら——その想像は慎一郎を戦慄《せんりつ》させた。

黒川が前に言っていた言葉を思い出した。命を救った男が半年後、一人の女性を殺害した話だ。慎一郎の額に汗が滲《にじ》んだ。まさか、彼女が将来、誰かを不幸にするというような事態が起きるのだろうか。もし、そうだとすれば、自分はとんでもないことをしでかしたことになる。黒川が「神の領域に踏み込むな」と言ったのは、そういうことなのだろうか。

慎一郎はタバコをくわえて火を点《つ》けた。大きく煙を吸い込んで、天井に向けてそれを吐いた。もう考えるのはやめよう。どれもこれも想像に過ぎない。彼女が自殺を考えていたかどうかもわからないし、頭がおかしいかどうかもわからない。たしかなことは、彼女が目前に迫った「死」の運命から逃れたということだけだ。

慎一郎はもう一度、桐生の白い顔を思い浮かべた。胸が少しときめくのを感じた。


仕事はその後も順調だった。

遠藤の会社にいた頃にコーティングを担当した車のオーナーたちが、次々にメンテナンスを発注してくれたからだ。また、慎一郎の腕を知っているオーナーが新車に乗り換えた時も、コーティングを依頼してくれた。

しかし慎一郎のガレージでは、スペースの関係で全部の注文は受けられなかった。自社で賄《まかな》えない分は遠藤のガレージを借りて作業を行なった。これは最初から遠藤と交わしていた約束だったから、彼は快く了承してくれた。ただし、ガレージを借りる分の料金は支払った。

遠藤のガレージで作業をしたときは、余った時間に新人たちを指導した。遠藤は「ギャラを払う」と言ったが、慎一郎はせめてもの恩返しのつもりだったから断った。

一日の労働時間は十二時間を超えたが、疲れは感じなかった。仕事をする喜びだけでなく、会社経営をしっかりと軌道に乗せたいという気持ちが慎一郎の心に張りを持たせていた。いつの日になるかわからないが、もっと大きなガレージを借りて、より多くの車をコーティングしていきたいと思うようになっていた。もちろん、そのためには人を雇う必要もある。当分先の話だが、いつか来るかもしれないその日のためにも、今の仕事を一所懸命にやるだけだ。

気が付けば十一月に入っていた。

携帯ショップで桐生を見て以来、街で体が透けて見える人には一度も出会っていなかった。もしかしたら出会っても気付いていない可能性があると思った。秋も深まり、ほとんどの人が長袖《ながそで》の服を着ていて、体の露出が少なくなっていたからだ。それに、開業してからはガレージから出ることが滅多になくなったこともある。病院にでも行けば、そういう人を多く見ることになるだろうが、わざわざそんなことをする気はなかった。

病院の連想で黒川のことを思い出した。彼は医者だと言っていた。体が透けた人の運命に黒川が無関心だったのは、毎日のようにそういう人を見てきたからかもしれない。医者にとっては人の生き死になんて日常的なことで、そんなものにいちいち感情を動かされていたら、精神が持たないだろう。

不意に黒川が言った「他人の運命を変えると、後悔することになるぞ」という言葉が蘇《よみがえ》ってきた。あの時、彼はたしか「お前にもいつかわかる時が来る」とも言った。あれはどういう意味だったのだろう。単に「人の運命を変えるな」という意味だけではなかったような気がする。もしかしたら、お前にとってなにか良くないことが起きると言いたかったのかもしれない。そう考えれば、思い当たるふしはいくつもある。彼がそこで言葉を切ったのも、余計なことは言うまいという風だった。

慎一郎は黒川にもう一度会ってみようと思った。

黒川の連絡先や下の名前は聞いていなかったから、インターネットで川崎市内の病院を調べてみた。もし医者というのが本当なら、どこかにいるはずだ。ただ、病院の数は相当なものだ。簡単に見つかるとは思っていなかった。それに川崎市内とは限らないし、ホームページを設けていない個人の診療所ならどうしようもない。しかし焦《あせ》りはしなかった。どうしても会いたいわけじゃない。もし見つかれば、もう一度会って話してみたいというくらいの軽い気持ちだった。

休憩時間に会社のパソコンを使って川崎市内の病院のホームページを覗くのが日課になった。病院のホームページには医師名が載っていた。病院によっては顔写真まである。当たれる限り当たったものの、黒川の名前は見つからなかった。

ひょっとすると川崎以外の病院かもしれないと思い、周辺の病院も検索した。しかし黒川の名前はどこにも出ていなかった。もしかしたら黒川という名前は偽名の可能性がある。それに医者というのも本当かどうかわからない。しかし別に焦りはしなかった。何としても彼に会わなければならない理由はないし、見つからなければそれまでだと思っていたからだ。

そんなある日の夕方、作業がひと段落し、パソコンで神奈川県内の病院を検索していると、横浜の総合病院のホームページに黒川という名前を見つけた。内科に黒川武《たけ》雄《お》という医師がいた。その医師が慎一郎が探している「黒川」かどうかはわからなかったが、病院名と電話番号をメモしておいた。

翌週の午後、美津子が帰った後の休憩時間に、病院に電話した。黒川先生をお願いしますと言うと、しばらくして本人が出た。

「はい、黒川です」

その声が前に出会った男のものかどうかはわからなかった。

「僕は木山と申します。三ヵ月ほど前に京急川崎駅のホームで出会った者です」

「木山？」

「すみません、人違いでした」

慎一郎がそう言って電話を切ろうとしたとき、携帯電話から「ちょっと待って」という声が聞こえた。

「どこで会ったと言った？」

「京急川崎駅です」と慎一郎が言った。「お前には見えているんだろう、と言われました」

「ああ、お前か」黒川が笑った。「どうしてここがわかった？」

「病院のホームページをいくつか見て」

「なるほどな」と黒川は感心したように言った。「で、何か用か」

「用というほどでもないのですが、またお話を聞かせてもらいたいと思って――」

「いつでもいいが、そうだな。今度の日曜日の午後はどうだ」

慎一郎は慌《あわ》てて、頭の中でその日の予定を思い返した。ガレージは休みだったが、一応コーティングの作業の予定を入れていた。しかし、二、三時間くらいならどうということはない。

「何時が良いですか」

「午後二時、横浜駅の西口でいいか」

「よろしくお願いします」

「じゃあな」

黒川はそう言うと、電話を切った。

次の日曜日、慎一郎は横浜駅で黒川と会った。

黒川は八月に京急川崎駅のホームで会ったときは派手なシャツを着ていたが、今回は革のジャンパーを着ていた。

「まさか、俺を探し出すとはな」

黒川は会うなり言った。

「すいません」

「かまわん」黒川は屈託なく言った。「病院のホームページを当たるのも大変だったろう」

「前に会った時に連絡先を訊《き》いておくべきでした」

「教えないかもしれないじゃないか」

「それなら、本名を言わないでしょう」

黒川は苦笑いした。

「お前とはもう一度会うような気がしていたからな」

「そうだったんですね」

「メシは食ったか」

「はい」

「じゃあ、コーヒーでも飲みに行くか」

黒川はそう言って歩きかけたが、すぐに足を止めた。

「お前に面白いものを見せてやる」

黒川は駅前の繁華街をしばらく歩いた。日曜日で人通りが多かった。

やがて黒川は歩きながら前方を指差した。その方向に目をやると、三十人ほどの行列が見えた。若者がほとんどだったが、主婦らしき女性の姿も見える。

「最近できた店だ。すごい人気で、いつも沢山の人が並んでいる」

そこはビルの一階の一角を店舗にしたケーキ屋だった。店舗といっても道路に面した二間ほどの部分がカウンターになっているだけの小さなものだ。

「オーナーのパティシエは若くてなかなかのイケメンだ。何でもテレビ番組で、ロールケーキ作りのチャンピオンになったそうだ。そのロールケーキは大変な人気でな」

「食べたことがあるんですか」

黒川が笑いながら頷《うなず》いた。

「一時間も並んだ。まあ、それなりの味だった」

いつのまにか二人は店の前まで来ていた。店のカウンターでは、三人の若い女性の売り子が客にロールケーキを渡していく。まさに飛ぶように売れていく感じだった。店の前には「お一人様、二個まででお願いします」という看板が立てられていた。

「すごい売れ行きですね」

「一時間に百個くらいははける。一個千円だから、一時間十万円だな。おそらく、一日百万円近くは売り上げるだろう」

「すごいですね」

「パティシエは元バイクレーサーらしい。それもあってカリスマ的な人気がある」

慎一郎は「そうなんですか」と相槌《あいづち》を打ちながら、黒川はなぜこの店に連れてきたのだろうかと思った。別に行列に並ぶわけでもなさそうだ。

「もうすぐ、顔を出すぞ。まあ、一種のファンサービスだな」

黒川が言った直後、カウンターに若いパティシエが顔を見せた。並んでいた人々の間に小さなどよめきが起きる。黒川が言うように、長髪のハンサムな男だった。

「お並びの皆さん、お待たせしてすみません。ロールケーキは一つ一つ丁寧に仕上げております。すべて作りたてをお持ち帰りいただけます」

パティシエが言うと、行列の客から拍手が起こった。

「男の手を見てみろ」

黒川が慎一郎の耳元で囁《ささや》いた。手に目をやると、袖から先が何も見えなかった。驚いて黒川の顔を見ると、彼は「そういうことだ」と小声で言った。

「まさに得意絶頂、人生の春を謳歌《おうか》している男だが、それも三週間足らずで終わる」

慎一郎はもう一度若いパティシエを見た。その顔は自信に溢《あふ》れて輝いている。まさか三週間以内で命が消えるとはとても思えなかった。

気付くと、黒川が店を離れていた。慎一郎は慌てて彼を追った。

「黒川さん」と慎一郎は言った。「彼は死ぬんですか」

「わかりきったことを訊くな」

黒川はにべもなく答えた。

「死因は何ですか」

「さあな。そこまではわからん。しかし、彼は今月末には死ぬ」

そう言いながら黒川はタバコを取り出した。

「人生は皮肉なものだ。誰にも一寸先はわからない。しかし、わからないからこそ、生きていられる。あの男も、いろんな夢を持っていることだろう。ゆくゆくはもっと大きな店をオープンしようと思っているのかもしれん。あるいは二号店三号店と広げていくことを考えているかもしれん。大きくチェーン展開して、いずれ上場して莫大《ばくだい》な創業者利益を得て、豪邸でも建てようなんて夢を持っているのかもしれん」

黒川はタバコに火を点けると、うまそうに煙を吸い込んだ。そして空に向かって煙を吐いた。

「しかし、そんなものは全部パーだ」

慎一郎は彼を助けてやれないものかと思ったが、黒川の前でそのことを口にはしなかった。

「ここに入るか」

黒川が一軒の喫茶店の前で立ち止まった。

昔ながらの古びた雰囲気を持った店だった。タバコの匂《にお》いがしたし、座ったテーブルには灰皿が置いてあった。

「さっきの男のことを考えているな」

飲み物を注文すると、黒川はいきなり言った。

「悪いことは言わん。あのパティシエを助けようなどとは思わないことだ」

「どうしてですか。神の領域に踏み込むからですか」

慎一郎の質問に、黒川は答えなかった。彼は黙って胸ポケットからタバコを取り出すと、ライターで火を点けた。

「黒川さんは、内科医なんですか？」

「そうだ」

そう言うと、黒川はしばらくタバコをくゆらせた。

「最初は外科医を目指していた。しかし、あることがあって断念した」

「それは——例の力ですか」

黒川は頷いた。

「前に、俺が学生の時、祖父の体が透けて見えた話をしたのを覚えているか」

「はい。一週間後に亡《な》くなられた、と」

「ところが、その後は同じようなものを見ることがなかった。で、あれは、何かの錯覚だったのだろうと思い始めていた。俺は医学部を卒業して、研修医になった」

「はい」

「研修医になった年、教授の手術の助手をしているときに、あれはやってきた」

黒川はタバコの煙をゆっくりと吐き出した。

「手術中、突然、患者の体が透けて見えだしたんだ。いったい何が起こったのかと思った。まもなく、患者の体はどんどん透明になっていき、手術台の上には鉗子《かんし》や器具しか見えなくなった。教授は何もないところで、手術をしている。俺の目にはパントマイムでもやっているようにしか見えなかった」

「不気味ですね」

「悪夢を見ているようだった」

その気持ちは理解できた。自分なら声を上げていたかもしれない。

「その手術は失敗に終わった。患者の容態は急変した。蘇生《そせい》措置もむなしく患者の死亡が確認された途端、手術台に横たわる死体が見えた」

慎一郎は黒川の話を聞きながら、前に道路で倒れている死体を見たときのことを思い出した。

「自分の頭がどうかしたのかと思った。手術の緊張で、精神が一時的に変調を来《きた》したのかと思った。しかしそうじゃなかった。手術室から出て、病院の廊下を歩いていると、患者の中に何人も体の一部が透けて見える人間がいることに気付いた」

テーブルにウェイトレスがコーヒーを運んできた。彼女が去ってから、黒川は続けた。

「しばらくは混乱して何がなんだかわからなかったが、何日かして、事態が飲み込めた。どうやら俺には、死の迫った人間の体が透き通って見えるらしい、とな。だが、医者という職業では、これは実に厄介なことだった。手術室に運び込まれた患者の生き死にが見えてしまうからだ。つまり手術の前から、成功するか失敗するかがわかってしまうんだ。外科をやめて内科にいったのはそれが理由だ。やる前から失敗するとわかっていて、手術ができるはずがない。もっとも、完全に透き通った体相手に、手術は不可能だがな」

「内科でも、患者が透明に見えることには変わりはありませんよね」

「お前の言うとおりだ。やってくる患者の中には体が透けて見えるのがたまにいた。その多くがガンだった。しかし面白いことに、そういう患者に精密検査を勧めると、その途端に、透明でなくなるケースがあった」

「精密検査のお陰で助かったということですか」

「そういうことだな。早期発見とかだろう」

「それって――人を助けているということじゃないですか」

黒川は黙って頷いた。

「じゃあ、黒川さんが前に言っていた、運命に関わるなということに反しているんじゃないですか」

「そのとおりだ。俺は神の領域に足を踏み込んだ」

「でも、それって、医者の当然の仕事なんですよね」

「そうだ——と言いたいが、実は微妙に違う。というのは、普通に診察していれば、何も悪いところが見つからず、精密検査を勧めるはずはなかった患者たちだからだ」

「おっしゃる意味がよくわかりません」

黒川はそれには答えず、コーヒーを飲んだ。

少しばかり沈黙があった。

「その質問に答える前に、だ」

と黒川が唐突に言った。

「俺からも一つ訊く。お前、今まで何人くらいの命を救った？」

いきなり黒川に質問されて戸惑ったが、すぐに頭の中で記憶をたどった。

最初はタクシーの運転手、次に公園の子供、そして遠藤、一番最近は桐生だ。

「四人、です」

「助けた時に、体に異変を感じなかったか」

「——感じました」

黒川は慎一郎の目を覗き込み小さく頷いた。それを見て心にひやりとしたものを感じた。

「お前の心臓や脳の血管が損傷を受けているんだ」

「それって――人の命を救ったからですか」

「おそらくな」黒川が言った。「なぜかは知らないが、人の命を救うと、自分の体が死に近づくんだ」

　慎一郎は言葉を失った。

「俺もそうだった。透けていた人の体が実体を持ったびに、頭痛や胸の痛みに襲われた。ある日、診察中に失神した。精密検査を受けてわかったのは、心臓と脳の血管がボロボロになっていたということだ。動脈瘤《どうみゃくりゅう》がいくつも見つかった。いつ破裂してもおかしくない状態だった」

「それは人の運命を変えたからなんですか」

「そうだ」

「どうして、そうだと言えるのですか。たまたまかもしれないじゃないですか」

　黒川はその言葉を無視して続けた。

「前に、もう一人、同じ能力を持った男がいたと言ったのを覚えているか」

「はい」

「そいつは坊主《ぼうず》で、十年前、俺の患者だった」

「お坊さん、ですか」

「そうだ。何でも若い頃の修行中に、その能力を身に付けたらしい。それで、そいつは人を救うことを天命と悟り、何人もの命を救ったが――二十四歳の若さで死んだ」

「その人の死因は何だったんですか」

「脳出血だ」

慎一郎は黙った。

「解剖したら、脳内の血管に動脈瘤がいくつもできていた」

「でも、偶然の可能性もあるんじゃないですか」

「本気でそう思うか」

黒川は逆に訊《たず》ねた。慎一郎は答えに詰まった。

「お前の言うように、実際のところはわからない。しかし、俺は人の運命を変えたことが原因だと思っている。だから、俺はそれ以来、一切、他人の運命には関わらないようにしているんだ」

「じゃあ、もし患者さんで、透明な人が来たらどうするんですか」

「普通の手順の診察をする。それで異常が見つからなければ、精密検査には回さない」

「見殺しですか」

黒川は強い口調で言った。「そいつは、そういう運命なんだ。精密検査をすれば助かるかもしれないが、それを進言するのは俺じゃない」

「その人は、黒川さんのところにやってきたことで、命を落としたかもしれないということじゃないですか。違う医者のところに行っていたら、念のために精密検査を受けるように勧められたかもしれない」

「それが、そいつの運命なんだよ」

「黒川さんが精密検査を勧めることはないんですか」

「あるさ。きっちりと診察して、検査の要ありと看做《みな》せば、そうする」

「じゃあ、それで助かる人もいるわけですね」

黒川はにやりと笑った。

「俺が精密検査を勧めて治る運命になっている人間は、最初から体のどこも透けていないんだ」

ああ、そうかと思った。

「すると、透明な人には、普通の診察で精密検査の必要があると思っても、それを勧めないんですか」

「その場合は勧めるさ」

「じゃあ、それで治ることもあるんですね」

「お前、まだわかってないな。治る奴《やつ》は最初から体のどこも透明にはなっていない。体の透けた人間は、結局は助からないんだよ。つまり普通の診察で精密検査の要ありと認めた患者は、仮にガンが発見されても、助からないというわけだ」

慎一郎は黒川の言葉を頭の中で整理したが、すぐには理解できなかった。難解な禅問答を聞いているようだった。

ただ、この話は前にも聞いたような気がする——そうだ、「バグダッドの死神」の話だ。人の運命は最初から決まっているというものだ。しかし、自分や黒川にはその運命を変える力がある。それなのに、黒川のところにやってくる患者の運命が変わらないとはどういうことなのか。

「つまり、黒川さんは——」と慎一郎は言った。「自分の能力を封印して患者を診ているということですか」

「そういうことだ」黒川は大きく頷いた。「透明な患者が来ても、そこは見ないようにする。あくまで、普通の患者として扱う。そいつの運命には、関わらない」

　慎一郎は心の中で唸《うな》った。

「俺の言いたいことはわかったか」

　黒川の言葉に、頷くしかなかった。

「人の運命に勝手に手を加えれば、代償を支払わされるということだ」

　はたしてそれが本当かどうかはわからないが、少なくとも黒川はそう信じている。しかもそれがおそらく真実だということは、慎一郎にもわかっていた。これまでの経験からうすうす感づいていたからだ。最初にタクシーの運転手の運命を変えたとき、胸に激しい痛みを覚えて道路にうずくまったが、それ以降、透けた人間の運命を変えるたびに、頭や胸の痛みは強くなってきている。既に自分の体の中の血管は相当傷《いた》んでいるのかもしれない。

「さっきのパティシエだが――」黒川は言った。「お前がそいつの命を助けるのは自由だが、下手をすれば、お前自身の寿命を縮めることになる。いや、もしかしたら、そいつを助けた瞬間に、お前が死ぬかもしれん。見ず知らずの男のために、お前が命を失うことになるんだ」

　黒川は畳み掛けるように続けた。

「お前がパティシエを助けても、彼はお前に感謝もしない。第一、お前に助けられたことさえ知ることはないだろう。彼はたんまり稼いで幸せな生活を送ることになるだろうが、お前は体がボロボロになって、あるいは幸福さえ摑めずに寂しく死んでいくんだ」

慎一郎は何と答えていいのかわからなかったが、黒川の言葉は心に突き刺さった。

たしかに彼の言うとおりだ。遠藤を助けるために寿命を縮めるなら後悔はないが、見ず知らずの男のために命を失いたくはない。

「たしかにあのパティシエは哀れだ。人生の絶頂を迎えながら、それを十分に謳歌することもできずに、命を失うんだからな。しかし、人生とはそういうものだ。そういうケースは全然珍しくない。今、こうして話している間にも、交通事故で死んでいく人間は何人もいるんだ。みんな事故の瞬間まで、まさか自分が死ぬとはまるで考えていない。今夜の予定も入っていただろうし、来月のスケジュールも決まっていただろう。しかし、全部パーだ」

黒川はタバコの煙を天井に向かって吐いた。

「俺だってそうだが、人間というのは自分がいつ死ぬかがわからない。まあ、末期ガンにでもなれば別だがな。しかし、もし自分の人生が三十歳で終わるとわかっていたなら、誰でもまるで違った生き方をするだろう。だが、幸か不幸か、終わりがいつ来るかはわからない。で、たいていの奴が水で薄めたみたいな生き方をしている。やりたいことや夢は誰でも持っているが、本気でそれに向かって進む奴は少ない。なぜかと言えば、自分には時間がたっぷりあると信じているからだ。何の根拠もなく、な」

慎一郎は自分のことを言われているような気分になった。まさにこれまでの自分の生き方がそれだった。長い間ずっと、ただ流されているだけの人生だった。

しかし今は違う、と思った。独立してから何かが変わった。いや、変わりつつある。ぼんやりとだが、未来のことを考えるようになっている。そして一年先、三年先の自分の姿を思い浮かべるようになっている。こんなことは今まで一度もなかった。

「黒川さんには、夢がありますか？」

慎一郎の質問に、彼は虚をつかれたような顔をした。そして自嘲《じちょう》気味の笑みを浮かべながら、「俺もまた世間の奴らと同じだよ」と言った。

「自分がこの先もずっと生きると思いながら、だらしなく毎日を過ごしている。他人の寿命がわかるのに、自分の寿命はわからないんだ」

それから慎一郎の前に、両手の指を差し出した。

「どうだ。一部分でも透けて見えるか。もし、そうなら教えてくれ」

慎一郎はその太い指を凝視した。綺麗《きれい》に整えた爪《つめ》の先まではっきりと見えた。

「どこも透けていません」

「じゃあ、ここはどうだ？」

黒川は口を開けて、舌を突き出した。

「そんなところが透けて見えるんですか」

「気付いていなかったのか。舌の先の部分が消えてたら、一年以内に死ぬ」

「知りませんでした――」

「気付きにくいところだからな。で、俺のはどうだ？」

「大丈夫です」

黒川は安堵《あんど》したような表情を浮かべた。それを見て、彼は半ば本気で怖がっていたのだと思った。

そのとき、以前、「お前の寿命を教えてやろうか」と言われたことを思い出した。あのときは即座に断ったが、もしかすると彼には、自分の舌の先が透けて見えていたのかもしれない。心にひんやりしたものを感じた。しかし、黒川に舌を見せて訊く勇気は出なかった。

少しの間、奇妙な沈黙があった。慎一郎は黒川の視線が自分の口元へ向かうかどうか注意したが、彼の目が慎一郎の口に注がれることはなかった。

慎一郎は内心ほっとしつつ、これまで自分の寿命など考えたことがなかったことに気付いた。こうして黒川と会話を交わして初めて、そのことを意識した。

「お前がもし長生きしたいと思うなら、他人の運命には関わらないことだ」

黒川がタバコの煙を吐きながら言った。

「縁もゆかりもないパティシエの命などを救って自分が死ぬくらい、下らないことはない」

その言葉に素直に頷くことはできなかったが、一方で黒川の言うとおりかもしれないとも思った。「神の領域」に踏み込まないことが正しいかどうかはわからなかったが、自分の命が削られるとなると話は別だ。

「俺たちは言うなれば、フォルトゥナの瞳《ひとみ》を持っているんだ」

「フォルトゥナってなんですか」

「ローマ神話に出てくる球に乗った運命の女神だ。人間の運命が見える」

慎一郎が頷くと、黒川は続けた。

「しかし、女神には必要かもしれんが、俺たち人間にはまったく役に立たない無意味な能力だ。例えてみれば、人間がエラを持ったようなもんだな。無理に使えば死んでしまうだけだ」

慎一郎は思わず苦笑した。

黒川は二本目のタバコに火を点けた。

「黒川さんには、家族がいるんですか？」

「いない」そう答えたあとで、すぐに続けた。「いや、いるな。別れた女房に子供がいる。元妻は他人だが、息子二人はそうじゃない。もっとも二人とも成人してるがな」

「もし——お子さんの体が透けて見えたら、どうします」

黒川はその質問には答えず、黙ってタバコを吸った。

しばらく沈黙が続いたが、やがてぼそっと言った。

「そんな仮定の話をする気はないな」

慎一郎が頷くと、黒川はタバコを灰皿で揉《も》み消し、「じゃあ、出るか」と腰を上げた。

店を出たあと、黒川は「もう会うのはやめよう」と言った。

「俺とお前は友人にはなれん。なぜなら、いつかどちらかが相手の死を予見することになるからな。俺は前に坊主の死を見た。あんな思いはもうしたくない。お前だって、俺の死が見えたら、それを隠して会話はできないだろう」

慎一郎は黙って頷いた。

「だから、互いに連絡は、なしだ」

黒川はそう言うと、駅とは反対方向に歩いて行った。

一人になってみると、あらためて自分が受けた衝撃の大きさを実感した。

他人の命を助けることで自らの命を削るというのは、おそらく本当のことなのだろう。

また、黒川が他人の運命に対して虚無的な理由もわかった。「神の領域」に踏み込むことへの畏《おそ》れよりも、自分の命を失う恐怖からきていたのだろう。それは決して怯《きょう》懦《だ》とも利己的とも言えない。あかの他人のために自らが犠牲にならねばならない理由はどこにもない。

慎一郎は大きくため息をついた。

自分の体もすでにほうぼう傷んでいるのだろう。自覚のようなものもあった。それが、これまで四人の人間の命を救ってきたことの代償なのだろう。

しかし大きな後悔はなかった。他人の運命に関われば自らの命を削るということを知らなかったのだから仕方がない。それが自分の運命だったのだ——。何も知らないままに行動し、そのことで命を失うのは、ある意味、普通のことだ。むしろ、今日、黒川から話を聞いたということが不思議な巡り合わせだ。もし彼と会わなければ、自分は近いうちに命を失った可能性がある。これまでと同じように、体の透けた人間を見れば、その人の運命を変えようとし、そのことで自分が命を落とすようなことになったかもしれない。

不意に、待てよ、と思った。自分は命を落とすことを恐れているのだろうか。他人の命を救うことをやめようと思っているのだろうか。その時初めて、実はそのことに関しては、何も考えていないことに気が付いた。いったい自分はどうしたいのか。黒川の言うように、他人の運命に関わらないでおこうと思っているのか。それとも——。そこまで考えたとき、奇妙なことに思い当たった。もし、黒川の話を聞いたことで、考えに変化が生じるなら、それは自分の運命をも変化させているということになる。もし、死の運命にあった自分がそれを逃れたとしたら、その変化をもたらしたのは黒川だ。だとすれば、黒川は慎一郎の命を救ったということにならないだろうか。それは黒川のポリシーに反することでもあるし、また黒川自身の命を危うくすることでもある——。黒川はそんなことはしないはずだ。

ということは、黒川の目には、自分の体は透けて見えてはいなかったということではないのか。もし、自分の体が透けていたなら、黒川はあんな忠告はしなかったはずだ。慎一郎の体が透けていなかったからこそ、黒川は忠告をした。つまり精密検査をすれば助かる患者のようなものだったのだ。すると、今日、自分が黒川に会ったというのは運命だったのか。

それとも、どうあっても自分は死ぬのだろうか。黒川の忠告を無視して、体の透けた人間の命を救い続けることで、結局は自分の命を落とすことになるのだろうか。黒川の目には、自分の体はどう見えていたのだろう。

気がつけば、さきほどのケーキ屋がある繁華街に来ていた。

一時間ほど前に見た行列はさらに長いものになっていた。慎一郎は店の前まで来たとき、カウンター越しに店の中を覗《のぞ》いた。そのとき、中からパティシエが顔を出した。行きに見たときと同じように、若いパティシエがにこやかな笑みを浮かべながら挨《あい》拶《さつ》すると、行列から拍手が起こった。パティシエは被《かぶ》っている白い帽子が落ちないように、それを左手で押さえながら、右手を胸に当て、深々とお辞儀をする。

慎一郎の目は、彼の手に釘付《くぎづ》けになった。先ほど見たときと同じように、左右の袖口から先は何も見えない。彼が近いうちに死ぬ運命にあるのをあらためて確信した。

その瞬間、自分でも驚いたことに、彼の命を救いたいと思った。

パティシエが満面に喜びをたたえているのを見たとき、その笑顔を悲しみの表情に変えたくないと思った。彼の輝く未来は消えて欲しくない。できることなら、その命を救いたい。だが、どうすればその運命を変えられるのだろう。とにかく、まずは声をかけるべきだろうか。

慎一郎は二三歩、進みかけた――が、次の瞬間、くるりと踵《きびす》を返していた。

パティシエに背中を向けて、そのまま逃げるように足早に店から遠ざかった。

電車に乗ったあとも、パティシエに対する申し訳なさでいっぱいだった。頭の中から彼のことを追い出そうとしたが、喜びに満ちた彼の笑顔がいつまでも忘れられない。

黒川の言葉が毒のように自分の全身にまわりつつあるのを感じた。彼の言葉が真実かどうかなんてわかりもしないのに、自分はそれを恐れてパティシエから逃げた。彼の運命に関わることで自分の命が奪われたらと思うと、逃げずにはいられなかったのだ。電車に乗っている間も、後悔とも安堵ともつかない、何とも言えない気持ちがぐるぐると渦巻いていた。

会社に戻ってポルシェの磨きの作業を始めたが、パティシエのことがなかなか頭から去らない。いつもならポリッシャーを持った途端、何もかも忘れるのに、今日に限っては、仕事に集中できなかった。

慎一郎は一旦《いったん》ポリッシャーの電源を切って、頭を整理することにした。

これまで四人の人間の命を救ったが、そのあとには必ず胸と頭が強烈な痛みに襲われた。実際に体の中がどんな具合になっているかなんてわからない。しかし何らかの異常が起きていることは確かだと思った。もしかしたらもう動脈瘤が破裂する寸前なのかもしれない。あの時、パティシエに声をかけて、彼の運命を変えた途端、自分の命がそこで終わっていた可能性もあったのではないか。そう思ったとき、恐怖に体が震えた。

気持ちを鎮《しず》めてから、落ち着いて考えろ、と自分自身に言った。黒川の言うことが真実だとして、自分はこれからどうすべきなのか——。

不意に、妹のなつこのことを思い出した。

あの時、なつこと両親の命を救えなかったことを今さらのように悔やんだ。なつこの姿が透けて見えた時、なぜ、大きな声で叫ばなかったのか。悲鳴を上げさえすれば、両親はすぐに飛んできただろう。すると両親の姿も透けて見えたはずだから、自分は間違いなく錯乱して泣き叫んだはずだ。もしかすると救急車を呼ばれたかもしれない。そうすれば、その後の火事による悲劇は起こらなかった可能性もある。

慎一郎は悔しさのあまり胸をかきむしりたくなった。なぜ、なつこを助けられなかったのか。もし、あの時、三人を助けることができたなら、自分はそこで死んだって良かった。自分が死んでも、三人はその後、幸せに生きただろう。

しかし現実には妹と両親を失った自分は一人になった。施設で暮らし、友だちは一人も出来ず、ひどいいじめにも遭った。四歳でなつこと両親を失ってからは本当に孤独な人生だった。社会へ出てからもいつも一人だった。今も、こうしてたった一人で車を磨いている。

心に怒りのようなものがふつふつと湧《わ》いてくるのを感じた。今頃になって、なぜこんな能力が自分に再び宿って来たのかという憤《いきどお》りだった。一度たりとも望んだことはないし、自分にとって何の役にも立たない。一番大切な人の命を救うことができなかったのに、なぜあかの他人の命を救わなくてはならないのか——。

パティシエのもとから逃げ出したのは間違いではなかった、と自分に言い聞かせた。いや、むしろ当然だと思った。彼はおそらく幸福に生きてきたのだろう。実際は知らないが、きっとそうに違いない。なぜ彼のために、縁もゆかりもない人間のために、自分の命を削らねばならないのだ。それはあまりにも理不尽だ。黒川の言葉は正しい。

慎一郎がガレージの片隅に座り、考えた末に出した結論は、黒川のアドバイスに従うということだった。他人の運命には今後一切関わらない。他人の命も大事だが、自分の命はそれ以上に大切だ。利己的かもしれないが、自分には他人の命を救う義務はない。まして自分の命を削ってまで助ける理由はない。そう思うと、急に迷いが消えた。

慎一郎は再びポリッシャーの電源を入れると、ポルシェの磨きに取り掛かった。

メンテナンス作業だったので、仕事は二時間ほどで終わった。あとはコーティング液を塗るだけだ。

ずっとしゃがんだままだったことに気付き、立ち上がって大きく伸びをした。何気なく、ガレージの入口に目をやると、黒と白の千鳥格子《ちどりごうし》のスーツを着た若い女性が立っているのが見えた。

「木山コーティングさんですか」

女性は言った。

「はい」

慎一郎はそう言いながら、ポリッシャーを台の上に置いた。生命保険の外交員か何かかなと思った。遠藤の工場でもたまに来る。

慎一郎は丁重に断ろうと思って、入口近くまで歩いたが、女性の顔を見て、あっと声が出た。

「お久しぶりです」

桐生が頭を下げた。

「あ、はい。なぜこんなところに――車のコーティングのご依頼ですか」

「いいえ」と桐生は答えた。「木山さんにお会いしたくて」

予期せぬ言葉に、慎一郎はどう答えていいのかわからなかった。

「突然、お邪魔してすみません」

「どうして、ここがわかったのですか」

「すみません。顧客カードを見て、前のご住所を訪ねました。個人情報保護法違反ですね」

桐生はそう言って肩をすくめた。

「前のアパートは先月に引き払いました」

「ええ。大家さんに伺いました。それで、ここを教えてもらったのです」

「そうですか」

慎一郎はそう答えたが、彼女が何のためにそこまでして自分に会いに来たのかがわからなかった。

「お仕事中に、ご迷惑ですよね」

桐生が申し訳なさそうに言った。

「仕事といえば仕事ですが、一人でやっているから、どうということはありません」

慎一郎は笑いながら言ったが、彼女は笑わず真剣な表情で慎一郎を見つめている。

「事務所に行きますか。といっても正確には、事務所スペースですが」

そう言ってガレージの二階を指差した。桐生は頷いた。

二人は階段を上がって二階の事務所スペースに入った。桐生は慎一郎が勧めるまま、いつもは美津子が座っている椅子《いす》に腰掛けた。慎一郎はガレージからパイプ椅子を持ってきて、机をはさんだ向かいに座った。

「紅茶でも入れますね」

「気を使っていただかなくても」

「大丈夫です。すぐにできますから」

慎一郎が電気ポットで湯を沸かす間、彼女は二階全体を見回していた。慎一郎はカップとティーバッグを用意しながら、彼女はなぜこんなところにやって来たのだろうかと改めて思った。顧客名簿を見てアパートを訪ねるなんて普通じゃない。自分に気があって追いかけてきたなんてことがあるはずもない。

横目でちらちらと彼女を観察した。ふと、前に彼女は気が狂っているのではないだろうかと考えたことを思い出した。そういえば、何か全体に異様な雰囲気をまとっているようにも見える。急に気味が悪くなってきた。もし、突然暴れられたりしたら面倒なことになる。ここには高級車が二台置いてある。傷つけられでもしたら大事だ。ガレージ内に入れたのは迂闊《うかつ》だったかもしれないと思った。もし、暴れだしたら、すぐにでも取り押さえようと思った。

「どうぞ」

ティーバッグを入れたカップを桐生の前に差し出した。

彼女は小さな声で、ありがとうございます、と言った。それから少し間をおいてティーバッグを二三度振り、カップから出して皿の上に置いた。

奇妙な沈黙があった。慎一郎はカップの中に砂糖を入れてかき混ぜながら、桐生から目を離さなかった。彼女は静かに紅茶を飲んでいる。その表情を見ている限り、狂っているようには見えなかった。

「木山さん」

不意に彼女が口を開いた。

「はい」

「つかぬことをお尋ねしてもいいですか」

「どうぞ」

「あの時、なぜ私の命が助かったとおっしゃったのですか」

慎一郎は答えに詰まった。できれば冗談で誤魔化そうと思った。

「そんなこと言いましたか。よく覚えていないんです」

「はっきりそうおっしゃいました」

「いやあ、あの時はなんと言うか、ウケを狙《ねら》って言っただけで――」

そう言って苦笑いしたが、桐生はにこりともせず、慎一郎を睨《にら》んだ。それで、話の接《つ》ぎ穂《ほ》を失ってしまった。

桐生はハンドバッグから紙を取り出すと、机の上に置いた。新聞の切り抜きだった。

「鶴見区内で工場爆発」という見出しが見えた。

「私が木山さんに会った翌朝の新聞です」

桐生は言いながら、切り抜きを慎一郎の前に突き出した。

慎一郎は仕方なくそれを手に取って記事を読んだ。鶴見区内の液体窒素の工場でボンベが爆発したという事故だった。爆発により、工場の労働者一人と、たまたま工場の前の道を自転車で走っていた男性が亡くなったと書かれていた。

「その工場は私がいつも通っていた道沿いにあります」

桐生は静かに言った。

「爆発が起こった時間は、私が工場の前を歩いていたはずの時刻です。いつも乗っている電車なら、駅を出て、ちょうどその時刻にそこを通ります」

そうだったのか、と思った。彼女はその事故に巻き込まれて死ぬ運命だったのだ。しかし慎一郎に会うために、いつもの電車に乗らなかったことで運命が変わった。だから、桐生がスターバックスに現れたとき、彼女の体は透けていなかったのだ。

「もし、私があの日、木山さんの誘いをお断りしていたら、事故に巻き込まれていた可能性があります。いや、もしかしたら——死んでいたかも」

「まさか、そんな。偶然でしょう」

慎一郎は笑って受け流そうとしたが、桐生はやはり、にこりともしなかった。

「そんな偶然って、あります？」

「不思議だけど、偶然としか思えません」

「木山さん」

桐生はカップを皿の上に置くと、強い口調で言った。

「あなたは運命が見えると言いましたね」

慎一郎は黙った。

「あなたに本当に運命が見えるのかどうかはわかりません。もしかしたら私が助かったのは偶然かもしれません。でも、あなたが私の命を救ってくれたことは事実です」

慎一郎は何と答えていいのかわからなかった。

桐生は立ち上がって、深く頭を下げた。慎一郎も仕方なく立ち上がって、ぎこちなく一礼した。

「なんか、変な感じですね。私たち、今、すごく不思議な会話をしています」

「すいません」

慎一郎の言葉に、彼女は初めて少し笑った。

「あの事故は――」と桐生は言った。「数日前から漏れていた揮発性の物質に工場作業の火が引火したそうです」

「そうなんですか」

「普通に考えれば、木山さんがあの事故を予知することはできないはずです。でも私には、木山さんにはそれがわかっていたとしか思えません」

「さっきの新聞記事を見るまで、そんなことがあったなんて知りませんでした」

「それなら、どうして――」

「本当にわからなかったんです」慎一郎は答えた。「嘘《うそ》じゃありません」

桐生は黙って紅茶のカップを口に運んだが、その目は慎一郎の顔を睨んだままだった。

「正直に言うと――」と慎一郎はしどろもどろに言った。「桐生さんのことが気になって、声をかけたかったんです」

自分でも顔が赤くなるのがわかった。

「すいません。ナンパしました」

恥ずかしくてたまらなかったが、そうでも言わないとこの話題は終わりそうになかった。

桐生は表情を変えずに慎一郎の顔を見ていたが、やがて小さなため息をつくと、

「もう、この話はやめましょう」と言った。

見ると、彼女のカップには紅茶がほとんどなくなっていた。

「もう一杯入れましょうか」

「では、お代わりさせてもらっていいですか」

「もちろんです」

幸いポットの湯はたっぷりと残っていた。慎一郎は二人分のカップの残りを捨て、

新しい湯を注いで、ティーバッグを用意した。

「実はここで紅茶を飲むのは初めてなんです」

桐生は意外そうな顔をした。

「この紅茶はパートで来てくれている事務の女の人のものなんです」

「じゃあ、勝手に四袋も開けちゃったんですね。大丈夫ですか」

「明日までに買っておきます」

言いながら、同じ銘柄のティーバッグはコンビニに売っているかなと考えた。

「あれはポルシェですよね」

桐生は事務所スペースの窓の下に見える車を指差した。

「そうです。今のより一代前のモデルですけど」

「ここは修理工場ですか」

「いいえ、コーティングをするところです。車を磨いて、その上にガラスコーティングをします。すると新車みたいにピカピカになるんです」

「ガラスでコーティングするんですか」

「実際にはガラスじゃないんです。特殊な液剤を塗るんですが、固まるとガラスみたいに透明な膜ができるんです。僕らはガラスコーティングと呼んでます。さっきまで磨きをしていて、これからコーティングをするところでした」

「拝見してもいいですか」

「えっ、面白くもなんともないですよ」

「お邪魔ですか」

「もちろん邪魔じゃないですけど――」

慎一郎は立ち上がると、一階のガレージに降りた。

桐生も降りてきて、ポルシェの横に立った。

「コーティングの作業をする前に、ガレージを密閉します。風が入って埃《ほこり》が立たないように」

慎一郎はそう言ってガレージの扉を閉めた。ガレージを改装する際、すきま風が入らないように、扉は完全密閉できるようにしている。土埃が立たないように、コンクリートの床にはペンキを塗っていた。

扉を閉めるとき、ふと桐生が気を回して警戒するかもしれないと思ったが、彼女は平然と立っていた。

慎一郎は作業帽をかぶると、収納庫からコーティングの溶液を取り出して、「これを刷毛《はけ》で塗ります」と言った。

そして白いコーティング液をポルシェに垂らし、それを刷毛で素早く塗っていった。赤いポルシェに白い膜ができていくのを、桐生は興味深そうに見ていた。

「この液が透明になるんですか」

「そうです」慎一郎は答えた。「それで、しばらくすると固まります」

「どれくらいで固まるのですか」

「表面は三日くらいで固まりますが、完全に固まるには一ヵ月くらいかかります」

「一ヵ月もですか」

「でも、熱を加えてやると、早く固まります」

「どうやって熱を加えるんですか」

慎一郎はガレージ横の小さな電気ストーブを指差した。

「あんな小さいのを車全体に当てるの？」

慎一郎は照れ隠しに笑った。

「そう、手で持ってね。少しずつ動かしながら車全体に」

「時間がかかりそうですね？」

「うん、まあでも、時間はたっぷりあるから」

慎一郎は話しながらも手は休めることなく刷毛で溶液を塗っていった。

この作業は簡単だが、気は抜けない。溶液は厚く塗ればいいというものではない。塗りむらがあると、固まった時に微妙な凹凸ができる。だから、桐生の相手をしながらも、注意は怠らなかった。

桐生相手にこうして話しながら作業をしていることが楽しくなっている自分に気付いた。こんなことは初めてだった。

溶液を塗って車の周りを移動しながら、彼女を何度か盗み見た。切れ長の目はまつげが長く、鼻筋はすっと通っている。スーツからは体の線がくっきりと出ていた。ふと、フェラーリみたいにきれいなボディーラインだなと思ったが、その途端、緊張した。

狭いガレージで、桐生と二人きりでいるという現実が信じられなかった。この空間だけが異次元にあるような錯覚に陥った。彼女の目が自分の手元に注がれていると思うと、指に余計な力が入るのがわかった。それで何度か作業を中断して指をほぐすと、彼女に聞かれないように、そっとため息をついた。

作業は三十分ほどで終わった。その間、桐生はずっと慎一郎のそばで見ていた。

「退屈だったでしょう」

慎一郎の言葉に、桐生は首を振った。

「全然！　すごく興味深かったです」

「バカでもやれる単純なもんです」

「そんなことないです。丁寧に作業されているのが見ていてわかりました。きっと、すごくデリケートなお仕事なんだと思います」

慎一郎は自分の仕事をそんな風に言ってもらえて、心が弾むのを感じた。

「それに、仕事をしている時の木山さん、すごく素敵でしたよ」

慎一郎は胸がドキドキして思わず俯《うつむ》いた。

「私の命を救ってくれた木山さんって、どんな方なんだろうとずっと考えていたんです」

桐生が言った。

「なんとなく、学校の先生のようなお仕事をされているのかなと勝手に想像していました」

「すみません、全然違いましたね。学も何もない労働者です。恰好《かっこう》だって、こんな汚れた作業着だし」

桐生は首を横に振った。

「いい意味でのイメージ違い。先生よりもずっと恰好いいです」

慎一郎はどう答えていいのかわからなかった。

「私は桐生葵《あおい》と申します。葵の御紋の葵です。今日は本当にありがとうございました」

彼女はそう言うと、一礼して、ガレージを後にした。

慎一郎は工場の入口近くまで彼女を送った。去ってゆく後ろ姿を見つめながら、「桐生葵」と呟いた。

事務所スペースに戻ると、葵のカップが残っていた。うっすらと口紅がついている。それを指でそっと撫《な》でると、胸が妖《あや》しくときめいた。

14

「どうしたの。何かあったの？」

翌日、昼食を食べているとき、突然、美津子に訊《き》かれた。

「え、何もないですよ。どうしてですか」

「随分、楽しそうだから」と美津子が言った。「表情が先週までと全然違うよ。いいことでもあったの？」

その指摘はまるで予想もしていなかっただけに、慎一郎は少し慌《あわ》てた。もし、美津子にそう見えたのなら、おそらく桐生葵の存在が原因だった。しかし自分ではそこまで葵のことを考えているつもりはなかったから、美津子の言葉には驚かされた。

「いいことなんて何もありませんよ」慎一郎は歌うように答えた。「でも、仕事は楽しいです」

美津子は、ふーんと言ったきり、それ以上は訊いてこなかった。

食事を終えて、美津子が紅茶を入れようとティーバッグの袋を手に取ったとき、小さく、うん？　と言った。

「袋が変わっているわ」

慎一郎は、そんなはずはないと思った。昨日、あれから同じティーバッグをコンビニで買って補充しておいたからだ。

「袋がどうかしましたか」

「私、この前、端っこの一つをうっかり破っちゃったのよ。それがなくなってる」

慎一郎は苦笑した。さすがにそこまでは気付かなかった。

「実は、昨日、何袋か使っちゃいまして」

慎一郎は言ったあとで、すぐに付け加えた。「使った分を補充しておいたんです」

「ああ、そういうことかあ」

美津子はいたずらっぽい目で慎一郎を見た。

「昨日、ここに誰か来たのね」

慎一郎は素直に「はい」と言った。

「女性ね」

「そうです」

美津子は何かを察したように頷いた。

「ママさんが考えているような関係じゃないですよ」慎一郎は慌てて言った。「オーナーさんの奥様です」

慎一郎は嘘をついた。

「それなら、そんなウキウキしていないでしょ」

美津子は楽しそうにからかった。

慎一郎は、そんなに浮き立って見えていたのかと思って、自分の単純さに呆《あき》れた。そこまで葵のことを意識していたのだろうか。しかし、彼女のことを想《おも》っても、どうなるものでもない。

「ママさん、前に運命について話しましたよね」

慎一郎は話題を変えた。

「そんな話、した？」

「はい。バグダッドの死神の話とか」

美津子は、ああ、というふうに頷いた。

「もし、ママさんが、死ぬ前の人間がわかるとしたら、どうですか？」

「前にもそんなこと言ってたわね。ずっと考えてるの？」

美津子は呆れたような顔をしたが、ふと思いついたように言った。

「家族が死ぬのは知りたくないけど、あかの他人なら、得なことがあるかもしれない。たとえば生命保険会社の社員なら、死ぬ人とは契約しなければいいんだから」

慎一郎は、あっと思った。そんな考え方はしたことがなかった。

「あと、逆に会社の社長とかだったら、死ぬとわかっている社員に、会社を受取人にして生命保険を掛けたら大儲《おおもう》けね」

心の中で唸《うな》った。

「だめね、私って。人の命はお金じゃないのにね。すぐにそんなこと考えちゃう」

「いや、面白かったです。なるほどなあと思いました」

「なんなの、これ？　大喜利でもやってるつもり？」

「すいません。前に聞いたバグダッドの死神の話がすごく記憶に残っていて――」

「あの時、飛び降りを間近に見ちゃったもんね」

ああ、そうだった。脳裏に白いワンピースがビヤガーデンの客の間をふわふわと飛ぶように走り抜けていった光景が鮮明に浮かんだ。白いワンピースは慎一郎の手をすり抜け、鉄のフェンスを越えていった――。

「もう一つ変な質問をしてもいいですか」

「何？」

「死神の仕事って何でしょう？」

「何、それ？」

「バグダッドの死神、商人の召使を死の世界に連れて行くのが仕事だったんですよね」

「多分、そうね」

「もし、死神がその仕事をまっとうしなければ、どうなるんでしょうか」

「仕事をサボったら、ということ？」

「はい」

「誰かに怒られるのかもしれないね。きちんと仕事をしなさいって」

その言葉に、慎一郎は思わず吹き出した。

「何がおかしいの」

「いや、死神が怒られているところを想像して——」

「たしかにおかしいね。死神がしょげているところを見てみたいわ」

美津子も声を上げて笑った。

「けど、そう考えると、死神の仕事も大変ね」

そうだなと思った。黒川は「神の領域」に踏み込むなと言ったが、「死の運命」が定まっている誰かの命を救うということは、死神の仕事の邪魔をしているのかもしれない。だとすれば、死神の報復を受けるのは当然だろう——。頭の中で黒川の言葉と美津子の言葉が渦巻く。

「もし、ママさんが——」と慎一郎は尋ねた。「死神だとしたら、きちんと仕事をしますか？」

「どういうこと？　ちゃんと人を殺すかってこと？」

「そうです」

美津子は少し真面目《まじめ》な顔をして考えた。

「それが仕事なら、そうするんじゃない？」

「可哀想《かわいそう》とか思わないんですか？」

「何を言ってるのよ。めちゃくちゃな前提で話をふっておいて、死神の気持ちなんか想像できるわけないじゃない」

「すみません」

「第一、死神に、可哀想なんて感情があるの？」

「考えてみたら、そうですよね」

いつのまにか昼休憩の時間が終わっていた。

「仕事に戻ります」

慎一郎は立ち上がった。

一階のガレージに降りると、電気ストーブの電源を入れ、昨日、コーティングしたポルシェに近付いた。

コーティング液の凝固を早めるために、赤外線の熱をポルシェの表面に当てていく。ゆっくりと電気ストーブを上下左右に動かしながら熱を加えていくと、コーティング液を塗られたところが、徐々に光沢を帯びていくのがわかる。この感じがたまらなく好きだった。三日もすれば、ポルシェは工場から出てきた直後のような輝きを帯びる。

それを葵に見せてやりたいなと思った。

しかしその感情に気付くと同時にそれを打ち消した。愚にもつかないことを考えるな、と自分に言い聞かせた。葵はこの車を見ることはないし、見たところで、自分に感心するはずもない。溶液を塗って熱を加えれば、どんな車だってピカピカになる。ポルシェも慎一郎のものではないし、コーティング液も慎一郎が作ったものではない。こんなことは誰にでもできることだ。

所詮《しょせん》、自分は恋なんて縁がない男だ、と思った。葵のような魅力的な女性を相手にできるわけもない。彼女はこんな下町の小さなコーティング工場で働いているような男にはまったく釣り合わない。

昨夜、カップについた彼女の薄紅を洗い流したとき、自分のほのかな憧《あこが》れも一緒にお湯に流したつもりだった。

15

翌朝、目が覚めた時、嬉《うれ》しいような寂しいような妙な気持ちでいる自分に気付いた。

この感覚には覚えがあった。嫌なものではない。布団《ふとん》の上でしばらくぼうっとしながら、その懐《なつ》かしい感触を探った。

不意に葵の顔が浮かんだ。ああそうか、と慎一郎は思った。自分は葵に恋している。

この気持ちは真理子のときと同じだ。いや、あのときはまだ恋という自覚がなかった。ただ、初めての感情に戸惑い、浮かれていただけだ。それに、工場に行けばいつでも真理子に会えた。ところが今は会えない女性のことを想っている。なぜ、葵に恋したのだろうかと考えた。おそらく、あんな風に突然の訪問を受けて、動揺したからだ。考えてみれば、美津子は別にして、女性と二人きりでお茶を飲むなんて、真理子以来のことだった。それに気が付くと、思わず一人で苦笑した。

と同時に、お茶を飲むだけでその相手に恋してしまうほど、自分は女性に飢えているのかと思うと、情けなくもあった。

この恋が実るはずがないのはわかっている。自分に女性の心を摑《つか》むことなんてできない。なら、早々に諦《あきら》めるだけだ。

慎一郎は布団から出ると、いつもは濡《ぬ》れタオルでさっと顔を拭《ふ》くだけなのに、わざわざ冷たい水で顔を洗った。葵のことを忘れてしまいたかったからだ。タオルで顔を拭くと、きれいさっぱり葵のことは忘れた。

ところが、仕事を始めると、またもや葵のことが頭に浮かんだ。こんなことは初めてだった。真理子に恋していた時も、仕事中に彼女のことを考えることはなかった。

車を磨いている時に他のことに気を取られるのは厳禁だ。何度も仕事の手を休めたために、いつもより仕事のペースが落ちた。

昼過ぎに、一旦休憩を入れて、近所にコンビニ弁当を買いに行った。今日は火曜日なので、美津子は来ない。事務所スペースで昼食を食べながら、葵と一緒にお茶を飲んだときのことを思い出した。目の前の椅子に彼女は座っていた。千鳥格子のスーツを着て、ウェーブのかかった髪の毛を垂らして、にっこりと笑って慎一郎を見つめ——。

もう一度、葵に会いたい、と思わず心の中で呟《つぶや》いた。率直な気持ちだった。会ってどうしたいという気持ちはない。ただ、一緒にお茶を飲みたかった。テーブルに向かい合わせに座り、何気ない会話をする——そのことを想像するだけで、胸が熱くなった。と同時に、そんなことはもう起こらないだろうと、少し寂しさを覚えた。

葵がここに来てくれることはないだろう。あの時、自分は何も気の利《き》いた会話ができなかった。話のうまい男なら、彼女を楽しませ、また来たいという気持ちにさせただろう。

慎一郎は小さくため息をついた。

真理子のときもそうだった。自分はただ真理子の話を聞くだけだった。彼女を面白がらせる話など何もできなかった。自分には知識も教養もない。おまけに趣味もない。中学を卒業してから、ただ働き続けた人生だった。楽器も弾けなければ、得意なスポーツもない。スキーもサーフィンも一度も経験したことがない。外国旅行はおろか国内旅行さえ、ほとんどしたことがない。音楽だって聴かないし、部屋には本すらない。

なんとつまらない人生だろうと思った。こんな男が女性を楽しませることなどできるわけがない。真理子にだってふられて当然だった。

でも、葵はコーティングの仕事を興味深く見てくれた。コーティング溶液を車に塗る作業を、まるで優れた職人の仕事を見るような目で見つめていた。そして、そんな自分を恰好いいとまで言ってくれた。もしかしたら、自分のことを少しは尊敬してくれたのかもしれない。

しかし、すぐに慎一郎は首を横に振った。お世辞を真に受けてどうする。それに、ただ物珍しかっただけだ。誰だって、車に塗った白い溶液がガラスのような光沢を帯びるとなれば、興味をそそられるだろう。けれど、あんなのは単なる化学変化にすぎない。自分にしかできない技術でも魔法でもなんでもない。三度も見ないうちに退屈するに決まっている。

もし葵に、彼女の命を救ったのは自分だと告白したらどうだろう。自分には人の死の運命が見えることを打ち明けたなら、彼女は自分を違った目で見てくれるだろうか。あの事故のことがあるから、信用してもらえるかもしれない。そうなれば、彼女にとって命の恩人である自分に恋してくれるかもしれない。でも、「死の運命」が見えるなどということを素直に信じてもらえるとは思えない。

信じてもらうとしたら、その能力を見せるしかない。たとえば、街で体の透けた人間を見つけて、死を予言してみせる。もしその人が死ねば、彼女は信じるだろう。

ふとあのパティシエのことを思い出した。彼の死を予言して、その通りになれば――。次の瞬間、慎一郎は自分を嫌悪《けんお》した。

自分は何ということを考えているのか。彼女の歓心を買うために、命の恩人であることをひけらかしたり、人の死を見せたりするなんて。そんなことは許されることではないし、第一、もし彼女がそんなものを目の当《ま》たりにすれば、自分を悪魔か死神だと思うだろう。恋するなんてとんでもない。恐怖に震える目で自分を見るに違いない。恩人などと感謝するはずもない。

なぜ、葵を助けてしまったのだろう。あの日、彼女の命を救わなければ、こんな苦しみを味わうことはなかったはずだ。しかも、彼女の運命を変えることで、自分の肉体を損なったかもしれない。慎一郎は自分の胸を触った。この胸の奥にある心臓や血管はもう相当傷《いた》んでいるのだろう。葵のことは忘れようと思った。

しかし昼食後、仕事を再開しても、葵のことが頭から離れなかった。葵に会いたいという気持ちは抑えることができなかった。一目だけでも会いたい。遠くから顔を見るだけでもいい。

あの携帯ショップに行けば、会うことができる。客として訪れるなら何の問題もないはずだ。プラン変更の相談を葵と交わすだけで、胸がときめく思いがするだろう。彼女が説明書を開きながら、様々なプランの説明をしてくれる。それを聞きながら、自分はときどき何か質問をする。そして彼女はそれに答える——ああ、なんと素晴らしい時間だろう。たとえ十分でも至福の時間だ。それぐらいなら許されるのではないか。

次の日曜日に、彼女の勤める店に行ってみようか、と考えた。そう思うと急に嬉しくなってきた。その週の仕事が何と充実することか。

慎一郎は苦笑いした。そんなことは有り得ないし、してはならない。なまじ葵の顔を見たりすれば、恋心が募って余計に苦しくなる。そして惨《みじ》めな自分の姿を思い知るだけだ。

ふと、ガレージに置いている車を見た。赤のポルシェ911だ。葵を助手席に乗せてドライブできたら、と思った。山下公園から港へ抜ける道を、夜景を見ながら走るのはどれほど素敵なことだろう。ベイブリッジを走るのもいい。葵は海からの眺めを見て、感嘆の声を上げるだろうか。それともうっとりと見つめるだろうか。ライトに照らされたその横顔はどんな夜景よりも美しいに違いない。

日曜日には、伊豆あたりまでドライブするのも楽しいだろうなと思った。前に、客の誰かが「西伊豆スカイライン」から見える景色の素晴らしさを語っていた。駿河湾《するがわん》や富士山を見ながら走ることを想像するだけでわくわくした。途中の展望台で車を止めた二人の前には青い海と白い雲が広がっている——。

無意識に上を見た慎一郎の目に、汚れたガレージの天井が見えた。そこには白い雲はなく、剝《む》き出しの鉄骨とベニヤ板があるだけだった。足元に目をやると、灰色のペンキを塗ったコンクリートの床があった。

慎一郎は大きく息を吐いて立ち上がると、ポルシェを磨くためにポリッシャーの電源を入れた。自分には一生かかってもこんな車に乗ることはできない。でも、葵なら乗れる日が来るかもしれない。いつか彼女が宇津井のような金持ちの恋人とポルシェに乗って、このガレージにやって来るかもしれない。「木山さんに磨いてもらいたかったの」と言って、嬉しそうに笑うかもしれない。

もし、そんな日が来たら、一所懸命に磨こう。新車以上に輝くようにコーティングしよう。それが自分にできる精一杯のことだ。

その週の土曜日の夕方、慎一郎が事務所スペースで休憩していると、入口のチャイムが鳴った。

ガレージのドアを開けると、桐生葵が立っていた。

「こんにちは」

葵はにっこりと笑った。慎一郎は笑顔を作ろうとしたが、顔が強《こわ》ばって口元が震えた。

葵はキャメルの薄手のコートを羽織っていた。前と同じように、髪の毛は束ねてなくて、軽いパーマがかかった髪は肩に垂れていた。

「この前、何も持たないで来たので――」

葵はそう言って、紙袋を差し出した。

「助けてもらったお礼としては安すぎるんだけど」

「そんなもの、要らないです」

「せっかく並んで買ってきたんだから、受け取ってください」

葵は半ば強引に慎一郎に紙袋を押し付けた。中は洋菓子だった。

「今、横浜で評判のロールケーキなんですよ」

紙袋のデザインを見て、あっ、と思った。あのパティシエの店だった。ということは、葵は一時間以上も並んでくれたのだ。慎一郎は申し訳ない気持ちと同時に、自分に渡すお土産のためにそこまでしてくれたことに胸がいっぱいになった。

「この店、知ってます」慎一郎は言った。「パティシエがテレビ番組で優勝したんですよね」

「そうです。よくご存知ですね」

「前に、知り合いとその店の前を通った時、教えてもらったんです」

「買わなかったんですか」

「すごい行列だったから――」そう言った後で、すぐに付け加えた。「一度食べてみたかったんですが」

葵は嬉しそうに笑った。

「桐生さんは食べたことがあるんですか」

「いいえ」

「自分の分は買いました？」

「いいえ」

「じゃあ、よかったら、ここで一緒に食べませんか。お茶を入れます」

「いいんですか」

慎一郎は前と同じように葵を事務所スペースに招き入れた。

箱から出したロールケーキを切りながら、ふとパティシエのことが気になった。

「パティシエの人、いました？」

「さあ、見ていませんけど——。行列はすごかったです」

そういうことなら、元気にやっているんだろう。黒川は、彼の命は三週間足らずと言っていた。黒川の言葉が本当なら、パティシエの命はあと二週間ほどだ。おそらく彼は自分の寿命があと二週間だということも知らずに、毎日、楽しくロールケーキを作っているのだろう。そう考えると、目の前のロールケーキをおろそかに食べられない気がした。

「この紅茶、前のと違いますね」

紅茶を口に含んだ葵が言った。

「新しく買いました」

先日美津子の紅茶を勝手に飲んだ時、自分用の紅茶も買っておこうと思って用意していたものだった。店で購入する際、葵のことを少しも考えなかったと言えば嘘になる。彼女がもう一度会社に来てくれることが頭をよぎった。そのために店の一番高い紅茶を買った。しかし、そんな日が本当に来るとは思ってもいなかった。だから、新しい封を破るとき、少し指が震えた。

「美味《おい》しい」

葵が言った。

「うん、さすがに優勝しただけのことはあるね」

「私は紅茶のことを言ったんだけど」

葵はいたずらっぽく笑った。慎一郎も釣られて苦笑したが、一番高い紅茶を選んだ自分を褒められた気がして嬉しかった。

「でも、ロールケーキも美味しい」

「うん」

たしかに美味しかった。甘さが控えめな分、深い味わいがあって、全体に上品な感じがする。ケーキなんて滅多に食べないが、このケーキがかなりの味だというのは慎一郎にもわかった。

「ロールケーキ作りって、すごくデリケートな仕事なんですって」

「そうなんですか」

「焼き加減とか、砂糖とバターのわずかなバランスで、全然、味が違ってくるらしいです。シンプルな見た目よりもずっと奥が深い世界らしいです」

葵は目を輝かせていた。慎一郎は頷《うなず》いて聞きながら、葵にこんなふうに語られるパティシエを羨《うらや》ましく思った。いや、葵だけではない。多くの人を喜ばせ、楽しませるケーキ職人の仕事を羨ましく思った。

自分の仕事とは大違いだ。車をピカピカにすればオーナーに喜んではもらえる。しかしそれは所詮、見かけだけのものだ。古い車を新車にするわけではないし、壊れた車を蘇《よみがえ》らせるわけでもない。ただ、金持ちが道楽で、車を綺麗《きれい》にするだけのことだ。そのために二十万円前後のお金を払う。自分はその仕事をさせてもらって、生活している――。

急にロールケーキの味がしなくなった。紅茶もただの湯を飲んでいる気がした。目の前の葵に何か気の利いたことを言おうとしたが、面白い話題が何も思いつかない。彼女は、退屈な男と思っているに違いないと思うと、いたたまれなくなった。こんなふうにお茶を飲むよりも、仕事をしているほうがずっといいと思った。

「木山さんは変わった方ですね」

ふいに葵が言った。慎一郎は自分の顔が赤くなるのがわかった。

「変人なんです。よく言われます」

「いいえ」葵は首を横に振った。「不思議な雰囲気を持った人です。あ、これは悪い意味で言ってるんじゃないです」

慎一郎は何と答えて良いかわからず、黙って紅茶を飲んだ。

「前に私を誘ったのはナンパとおっしゃいましたが、木山さんがそんなことをするタイプとは思えません」

「僕も——ふだんはそんなことはしません。あの時、自分でも、どうして桐生さんを誘ったのか覚えてないんです」

葵は慎一郎の目を見つめながら、ゆっくりと言った。

「私も同じです」

「えっ」

「私もたまに誘われますが、これまで一度もついていったことはありません。本当ですよ」

「はい、そう思います」

「あの時、なぜ、木山さんの誘いにオーケーしてしまったのか、自分でもわからないんです」

慎一郎は黙って頷いた。

「今、思い返しても不思議な気がします。木山さんに三十分だけ時間をくださいと言われた時、すごく素直に、はいと答えていたんです。その後で、どうしてそんな返事をしてしまったのだろうと思いました」

「そうだったんですか」

「でも、なぜか行かなければならないと思ったのです。そして、木山さんと別れて、いつもより遅い時間に電車に乗って、駅を降りると、大変な騒ぎになってました」

もしここで自分が葵の命を救ったと打ち明ければ、彼女はどう思うのだろうか——

彼女なら素直に信じてくれそうな気もした。

しかし結局は何も言い出せなかった。

「それでは、これで失礼します」

紅茶を飲み終えた葵は静かにカップを置いた。

慎一郎はガレージの入口まで彼女を送った。

「紅茶、美味しかったです」

葵を見送ると、慎一郎はガレージの扉を閉めて、事務所スペースに戻った。ほのかに柑橘《かんきつ》系の甘い香水の匂《にお》いがした。前に来た時はこの匂いはなかった。彼女はこの後、デートの予定でも入っているのだろうか。

ふいに、もしかしたら自分のために香水をつけてきたのかもしれないと思った。その途端、胸が激しく動悸《どうき》を打った。

16

季節は十二月に入っていた。

ガレージの前の駐車スペースを掃除していると、BMWが入ってくるのが見えた。車から見覚えのある細身の中年男が降りてきた。以前、遠藤のところで一度コーティングをしたことのある客だった。たしか不動産会社を経営していた。

「渡辺《わたなべ》さんですね」

慎一郎が声をかけると、カジュアルなブレザーを着た中年男は白い歯を見せた。

「よく覚えているな。たしか三年前に二度ほど会っただけだが」

「車をお預かりしたお客様のことは忘れないです」

渡辺は感心したように頷いた。

「その時の車を覚えているか」

「アウディのA8ですよね。色はミッドナイトブルーでした」

「ほう、さすがはプロだな。ところで、独立したんだってな」

「はい。二ヵ月前からここでやってます」

「遠藤さんのところに寄ったら、そう聞いたんで、来てみたんだ」

「わざわざありがとうございます」

「磨いてもらえるか」

「あ、もちろんです」

慎一郎は慌てて答えた。

遠藤が勧めてくれたのだろうが、わざわざここまで足を伸ばしてくれた渡辺の好意が嬉しかった。

「磨くのは、このBMWですか」

「ああ、そうだ」

慎一郎は目の前の車を見た。BMWの7シリーズの現行モデルで、ボディーは目にも鮮やかなグリーンだった。

「新車ですね」

「そう、一週間前に買ったばかりだ」

「ですよね。光沢が全然違います」

ふと見ると、助手席には中年の女性が乗っていた。おそらく渡辺の妻だろう。彼女は慎一郎と目が合うと、にっこりと微笑《ほほえ》んだ。

「新車を磨くんですね」

慎一郎は渡辺に確認した。

「ああ、前に遠藤さんから、新車を磨いてコーティングすれば、すごくよくなると聞いていたからな」

「それは本当です」

「じゃあ、頼むよ」

慎一郎が「わかりました」と答えると、助手席から女性が降りてきた。

「女房だ」

渡辺に言われて、慎一郎は会釈《えしゃく》した。

「若いのに、独立して立派ね」

渡辺の妻は柔和な表情で言った。

「いいえ、ギリギリでやっています」

慎一郎はそう答えてから、慌てて付け加えた。

「でも、仕事は一所懸命にやらせていただきます」

彼女は、わかっていますよ、というふうに頷いた。

慎一郎はガレージのシャッターを開けると、BMWを中に入れた。それから渡辺夫妻を二階の事務所スペースに案内した。

小さな部屋は三人が入るといっぱいだった。椅子《いす》は二つしかないので、渡辺夫妻に座ってもらった。

慎一郎は立ったまま、書類に連絡先を書き込んでいる渡辺をぼんやり眺めていたが、ボールペンを持つ指に目をやった瞬間、思わず息を飲んだ。渡辺の爪《つめ》の先が消えていたからだ。目の錯覚であってくれと思って、一度目を閉じた。再び目を開けて見たが、やはり爪の先は明らかに透けていた。仕事場にやってきた客の体が透けて見えたのは二度目だったが、まさか、こんな時に見るとは思ってもいなかっただけに、動揺を抑えられなかった。

渡辺は書類に必要事項を書き終えると、

「これでいいか?」

と訊いた。

慎一郎は「結構です」と言いながら、彼の指を見ないようにして書類を受け取った。クリアファイルの中に書類を入れながら、落ち着け、と自分に言った。こんなところで動揺する様は見せられない。

「タクシーを呼びましょうか」

「いや、駅まで歩くよ。たまには歩かないとな」

渡辺は椅子から立ち上がって快活に答えた。そして事務所スペースを出ると、鉄製の階段を降りていった。

渡辺の後ろから妻が降りていく。階段の手すりを握る彼女の手を見て、慎一郎はぎょっとした。その爪の先も消えていたからだ。

夫婦揃《そろ》って爪の先が消えているということは、二人が同時に亡《な》くなるということかもしれない。となると、病気ではない——おそらく事故だ。

ガレージに降りた渡辺は振り返って慎一郎を見た。

「車はいつごろ仕上がる？」

いつもなら即答できる質問だったが、慌てて頭の中で計算した。

「ええと——遅くとも、四日後の金曜日の昼までにはできています」

「じゃあ、日曜日の午後に取りに来るよ」渡辺は笑顔で言った。「君の磨きの腕は定評があるからね。楽しみにしているよ」

隣で妻も嬉しそうな顔をした。

「ありがとうございます」

そう言いながら、慎一郎は二人の顔をまともに見ることができなかった。

渡辺夫妻が帰ったあとも、すぐには仕事に取り掛かれなかった。あの優しい夫婦が近いうちに揃って亡くなるということが、まだ実感として摑めなかった。しかし過去の幾度かの経験から、それは間違いない。おそらく二人の寿命はあと一ヵ月くらいだろう。

何とか二人の命が助かる道はないものかと考えた。しかし、事故を防ぐ手段など思いつくはずもない。何しろ、その事故がどういうものかもわからないのだ。

ガレージの中にある椅子に腰掛けながら、鮮やかな緑色のBMWに目をやった。もしかしたら、この車が二人の命を奪うことになるかもしれない、と思った。この車を壊してしまえば、二人は助かるのだろうか。

慎一郎は首を小さく横に振った。そんなことができるはずもない。第一、この車が事故を起こすかどうかもわからない。彼らは別の車で事故に巻き込まれるかもしれないし、全然違うアクシデントに見舞われる運命なのかもしれない。どのみち自分にはどうすることもできないのだ。

もし、渡辺夫妻の体が完全に透けていたらどうだろう、と思った。そういう場合は数時間以内に死ぬことがわかっている。しかし、その時も自分は多分何もしないだろう。なぜなら、渡辺夫妻を助けるということは、自分の命を削ることになるからだ。もしかしたら、その瞬間に自分が命を落とすことになるかもしれない。

ふうー、と大きなため息をついた。今更ながら、望みもしなかった力を持ったことを恨みたくなった。黒川が言っていた「まったく役に立たない無意味な能力」という言葉は正しいとあらためて強く感じた。

慎一郎は立ち上がると、BMWのライトやエンブレムの取り外しにかかった。これはポリッシャーをかける前の必須《ひっす》の工程で、ふだんなら気分が高まっていく作業だったが、どれだけ美しく磨いたところで、渡辺にはこの車に乗る時間はわずかしかないと思うと、まったく楽しい気持ちにはなれなかった。それどころか、何のためにこの車を磨くのかと虚《むな》しい気分にさえなった。

二時間ほどかけて、ボディーに付けられた装備品をすべて外した。長く乗っている車はグリルやエンブレムなどを外すと、たいていびっしりと汚れがついているが、この車は新車だけあって、綺麗なままだった。それでも、丁寧に水洗いをした。

洗車を終えると、車は一層の光沢を放った。しかし蛍光灯を当てて目を近づけると、小さな傷がついているのが見える。おそらく工場かディーラーで洗車されたときの傷だ。機械で車を洗うと、どうしても微細な傷がつく。新車の場合はほとんど気にならないが、むしろ新車の時にこそ綺麗に磨いてコーティングをすれば、輝きは長く持続する。このBMWなら表面を軽く磨いてやるだけで十分だ。むしろ注意しなければならないのは、磨きすぎることだ。

慎一郎は最も目の細かいバフをポリッシャーに取り付けた。それからコンパウンド溶液をボディーに垂らし、ポリッシャーのスイッチを入れた。

新車だけに磨きは三時間ほどで終えることができた。水で溶液を洗い流し、蛍光灯でボディーの表面をチェックする。最初にあった見えるか見えないかの超微細な傷もほとんど消え、完璧《かんぺき》な輝きになった。あとはコーティングするだけだ。

コーティングの用意をしていると、再び頭に渡辺夫妻のことが蘇ってきたが、無理やりそれを追い払った。渡辺がいくら自分に好意を持ってくれたとしても、それは所詮、車磨きの腕を評価してくれているだけのことだ。その評価に報いるだけの仕事はしている。それ以上のことをする義務はない。彼や彼の妻の運命に関わるつもりはないし、心を砕く気もない。いや、彼らだけではない。

今後、誰の運命にも一切関心を持つつもりはない——そう心で呟いた瞬間、言いようのない寂寥感《せきりょうかん》に襲われた。孤独には慣れていたが、この時、胸に宿ったのは、今まで味わったことのない暗い虚しさをともなったものだった。

誰の運命にも関心を払わない人生というのが、恐ろしいまでに孤独だということを、慎一郎は初めて知らされた。

ずっと前に美津子が言っていた、「大事な人がいつ死ぬかなんか絶対に知りたくない」という言葉を思い出した。それを聞いた時は、たしかに嫌だろうなと、ぼんやりとしか考えなかった。しかし、死んでほしくないと願う人がいない人生こそ、最も寂しい人生だということを今になって実感した。

ふいに、葵の面影が浮かんだ。

葵が、自分にとってそんな存在になってくれたら、どんなに素敵な人生だろうか。そして彼女にとってもまた、自分がかけがえのない男になれれば——。そんなことを思うだけで、甘酸《あまず》っぱい気持ちで胸が締めつけられた。

もし、葵と恋人同士になれれば、自分は彼女のために生きる。そしていつかもう一度、葵の体が透けて見えたなら——その時は、彼女の命を救うためなら何だってやる。

自分の命が削られることになろうと、決して躊躇《ちゅうちょ》はしない。いや、葵のためなら死んだってかまわない。

知らないうちに興奮している自分に気付いた。あまりにも幼稚な想像がおかしかった。同時に、まだ葵のことを忘れていなかったことに呆れもした。

彼女のことは忘れるんだ――もう何度目かになるその言葉を、あらためて自らに言い聞かせた。自分には彼女の心を摑むことなんてできない。告白したところで、あっさりとふられるだけだ。自分には魅力も美点も何もないということは自分がよく知っている。

しかし、それをあらためて葵から言い渡されたくはなかった。そのときの惨めな気分を想像するだけで、ぞっとした。おそらく立ち直れないだろう。

慎一郎はコーティングの下準備のために、床に水をまくと、掃除に取り掛かった。

翌日の夕方、昨日コーティングを施したばかりのBMWの表面に電気ストーブをあてていると、入口のチャイムが鳴った。

その瞬間、何の根拠もなく、桐生葵かもしれないと思った。急いでストーブのスイッチを切ると、扉に向かって走った。

閉まったシャッターの横の扉を開けると、そこに立っていたのは松山だった。

「久しぶりだな、木山」

松山は遠藤の工場にいる先輩だった。

慎一郎は、訪問者が葵ではなかったことにがっかりしつつも、なぜ突然、松山が訪ねてきたのかと訝《いぶか》しんだ。彼はクビになった金田の子分みたいな存在で、以前はよくもう一人の子分の後藤とつるんで嫌がらせをしてきた男だ。もっとも金田がクビになってからは、ぱたりとおとなしくなった。

「これがお前の工場か」

松山は扉の隙間《すきま》からガレージの中を覗《のぞ》き込むようにして言った。

「独立したと聞いたから、どんな立派なもんかと思って見に来たら、こんなに小さいところだったのか」

「一人でやっているから、これで十分です」

彼は、ふん、と馬鹿《ばか》にしたように鼻を鳴らした。

「こんなボロい工場に車を預けるもの好きもいるんだな。あれは中古か」

ガレージの中のＢＭＷを顎《あご》で指した。

「最新モデルですよ。新車です」

慎一郎がそう言うと、松山は黙った。

「今日は何か用事ですか」

「別に」

松山は無愛想に答えた。

「一度くらいお前の工場を見てやろうと思ってな」

「そうですか」

「ちょっと中を見せてくれよ」

「すみません、今、仕事中なので」

慎一郎の言葉に、松山は唇を少し歪《ゆが》めた。

「邪魔だから、帰れってか」

「違いますよ。ただ、松山さんが別に用事はないと言ったので——。僕も遊んでるわけじゃないので」

「言われなくても、帰ってやるよ」

松山は吐き捨てるように言った。

「こんなところにいても仕方がないからな。まあ、しかし今のうちに見ておかないと、近いうちに空家になってるだろうし」

慎一郎はそれには答えず、ガレージの扉を閉めようとした。

「おい、木山、いいことを教えてやろうか」

松山が扉を手で押さえて言ったが、慎一郎は構わず扉を引いた。

「真理子のことだ」

思わず扉を引く手が止まった。

松山はにやりと笑った。

「あいつが今どこにいるか知っているか」

「どこですか」

「横浜のソープにいるんだぜ」

「——嘘《うそ》でしょう」

「嘘じゃねえよ。後藤が見たんだぜ」

「じゃあ、見間違いでしょ」

慎一郎はそう言うと、扉を強引に閉めた。

「嘘だと思うなら、横浜のラルゴって店に行ってみな」

扉の向こうから松山の大きな声が聞こえた。そのあとにわざとらしい笑い声がしたが、やがて静かになった。

慎一郎は扉に鍵《かぎ》を掛けると、電気ストーブが置いてある台に戻った。スイッチを入れて、作業を再開しようと思ったが、とても仕事をする精神状態ではなかった。

——あいつが今どこにいるか知っているか。横浜のソープにいるんだぜ。

松山の言葉が何度も頭の中で繰り返された。

気にするな、と自分に言い聞かせた。あいつの言うことなんか出鱈目《でたらめ》に決まっている。自分の気分を悪くさせようとしただけのことだ。真に受ければ、あいつの思い通りになる。

電気ストーブは再び熱を帯びてきた。しかし、それを手に持つ気にはなれなかった。もしかしたら松山の言葉は本当かもしれない、と思った。もし嘘なら、「ラルゴ」なんて具体的な店の名前を言うだろうか。

いや、やはり嘘だろう。あの真理子がソープランドに勤めるはずがない。あまりにもくだらない嘘だ。適当に店の名前を出して、もっともらしく思わせようとしただけだ。

二階の事務所スペースに駆け上がると、塩の入った瓶を持ってきて、ガレージの扉を開け、入口近くに大量にまいた。

それでようやく気持ちが落ち着いた。

夜、すべての作業を終えて、二階へ上がったとき、頭から追い出したはずの松山の言葉が蘇ってきた。それを意識した途端、たまらなく不愉快な気分になった。

事務所スペースに置いてあるパソコンの電源を入れた。インターネットに接続すると、検索サイトで「横浜　ソープラルゴ」と打ち込んだ。そんな店がないのを確かめれば、松山の言葉が嘘だとわかる。

エンターキーを押すと、検索ページのトップに「ソープランド・LARGO《ラルゴ》」と出てきた。動悸が速くなるのがわかった。その文字をクリックすると、ホームページが開いた。落ち着け、と心の中で呟《つぶや》く。店が実際にあったとしても、松山の言っていたことが本当とは限らない。

慎一郎は震える指でトップページの「入場する」をクリックした。すると、そこには店の女の子たちの写真が体のサイズと共にずらりと載っていた。ただ、いずれも目を隠していて、顔は判別できない。それでも一人一人クリックして、プロフィールを確認した。自己紹介や、店が書いたアピールポイントなどが記されていたが、真理子だと確認できるものは何一つなかった。

「馬鹿馬鹿しい！」

そう呟きながら、ホームページを閉じると、パソコンをシャットダウンした。

あんな奴《やつ》の言うことなんか嘘に決まっている。以前に行ったことのある店の名を適当に口にしただけだ。実際に真理子がいるかもしれないと店までのこのこ出かけたら、それこそ、あいつの思う壺《つぼ》だ。

松山があんなことを言ったのは嫉妬《しっと》に他ならない。遠藤の会社で松山よりもキャリアの浅い自分が独立したことを快く思っていなくて、不愉快な気分を味わわせてやろうとして言っただけのことだ。気にすることはない。

しかし部屋の明りを消して布団《ふとん》の中に入っても、松山の言葉は脳裏から去らなかった。何度も寝返りを打ったが、その度に真理子の顔が浮かんだ。あんなに真面目《まじめ》で無垢《く》だった彼女がソープランドにいるなんてあり得ない。後藤が見たという子は真理子に似た別の女性だったのだ。

あいつの言ったことはやっぱり出鱈目だ。もうそのことは忘れて眠ろう。


目が覚めても、嫌な気分は残っていた。

冷たい水で顔を洗っても、すっきりしない。頭も少し重い。もしかしたら眠りが浅かったのかもしれない。そういえば、夜中に何度か目が覚めた気がする。

仕事を始めても、昨日の松山の言葉が何度も蘇ってきた。出鱈目だとわかっていても、気になって仕方がなかった。電気ストーブをBMWに当てる作業を何度も中断してしまう。こんなことは初めてだ。

正午きっかりに、美津子がやってきた。二階の事務所スペースで、彼女の持ってきてくれた手製の弁当を食べながら、ふと彼女は真理子の噂《うわさ》を聞いているだろうかと思った。

「ママさん」

と慎一郎は声をかけた。

「何？」

「金田さんのその後は何か聞いてます？」

「金田君？」

美津子は言った。

「さあ、クビになった後は、全然話を聞かないわね。前に、松山君に訊《き》いても知らないって言ってたし、故郷に帰ったか——それとも、東京にでも行ってるんじゃない」

「そうですか」

「あれでも腕は悪くないから、どこかで雇ってもらえるでしょう」

慎一郎は適当に頷いた。

「あのう、植松さんは今頃、どこで何をしてるんでしょうね」

さりげなく訊いたつもりだったが、緊張して、つい声が大きくなってしまった。

「真理ちゃんの噂も聞かないね」

美津子は弁当を食べながら言ったが、その声はどこか不自然な感じがした。直感的に、彼女は何かを知っていると思った。

「植松さんの話題とかも出ないですか」

「出ないね」

美津子は即答した。その瞬間、胸に何か得体の知れない、重いしこりのようなものができる感じがした。焼きタラコを口に入れたが、何も味はせず、砂でも食べているようだった。

「コーティングは今週中に終わりそうね」

美津子が話題を変えるように窓の下のBMWを指差して言った。

「はい。今日、もう一回全体にストーブを当てれば、コーティングはかなり安定しますから」

そう言いながら、美津子はどこまで知っているのだろうかと思った。あるいはどんな噂を聞いているのだろうか。二ヵ月前に真理子の話が出たときは、こんなふうに話題を逸《そ》らそうとはしなかったから、噂を聞いたのはそれ以降のことだろう。もしかしたらつい最近のことかもしれない。

しかし、これ以上真理子のことを訊く勇気は出なかった。もっとも、訊いたところで、彼女は「知らない」と言い張るだろう。

三時に美津子が帰ったあとも、頭の中は真理子のことで一杯だった。なぜ彼女のことがそこまで気になるのかわからなかった。かつては真剣に恋した女性だったが、それはもう昔のことだ。思い出はあるが、恋愛の感情はない。それだけに、彼女のことを気にする自分が不思議だった。

未練があるわけじゃない、と自分に言い聞かせた。もう今は真理子のことは好きでもなんでもない。ただ、びっくりしただけだ。昔、恋した女性がソープ嬢になったと聞けば、誰だって驚くだろう。動揺はそのせいだ。でも、真実を知りたい気持ちはある。

話の出処《でどころ》は後藤だ。彼が実際にソープランドで真理子を相手にしたのかどうかはわからない。世の中には顔の似た女性がいくらでもいる。店でちらっと見て、早とちりした可能性は十分ある。松山は、後藤が見た、と言っていた。「会った」とは言わなかった。第一、もしソープ嬢になるなら、川崎の目と鼻の先にある横浜でやるわけがない。いや、それ以前に、真理子がソープランドに勤めるはずがない。

やはり、これは単なる噂にすぎないと確信した。少しばかり動揺させられたが、これも明日には収まるだろう。もし今度、松山が現れることがあったら、「ラルゴのニセ真理子嬢にでも会いに行ったらどうですか」とでも言い返してやろう。

しかし三日経《た》っても、松山の言葉は頭から去らなかった。むしろいつまでも治らないデキモノみたいに心の壁にくっついている。

慎一郎は、確かめに行こうと決めた。真実でないのはわかっているが、それをこの目で確認すればすっきりするはずだ。松山に踊らされているみたいで癪《しゃく》にさわったが、このじくじくした感情を引きずるくらいなら、そうしたほうがいい。

土曜日の夕方に、横浜のラルゴを訪ねることにした。

ラルゴは横浜駅から電車で数分のソープ街にあった。新宿の歌舞伎町《かぶきちょう》のようなけばけばしい街を想像していたが、来てみると、小さなビルが立ち並ぶごくありふれた街だった。

住所は前もって調べていたが、探すのに少し手間取った。ラルゴの外観は一見すると普通の雑居ビルのようだった。ビルの左横にはマンションが建っていて、右横はコインパーキングだった。

ラルゴの入口には白いシャツに黒い蝶《ちょう》ネクタイをつけた店員が立っていた。

慎一郎は店の中に入ると、受付で入浴料の一万五千円を払った。サービス料は三万円となっていたが、それはあとで女の子に支払う手筈《てはず》だった。

ソープランドに来るのは二度目だった。前に行ったのは二年前だ。真理子が会社を去り、慎一郎の前から姿を消してしばらくしたある日、突然思い立って金を握り締め、川崎のソープ街に足を伸ばしたのだ。今、思い返しても、あの時、自分がなぜソープランドに行こうと思ったのかはわからない。結局、そこで生まれて初めてのセックスを体験したが、何が何だかわからないままに終わった。快感があったような気もするが、また来たいとは思わなかった。

待合室に入ると、若いボーイがお茶を持ってきてくれた。喉《のど》はからからだったが、湯呑《ゆのみ》に手をつける気にはならなかった。

ボーイと入れ替わりに、背広を着た中年男がやってきた。

「いらっしゃいませ。当ホールのマネージャーです」

マネージャーは丁寧にお辞儀した。慎一郎は黙って頭を下げた。

「どなたか、ご指名の子はいらっしゃいますか」

「ここは初めてなので、女の子の写真を見せてもらえますか」

「かしこまりました」

マネージャーはポケットからポラロイド写真を取り出すと、慎一郎に渡した。

「現在、お客様のお相手ができる子は、この五人です」

「ここには全部で何人くらいの女の子がいるんですか？」

「二十人以上いますが、シフトの関係で今は店に出ていない子もいます」

慎一郎は頷きながら、渡された写真を見た。もし、この中に真理子が見つからなければ、残りの写真も見せてもらえるのだろうか、と思った。

写真はホームページに載せられたものとは違い、目が隠されてはいなかった。慎一郎はゆっくりと写真を見ていった。五枚目の写真を見たとき、思わず息を飲んだ。そこには真理子の顔があったからだ。

いや、よく見ると、真理子ではない。髪の毛は金髪だし、目の形も違う。しかし、よく似ている。

「その子がお気に召しましたか」

マネージャーが訊いた。

まだ動悸がおさまらない慎一郎は曖昧《あいまい》に答えたが、彼は構わず続けた。

「ユリアはスレンダーな美人です。こう見えても、元は丸の内の一部上場企業で働いていた知的な女性です。独特の魅力がありますよ」

年齢も違えば経歴も違う。やはり真理子ではない。

「ユリアというのは、本名なんですか」

「源氏名です」

「本名は何と言いますか」

マネージャーは慇懃《いんぎん》に微笑んだ。

「お客様、それは個人情報ですので、お教えできません」

慎一郎はもう一度、手持ちの一枚に目を落とした。

似ていることは間違いない。もし、後藤が間違えたとしたら、彼女しかないだろう。他の写真を見たところで、これくらい真理子に似ている女性がいるとは思えない。

「この子を呼んでもらえますか」

「かしこまりました。少しお待ちください」

マネージャーはそう言うと、一礼して部屋を出ていった。

一人になった慎一郎は、心を落ち着けようとした。これからやってくる女性は、まず真理子ではないと信じていた。それでも万が一を考えて、サングラスをかけた。ここへ来る前に駅前で買ったものだった。しかし、もし本物の真理子が来たらどうするのか、ということは考えていなかった。真理子と別人であることさえ確認すれば、来てくれたソープ嬢と店には悪いが、急用ができたと言ってここを出ていこうと決めていた。もちろんその時は入浴料は諦《あきら》めるつもりだった。

数分後、マネージャーが再び待合室に現れた。

「ユリアさんの準備が整いました」

慎一郎が部屋を出ると、廊下の隅に、薄いピンクのスーツを着た小柄な女性が立っていた。

その顔を見た瞬間、やはり真理子ではないと思った。派手な化粧はともかく、顔つきがまるで違う。マネージャーはスレンダーと言っていたが、頬はげっそりとこけ、スーツから覗く手足も異様に細かった。ふっくらとして健康的だった真理子とは別人だ。

「ユリアさんです」

マネージャーはそう言って彼女を紹介した。

ユリアと呼ばれた女性は慎一郎の手を取って、階段に案内した。慎一郎はそのまま彼女に押されるような形で階段を上った。彼女は少し後ろから慎一郎の背中に手を置いている。

階段の中ほどまできたところで、慎一郎は足を止めて、振り返った。

「すみません」

すぐ目の前にユリアの顔があった。

「さっき、電話がかかってきて、急用ができたんです」

彼女はぽかんとした表情をした。

「帰らないといけなくなったんです」

彼女はぼんやりした顔で、首をかしげた。その時、首の右側に菱形《ひしがた》の小さなホクロが見えた。慎一郎は、思わず、あっと声を上げそうになった。そのホクロは真理子の首にもあったことを思い出したからだ。

慎一郎はサングラスを外して、ユリアの顔を正面から見据えた。

著しく痩《や》せてはいたが、たしかに真理子だ。しかし彼女は慎一郎の顔を見ても、まったく表情を変えない。

「帰るん、ですかあ」

それは記憶にある真理子の声だった。ただ、少し呂律《ろれつ》がまわっていない。表情もどこか呆《ほう》けた感じで、よく見ると、目の焦点が定まっていない。慎一郎は心に冷たい氷を押し付けられたような気がした。

階段下の廊下には、まだ中年のマネージャーが立っていた。彼は怪訝《けげん》そうにこちらをうかがっている。

もう一度、真理子に視線をやった。彼女は左手で階段の手すりを握り、ぼんやりした笑顔でこちらを見ていた。その手首には何本か筋のような傷痕《きずあと》があった。

慎一郎はマネージャーのほうを向いてもう一度言った。

「すみません。急用ができたので帰ります」

マネージャーは一瞬困ったような表情を浮かべたが、すぐに作ったような笑顔を見せると、「それでは、入浴料はお返しいたします」と言った。

慎一郎は黙って手を振ると、階段を下りて入口のホールに向かった。

店を出てから気持ちの整理ができなかった。ただ、ふらふらと、あてもなく街を歩いていた。

真理子だった——。

ユリアは間違いなく真理子だ。首の右側のホクロと声がそれを証明していた。彼女が覚醒剤《かくせいざい》か何かをやっているのは明らかだった。焦点の合わない目と怪しい呂律から察するに、おそらく常習だろう。昔、工場で働いていたとき、頻繁に覚醒剤を打っている先輩がいたが、彼の症状と似ている。先輩は結局、同僚の財布を盗んでクビになった。警察での取り調べで、覚醒剤を買う金が欲しかったと言っていたと聞いた。

真理子が薬のためにソープランドに勤めるようになったのか、それともソープ嬢になってから薬をやるようになったのかはわからない。いずれにしても、薬を勧めるような男が身近にいたのだろう。彼女は宇津井に捨てられてから、自暴自棄になったのかもしれない。もしかして、遠藤のところで働いているときに既に薬に手を出していたのだろうか——。

目を閉じて、会社を辞める前の真理子を思い浮かべた。思い当たるふしもあった。宇津井と別れてからの真理子は周囲の皆が驚くほど急激に痩せたし、何度か無断欠勤もあった。

真理子はサングラスを外した自分の顔を見ても、表情一つ変えなかった。あれは動揺を抑えた顔ではない。すでに記憶が薄れていたのだ。わずか二年前まで毎日会っていた元同僚の顔さえ、思い出せなくなっていたのだ。後藤の相手をしていたとしても、誰だかわからなかったのかもしれない。

いつのまにか、横浜駅近くまで来ていた。電車にして三駅分を歩いたことになる。しかし、どの道をどれくらいの時間をかけて歩いていたのかわからなかった。時間と距離の感覚を完全に失っていた。

気が付けば、見覚えのある通りに来ていた。この道はいつか歩いた記憶がある。いつだったろう、横浜なんて滅多に来ないのに――。記憶を辿《たど》りながら歩いていると、一ヵ月前に黒川と歩いた繁華街だと思い出した。そうだ、たしかここであのケーキ屋を見せられたのだった。

慎一郎はケーキ屋を探したが、見つからない。行列も見当たらなかった。知らないうちに通り過ぎたのかと思って振り返ると、すぐ後ろがケーキ屋の入っていたビルだった。

ケーキ屋があった一階の店舗部分はシャッターが降りていた。それを見た瞬間、あのパティシエは死んだのだ、と思った。

シャッターの上に架かっていた看板も無くなっていた。たしか前は赤いビニールの屋根で飾られていたはずだが、それも取り外されていた。ここにケーキ屋があったという痕跡《こんせき》はどこにもなかった。通りを歩く人々も、誰もビルに関心を払わない。わずか一ヵ月前には、驚くほど長い行列があったのに——。そしてパティシエの体はもうどこにもない。

パティシエが亡《な》くなったことに対しては、何の感情も湧《わ》いてこなかった。そしてそんな自分に嫌悪《けんお》を抱くこともなかった。パティシエが死んだのは自分のせいではないし、見殺しにしたわけでもない。彼はただ、彼の運命通りに死んだだけだ。自分はたまたまその運命を目にしたにすぎない。一種の無常観に似た思いにとらわれた。幸せの持つ儚《はかな》さのようなものを感じた。

横浜駅に着くと、自動券売機で切符を買って改札を通り、ホームに上がるエスカレーターに乗った。前の段に立っている男性を何気なく眺めていると、手すりに載せた左手の指先が消えているのに気付いた。

小さく舌打ちした。なぜなんだ、と思った。どうしてこんな日に、そしてこんな時に、透けた体など見なければならないのか。もううんざりだ、と心の中で呟きながら、透明な指先から目を逸らした。目の前の男が生きようが死のうが知ったことではない。そんなことは自分には一切関わりがないことだ。

ホームに着くと、男とは反対方向に歩いた。どんな人なのかも知りたくなかった。すぐに電車が来たので、脇目《わきめ》もふらずに乗り込んだ。

座席に座ると同時にソープランドでの光景が蘇《よみがえ》った。頰はこけ、目の下にはくまができ、髪の毛を金髪に染めた真理子の顔が鮮明に浮かび上がった。その映像を振り払い、昔の真理子の顔を思い出そうとした。しかし、その度にソープランドの階段に立つ女の顔が浮かび、どうしてもかつての真理子の笑顔は思い出せなかった。

会社に戻っても、仕事をする気にはなれなかった。シャッターを降ろすと、二階の自室に上がり、布団の上に横になった。

タバコに火を点《つ》け、真理子のことを考える。真理子に対する恋愛感情はとっくに消え去っていた。それは真理子に再会する前からすでにわかっていたことだが、会ってみて、あらためてその気持ちを確認した。しかし、頭の中は真理子のことでいっぱいだった。

彼女が会社を辞めたのは二年前だ。たったの二年間で、あそこまで堕《お》ちてしまうとは、この目で見た今でも信じられない思いだった。それほど宇津井との破局が彼女を苦しめたのだろう。真理子にとって宇津井との恋は命懸けだったのに違いない。だからこそ、自分をとことん痛めつけたのだ。その苦しみから逃れさせてくれるのが薬だったのかもしれない。

タバコの煙を大きく天井に向かって吐いた。白い煙が視界をぼやけさせた。

突然、以前に美津子が言った「真理ちゃんがあんな男に引っかかったのは、慎ちゃんのせいでもあるのよ」という言葉を思い出した。真理子があぁなったのは宇津井のせいではなく、自分が臆病《おくびょう》だったせいではないか。

もし、あの時、自分が真理子に告白していたなら──彼女の運命は変わっていたかもしれない。彼女は自分と恋仲になっていたかもしれない。もしそうなっていたら、宇津井から誘惑されても、はねのけたかもしれない。すると、その後の彼女の運命も変わっていたはずだ。少なくとも、薬の常習者になってソープランドで働くということはなかっただろう。

しかしすぐに、同じことかもしれないな、と思った。告白したところで、結局はふられただろうから、運命は変わらなかっただろう。

──いや、待てよ。

慎一郎は布団から起き上がった。

人の運命はささいなことで大きく動く。今までそれを何度も見てきたではないか。

仮に自分の告白が実らなくても、彼女の運命がそれで大きく動いた可能性はある。彼女の心に生じた微妙な揺れが、その後の彼女の人生を変化させたかもしれない。

真理子に告白するべきだった！

ふられるのが怖くてそうしなかったことを、胸を掻《か》きむしりたくなるほど後悔した。

自分はあの時、真理子を愛していた。世界中の誰よりも彼女を愛していた。そして彼女を幸せにしてやりたいと思った。しかし——何もしなかった。その結果はどうだ。真理子は宇津井のような女たらしに引っかかり、その後に何があったのかはわからないが、大きく転落した。本当に彼女を愛していたのなら、告白するべきだった。誰よりも彼女を幸せにしたいと思っていたなら、彼女と一緒になる努力をするべきだった。彼女の幸せのためにもそうしなければならなかった。しかし、もう真理子への愛はない。もちろん恋の想《おも》いもない。もはや過ぎ去った昔のことだ。

その時、ふいに桐生葵のことを思い出した。同時に、自分が今、恋しているのは彼女だ、とわかった。それは痛いほどの感情だった。

葵に会いたい！

心からそう思った。彼女への想いは忘れようと蓋《ふた》をしたはずなのに、今、それが重い蓋を突き破って出てきた。

慎一郎は無意識に立ち上がっていた。それから服を着替えると、会社を出て駅に向かった。JR蒲田駅から川崎駅に向かう電車に乗った。行き先は葵が働く携帯ショップだ。もしかしたら葵は休みかもしれないと思ったが、かまわなかった。電車に揺られながら、緊張が高まるのがわかった。葵に会って想いを打ち明けるつもりだった。自分は今から一世一代の大仕事をするのだと思うと、膝《ひざ》が細かく震え出した。両手で押さえても止まらない。はたして、こんなことで告白なんかできるのだろうかと思ったが、やめる気はなかった。

携帯ショップに着いたのは七時半だった。

慎一郎が店に入ると、男性店員が「いらっしゃいませ。どういったご用件でしょうか」と尋ねてきた。慎一郎は一度深呼吸してから、「スマートホンのカタログを見に来ました」と答えた。店員は「どうぞ、ごゆっくり」と言って立ち去った。

慎一郎は店に置かれているカタログを手に取りながら、カウンターを見渡した。右から二番目のカウンターに葵がいた。接客中で、慎一郎には気付いていないようだった。葵の姿を見た瞬間、喜びに胸が震えると同時に恐怖にとらわれた。無理だ！　と思った。とてもじゃないが、告白なんて無理だ。彼女の目を見て喋《しゃべ》ることはおろか、声を出すこともできないと思った。

慎一郎は踵《きびす》を返すと、カタログを持ったまま店を出た。

駅に向かって歩きかけたとき、脳裏に真理子の顔が浮かんだ。髪の毛を金色に染め、焦点の合わない目でぼんやりと笑うその顔を思い出した瞬間、足を止めた。そしてもう一度、店に入り直した。

さっきの男性店員がちらっと慎一郎の顔を見たが、今度は近付いてこなかった。慎一郎はカタログを持ってソファーに座った。なぜか足の震えは止まっていた。

葵はまださきほどの客と話していた。彼女の接客が終わったら、さりげなく近付いて声をかけようと思った。小さな声で、「今晩、仕事が終わったら会いたい」とだけ言って立ち去るつもりだった。その際、自分の携帯の番号を記した名刺を渡す。

しかし葵が相手をしている中年女性は要望が多いのか、本人が迷っているのか、なかなか話が終わらない。十五分以上経っても、まだ続いている。

慎一郎は目を閉じ、心を落ち着けた。

ふいに肩を軽く叩《たた》かれた。驚いて目を開けると、すぐ前に葵が立っていた。

「もうすぐ閉店ですけど、何か御用ですか」

葵は言った。

「桐生さんに会いに来ました」

葵は一瞬驚いたような表情を浮かべたが、にっこりと笑った。

「では」と彼女は小さな声で言った。「この前のスタバでいいですか」

慎一郎は頷《うなず》いた。

「八時半には行けると思います」

葵はそう言うと、カウンターのほうに戻っていった。

慎一郎は立ち上がると、店を出た。

駅前のスタバに着いたのは八時十分だった。二十分後に葵が現れると思うと、再び緊張が襲ってきた。はたして自分に告白なんてできるのだろうかと思った。生まれてから一度も、異性に「好きだ」などと言ったことはない。

映画やドラマなどでは普通に見るシーンだが、自分の人生には、ピストルやカーチェイスと同じくらい縁のないことだと思っていた。世間の男たちは誰もがこんなことをやっているのだろうかと考えると、すごく不思議に思えてならなかった。たしかに宇津井のように女性の扱いに慣れた男もいる。しかし多くの男はそうではないはずだ。そんな彼らも大好きな女性に告白してきたのだろうか。想像するだけで心臓が口から飛び出しそうになるほどの、この恐怖を振り切って、そんなことをやってきたのだろうか。

気が付けば、両手にぐっしょりと汗をかいている。紙ナプキンで拭《ふ》いたが、しばらく経つとすぐにまた汗が浮いてきた。暖房が効きすぎているわけでもないのに、シャツの中も汗で濡《ぬ》れていた。心臓は店に入った時からずっと早鐘のように打っている。口の中がからからだった。そのために水を何度もお代わりした。自分は今から本当に葵に告白するのだろうか――まったく現実感がなかった。しかし、これは空想の世界じゃない。その証拠に自分はスターバックスにいる。

不意に、自分は葵のことを何も知らないことに気が付いた。彼女がどこで生まれ、どこで育ったのか、これまでどんな人生を送ってきたのか――。それどころか、自分がなぜ葵に惹《ひ》かれるのかさえ、わからなかった。しかし、そんなことはどうだっていいと思った。たしかなことは、自分が葵に恋しているということだ。

時計を見た。八時半まで、あと十分を切っている。急に下腹部が締め付けられるような痛みを覚えた。ずっとおさまっていた足の震えがまた始まった。やっぱり帰ろう。葵に告白するなんて、自分には絶対に無理だ。

ジャケットを手に席を立ったとき、入口から葵が入ってくるのが見えた。

「お待たせしました」

葵は椅子《いす》に座ると、にっこり微笑《ほほえ》んだ。慎一郎も笑みを返そうとしたが、顔がこわばるのが自分でもわかった。

「早かったですね」

「急いで来ました」

葵は弾んだ息でそう言うと、「注文してきますね」と、カウンターに向かった。

慎一郎は追い詰められたような気分になった。カウンターの前に立つ葵の背中が何か恐ろしいものに見える。もう逃げられない、と覚悟を決めた。

まもなく葵はトレイにカップを載せて、戻ってきた。

「桐生さん――」

そう口にした瞬間、強い酒でもあおったみたいに全身がかっと熱くなった。

「僕と付き合ってください」

自分でも驚くほどの大声になってしまった。周囲の客が自分たちのほうを見るのがわかる。

周囲の客はすぐに目を逸らしたが、二人の言葉に耳をそばだてているのは間違いない。見世物のようにしてしまった申し訳なさに、いたたまれない気持ちになった。最低の告白だ。

「出ましょう」

葵は小さな声で言うと、席を立った。慎一郎は叱《しか》られた子供みたいに、彼女のあとに続いた。

店を出た瞬間、葵は笑い出した。

「びっくりしたわ。すごく大きな声だったから」

「ごめんなさい。恥ずかしい思いをさせてしまって——」

「全然、大丈夫。店を出たのは、恥ずかしいからじゃないですよ」

歩きながら、葵は微笑んだ。

「見ず知らずの人に、私の言葉を聞かせたくなかったから」

葵は囁《ささや》くような声で続けた。

「さっきの返事——はい、です」

一瞬、自分の耳を疑った。

「今、何と言ったのですか」

慎一郎は思わず足を止めて訊いた。葵は前を向いて歩き続けたまま、きっぱりと答えた。

「二度は言いません」

慎一郎は慌《あわ》てて葵のあとを追った。

葵の横に並んでも、頭の中が混乱して何を言っていいのかわからなかった。

さっきの葵の言葉を胸で反芻《はんすう》した。葵はたしかに、はい、と答えた。ということは、付き合ってもいいと言ってくれたということか——。爆発するような喜びが遅れてやってきた。しかし言葉にはならなかった。

葵もまた無言だった。二人は言葉を交わさないまま、夜の通りを歩いた。

「私たち、どこに向かって歩いているのかしら」

気が付けば、駅からかなり離れていた。

「駅に戻ろうか」

「戻って？」

「電車に乗る」

葵は少し怒ったような目で慎一郎を見た。

「もう帰るの？」

あっと思った。

「もし、桐生さんさえよかったら——」かすれた声で言った。「一緒にご飯を食べませんか」

「喜んで」

葵の笑顔は慎一郎を天にものぼる気持ちにさせたが、同時に緊張させもした。洒落《しゃれ》たレストランになど行ったことがない慎一郎は、どんな店を選んでいいのかわからなかったからだ。

おろおろしていると、葵が「ふだんはどんなところで食べているんですか」と訊いた。

「外食は滅多にしないんですが、行く時は居酒屋かラーメン屋です」

「じゃあ、居酒屋に連れて行ってください」

慎一郎は目に付いたチェーン店の居酒屋を指差した。

「あんなところでもいいですか？」

「もちろんです」

店は大勢の客で一杯だったが、運良くカウンターの端に座れた。

「何を、飲みますか？」

「ビール」

慎一郎は生ビールを二人分注文した。まもなく、二つのジョッキが運ばれてきた。

慎一郎がジョッキを持って口を付けようとすると、葵が「待って」と言って、その手を制した。

「まずは乾杯でしょう」

「ごめん、じゃあ乾杯！」

そう言ってジョッキを合わせようとすると、葵がジョッキを引いた。

「何の乾杯なの？」

「えっ」

「私たちの初めてのデートでしょう」

「あ、ごめん――二人に乾杯」

葵はいたずらっ子のような表情をして、再びジョッキを引いた。

「二人のこれからに、でしょう」

慎一郎の胸が喜びに震えた。

「僕と桐生さんの、未来に乾杯」

葵がにっこり笑って、カツンとジョッキを合わせた。

冷たいビールを喉に流し込みながら、これは夢じゃないか、と思った。とても現実のことだとは思えない。気が付けば、自分の部屋の布団の上にいるのではないだろうか。頰をつねりたくなる気持ちをなんとか抑えた。

どうして自分なんかと？　と葵に訊きたかったが、そんな質問をすれば、魔法が解けてしまうような気がして、言葉を飲み込んだ。

「おなかがペコペコ。何、食べましょうか」

葵がメニューを広げた。

慎一郎は胸がいっぱいで食欲はまるでなかった。それでも、いつも食べている鶏の唐揚げや湯豆腐などを注文した。葵はサラダと魚のカルパッチョを選んだ。

「木山さん」

葵が口を開いた。

「どうして、私と付き合いたいと思ったのですか」

訊かれても、すぐに答えが出なかった。

「私のどこがいいと思ったのですか」

慎一郎は、何か気の利《き》いたことを言おうと思ったが、何も浮かばず、思わず葵から目を逸らせてしまった。ああ、目を逸らしちゃ駄目だ。何か言わないと——。しかし焦《あせ》れば焦るほど、頭の中が真っ白になった。

「うまく、言えないのですが」

ようやくの思いで口を開いた。葵は黙って頷いた。

「僕は桐生さんのことは何も知りません。だから、桐生さんのどこがいいと思ったのかということを上手《うま》く説明できません。でも、なぜだか、すごく——惹かれてしまったのです」

「木山さんは——よく知らない女性に惹かれるのですか」

真理子のことを思い出した。なぜか、今日見た金髪の彼女の姿ではなく、遠藤の会社にいた頃の面影で蘇ってきた。

「昔、前の会社にいた女性に心惹かれました。初めて好きになった女性です」

「お付き合いされていたのですか」

慎一郎は首を横に振った。

「いつも一緒に事務所で昼食を食べていました。でも、デートしたことは一度もありません」

「告白しなかったのですか」

「はい」

「どうしてですか」

「ふられると思ったからです」

「私にはふられないと思った？」

「ふられると思っていました」

慎一郎はそう答えながら、気持ちが落ち着いてくるのがわかった。

「女性に告白したのは、生まれて初めてです」

葵は静かに頷いた。

「その人は今どこに？」

「二年前に会社を辞めました」

もしかしたら、何か訊かれるかもしれないと思ったが、葵はそれ以上は何も訊かなかった。

「私は平凡な女です。魅力なんか何もないですよ」

「そんなことありません！」

その時、店員が料理を運んできた。

「いつから私を意識してくれていたのですか」

「多分——最初からだったと思います」

「初めてお店に来られたとき、木山さんは私の手をずっと見ていましたね」

「そうでしたか——よく覚えていません」

葵はじっと慎一郎の目を見た。慎一郎には、その瞳《ひとみ》はまるで自分の心を見透かすように思えた。

「この指先をじっと見つめていました」

そう言って、自分の両手を目の前にかざした。美しいネイルが施されたその細い指先は、先端までくっきりと見えた。

初めて見た時はこの指先が透けていた——そうだ、葵には死が間近に迫っていたのだ。自分が声をかけたことによって、葵の運命は変わった。そして今、そのことで自分自身の運命までも変わろうとしている。

葵は手をテーブルの下に戻した。

「木山さんは、私の命の恩人です」

「恩人なんかじゃないです」と慎一郎は言った。「あれは単なる偶然にすぎません」

「偶然であろうとなかろうと、恩人であることには違いありません。木山さんは、私にとって特別な人です」

慎一郎は自分の持つ不思議な「力」に初めて感謝した。

この「力」が、自分自身の運命を大きく変えたのは初めてだ。もしかしたら、この「力」は葵と出会うために授けられたものかもしれない、とすら思えた。

最初は緊張のせいでまったく食欲がなかったが、ビールを飲むうちにリラックスしてきて、皿に箸《はし》をつけるようになった。

「木山さんとはもう一度会えるような気がしていました」

葵は微笑んだ。

「だから、今夜、木山さんが店に来たときも驚きませんでした。お客さんと話しているときも、ずっと気になっていました」

「僕が来ていたのに、気が付いていたんだ」

「もちろん、すぐに」

慎一郎は胸が熱くなった。


店を出ると、冷たい風が二人を包んだ。

「寒いね」と慎一郎が言った。

「もう師走《しわす》ですからね」と葵が答えた。

駅までの道を歩いているとき、葵がそっと慎一郎の腕に自分の腕をからませてきた。あっと思ったが、慎一郎は何も言えなかった。

女性と腕を組んだのは生まれて初めてだった。服を通して、葵の腕の感触が伝わった。心の底から幸せを感じた。駅までの道が永遠に続けばいいと思った。

二人とも無言で歩いた。いつのまにか歩みが遅くなっていた。葵もまたゆっくりと歩いていると気付いて、嬉《うれ》しくなった。

やがて駅に着いた。葵がさりげなく腕をほどいた。

二人は改札を抜けた。葵の乗る電車はホームが違う。

「木山さん、今夜は楽しかったです。ごちそうさまでした」

「うん――」

それしか言えなかった。

葵がさっと右手を差し出した。慎一郎が同じく右手を出すと、彼女はその手を握った。

「じゃあ、また」

そう言うと、手を離して、ホームへの階段を駆け降りていった。

葵の姿が視界から消えたのを確かめてから、自分の右手をじっと見た。その手にはまだ彼女の温《ぬく》もりが残っている。その手で頬をつねると、小さな痛みが走った。

夢じゃない！

葵とデートした。腕を組んで歩き、手を握った。声を上げて喜びを表したい気持ちをなんとか抑えた。

自分の乗る電車のホームに向かいかけたが、もう一度、葵の顔を見たいと思った。今すぐ向こうのホームに行けば、彼女に会えるだろう。彼女の降りる駅まで一緒に電車に乗ろう。

慎一郎は踵を返すと、葵のいるホームの階段に向かって走った。しかしホームに着くと、そこには葵の姿はなかった。右手には出たばかりの電車が小さくなっていくのが見えた。

間に合わなかった。もっと早くに決断したらよかったと思ったが、後悔するほどのことでもなかった。むしろ一緒に帰ったりすれば、余計に未練が残る。

帰りの電車の中は結構混んでいた。慎一郎は左手で吊革《つりかわ》を持ちながら、何度も右手をポケットから出して眺めた。葵の手の感触はまだ消えていなかった。今頃、葵もこんなふうに右手を眺めているだろうかと思った。あり得ないと思ったが、そんなふうに想像するだけで楽しかった。

何気なく正面に目をやると、窓に映る自分の顔が見えた。驚いたことに微笑んでいた。恥ずかしくて、思わず両隣りの乗客の顔を盗み見た。左右に立つ二人の男は慎一郎には関心を払っていなかった。

だがその時、目の端に何か嫌なものが映った気がした。ゆっくりと視線をずらし、両隣りの男の手を見た。気のせいではなかった。二人の男の手は指先が透けていた。目を閉じて、小さく息を吐いた。楽しい気分がぶちこわしだ。どうして、こんな夜に、こんなものを目にしなくちゃならないんだ。しかも、まるで自分をあざ笑うかのように、左右に立たせるなんて――。死神がからかってでもいるのか。

慎一郎は二人の男から離れるために、ゆっくりと車内を移動した。

自分はもう他人の運命には一切関わるつもりはない。そう心の中で呟《つぶや》いたとき、ふと、妙なことに気付いた。最近、立て続けに透けている人を見る。まるで自分を狙《ねら》ったかのように目の前に現れる。今日の夕方、横浜駅のエスカレーターでも見た。また数日前、会社にやって来た渡辺夫妻もそうだった。そして今、両隣りに立っていた二人の男――。

こんな短い期間に、これほど連続して透けている人を見たことはない。しかも、奇妙なことに透明な部分はいずれも指先だけだ。これはどういうことだ。単なる偶然なのか、それとも何か意味があるのか――。

慎一郎は小さく首を振った。

余計なことは考えるな、自分には関係がない。誰の指先が消えていようと、どうでもいいことだ。たまたま自分の両隣りにそんな男が揃《そろ》って立とうと、それがどうしたというのだ。そんなことだってあるだろう。彼らがわざわざ自分のそばに近づいて来たわけじゃない。その証拠に、自分が移動しても、相変わらずそのまま立っているではないか。

慎一郎は少し離れたところから、さっきの二人を見た。自分がいたところがぽっかりと空いているその両側に、二人の中年男が同じ恰好《かっこう》で立っている。

その時、二人の男がくるりと振り返ると、こちらに向かって歩いて来た。慎一郎は恐怖に身をすくませた。

その時、後ろのドアが開いた。多くの乗客が電車から降り、二人の男も慎一郎の横をすりぬけて降りていった。彼らはそのまま改札のほうに歩いて行く。

ドアが閉まりかかり、慎一郎も慌てて降りたが、胸の動悸《どうき》はなかなかおさまらなかった。

自室に戻ってから、葵のことを思い出すと、じわじわと喜びが湧き起こってきた。目を閉じて、葵の働く携帯ショップに行ってからのことを、頭の中で一から反芻した。葵の言葉を頭の中で何度も繰り返す。そのたびに、嬉しさのあまり、声が出そうになった。

「さっきの返事──はい、です」

葵のセリフを呟いてみた。恥ずかしさと喜びで、身悶《みもだ》えするくらいだった。

葵と腕を組んで歩いたことを思い出した。無意識に左腕を曲げて、その時の恰好をした。

好きな女性と腕を組んで歩くということが、これほどの幸福感に包まれるものだったとは──。今まで知らなかったことが悔しかった。布団《ふとん》の上に横になって、幸福感を全身で味わった。

右手を天井にかざした。この手が一時間前に、葵の手を握った。この指が葵の指に触れたのかと思うと、自分の指先にさえ嫉妬《しっと》したい気持ちになった。

指先を見つめていると、電車の中で見た二人の男を思い出してしまった。同時に、夕方、駅のエスカレーターで見た男、数日前に工場にやって来た渡辺夫妻を思い出した。彼らは皆、指先が消えていた。それは偶然か──。

慎一郎は頭の中から彼らを追い払った。彼らにどんな運命が待ち受けていようと、それには関わらない。自分は自分の幸福を追求するんだ。その幸福とは葵と歩む人生にほかならない。

布団の上で寝返りをうったとき、不意に真理子のことを思い出した。薄いピンクのスーツを着て、焦点の定まらない目で、頼りない笑みを浮かべていた彼女の顔が、脳裏にくっきりと浮かび上がる。その顔はまた、かつて清純だった頃の真理子と重なった。

なぜか真理子に責められているような気がした。自分を見捨てて、一人だけが幸せになろうとしているのか、と。

違う！　と慎一郎は心の中で叫んだ。真理子とはもう何の関係もない。彼女の人生は彼女のもので、自分がどうこうすることはできない。それに、彼女の現在の境遇は自分のせいではない、彼女自身が選んだものだ。

その時、今日、葵に告白したのは、真理子に会ったせいだとはっきりわかった。真理子の姿を見たことで、気持ちが動いたのだ。二年前、真理子に告白していたなら、真彼女の運命は変わっていたかもしれないという気持ちが、自分自身の背中を押したのだ。

慎一郎は横になったまま、タバコに火を点けた。

人の運命は本当にささいなことで変化するのだなと、あらためて思った。葵がいるショップを訪ねたのも運だし、たまたまそこに葵がいて、自分の担当についたのも運だ。自分が彼女に声をかけ、彼女がそれに応《こた》えたのも運だ。そして今日、真理子に再会したのも運だ。もちろん真理子に会いに行ったのは自分の意思だ。しかし、彼女が休みだったり、たまたま客を取っていたりしたら、おそらく再会することはなかっただろう。

そのどれか一つでも欠けていたら、今夜、葵と素敵な時間を持つことはなかったはずだ。

しかし、二人の関係に一番大きな影響を与えたのは、自分が葵の「死の運命」を変えたことだ。ただ、これには彼女の決断も関係していた。もし、あの夜、葵が慎一郎の誘いを断って、いつものように帰宅していたら、事故に巻き込まれていた。ということは、彼女自身が自らの運命を変えたことになる。そこまで考えたとき、一つの疑問が浮かんだ。

——なぜ彼女は待ち合わせ場所に現れたのだろう。

普通なら、客が声をかけたくらいで、のこのこやっては来ないはずだ。葵は万人が認めるような美人ではないが、笑顔がチャーミングだ。客からナンパされることも珍しくないだろう。ましてや自分のような風采《ふうさい》の上がらない男に誘われて、オーケーするはずがない。

もしかしたら葵は自分に声をかけられた時、運命的な何かを感じたのだろうか。動物的な勘で、自らの窮地を回避したのだろうか。自分に不思議な能力があることを考えると、そういう「勘」を持っている人間がいたとしてもおかしくはない。

目を閉じると、葵のはにかんだ笑顔が浮かんだ。自分の体が幸福感に包まれるのを感じた。

心を通わせる相手ができた喜びは、人生で初めて味わうものだ。家族を失って以来、ずっと孤独な世界に生きてきた自分に、こんな幸せがやって来るとは夢にも思わなかった。

できれば、葵と一緒になりたい。結婚して、今の会社を二人でやっていきたい。そして子供を作り、彼らが大きくなるのを見守りたい。子供たちには、自分が味わった悲しみは絶対に味わわせない！

葵とは来週の水曜日、彼女が休みの日に横浜に行く約束をしていた。生まれて初めての本物のデートだった。

慎一郎は吸い終わったタバコを灰皿に押し付けると、そのまま深い眠りについた。

17

日曜日の昼過ぎ、渡辺夫妻がやってきた。

磨き上げたＢＭＷを見せると、渡辺はその出来栄《できば》えに満足した。

「新車だから、磨いてもたいして変わらないだろうと思っていたけど、一層よくなっている。さすがだね」

その横では渡辺の妻が微笑んでいた。

慎一郎は二人の指にちらっと目をやった。数日前には消えている部分は爪《つめ》の先だけだったのに、今は夫妻とも付け根から先がすべて消えていた。二人は確実に「死」に近付いている。おそらくは同時に亡くなるのだろう。

慎一郎は渡辺の指をなるべく見ないようにして、代金を受け取った。

二人を見送ってから、小さくため息をついた。渡辺夫妻はあのピカピカのＢＭＷを、あとどれくらい運転できるのだろうか。おそらく三週間くらいだろう。でも、それがどうした。今の自分は葵のことしか考えられない。それ以外のことはどうだっていい。

午後、慎一郎は預かっていたもう一台の車を磨くと、夕方、横浜に出かけた。葵に贈る指輪を買うためだった。

付き合い始めたばかりなのに、指輪のプレゼントなんて気が早いのはわかっていた。しかし、自分の想いを伝えるためにも葵に何かを贈りたかったのだ。人にプレゼントするなんて生まれて初めてだ。それがこんなにも心が弾むことだとは想像もしなかった。

ポケットには七十万円が入っていた。会社を立ち上げてから今日までの間に貯《た》めた金のほとんどだったが、その全部を使ってもいいと思っていた。たとえ、最終的に葵にふられることになってもかまわない。プレゼントを受け取った葵が笑顔を見せてくれさえすれば、指輪の対価としては十分すぎるほどだ。

指輪など買ったことがない慎一郎は、とりあえず横浜駅前にあるデパートの貴金属売り場へと向かった。

売り場に着いた途端、まるで場違いなところに来た感じがして、気持ちが萎縮《いしゅく》してしまった。一応、服は着替えてきたものの、溶液の臭《にお》いが体に残ってはいないだろうかと気になった。また、聞いたことがないようなブランドの販売ブースがいくつもあり、どこで買えばいいのかわからなかった。

しばらくうろうろしていたが、歩き回っているだけでは埒《らち》があかないので、適当に目に付いたブースのショーケースを覗《のぞ》いた。指輪やネックレスがいくつも並んでいたが、慎一郎にはどれがいいのかさっぱりわからなかった。

「いらっしゃいませ。どういったものをお探しですか？」

ショーケース越しに店員が尋ねてきた。派手な化粧をした若い女性だった。

「ええと――」

「指輪ですか？　ネックレスですか？」

「指輪が欲しいんですが」

しどろもどろに答えた。

「お値段は、どのあたりのものをご希望ですか？」

「七十万円ほど」そう言ってから慌てて訂正した。「七十万円まで」

女性店員は慎一郎の顔を見つめて微笑むと、「プレゼントですか？」と訊《き》いた。

「はい」

「婚約指輪でしょうか？」

自分の顔が赤くなるのがわかり、黙って頷いた。

「少々お待ちください」

店員はそう言うと、一旦《いったん》奥へ退いたが、すぐに戻ってきた。

「これなどはいかがでしょうか」

店員が箱をショーケースの上に置いた。箱の中にはいくつも指輪が並んでいた。指輪には皆、透明の宝石が付いていた。

「これはダイヤですか？」

「そうです」

生まれて初めてダイヤモンドを生で見た。

「これ、綺麗《きれい》ですね」

慎一郎は箱の中の一つを指差した。

「これですね」

店員は両手に黒い薄地の手袋をはめると、丁寧に指輪を取り出した。

「どうぞ、お手に取ってご覧になってください」

慎一郎は指輪を摘むと、目の近くまで持ってきて見た。

光が反射してキラキラと光る。見たことのない輝きだ。これがダイヤか——と思った。ガラスとはまるで違う。世の中の女性が夢中になるのがわかる。この指輪が葵の白い指を飾ればどれほど素敵だろう。

値札を見ると七十五万円とあった。

「いかがですか」

店員が訊いた。

「素敵ですが、予算を少しオーバーしています」

「少々お待ちください」

店員は指輪を持って、奥にいた上司らしき中年女性のところにいき、二人で指輪を見ながら相談を始めた。店員はすぐに戻ってくると、「消費税込みで、七十万円でいかがでしょうか」と言った。

「その値段でいいんですか」

「はい」

「では、これを下さい」

店員はにっこりと微笑むと、「指輪のサイズはおいくつですか？」と尋ねた。慎一郎は自分の迂闊《うかつ》さに恥じ入った。

「すみません——よくわからないのです」

店員は少し困ったような表情を浮かべた。

「細いです」

「私くらいですか？」

店員はそう言うと左手の手袋をはずして、ショーケースの上にその手を置いた。その瞬間、慎一郎は、思わず声を上げそうになった。指がほとんど消えていたからだ。まさかこんな時に透明な指を見せられるとは思ってもいなかった。

「私よりも細いですか」

そう言われても、その指をまともに見られなかった。ゆっくり深呼吸しながら、自分に言った。透明な指を見るな。この女の運命など、知ったことではない——。その説得は上手《うま》くいった。

動揺がおさまってから、薄い手袋をはめている彼女の右手の指を見た。

「同じくらいです」

「では、一応、九号のものをお渡ししておきますが、サイズのお直しは後日でも承ります」

店員の言葉に慎一郎は黙って頷いた。

「では、お包みしますので、少々お待ちください」

そう言うと、店員は店の奥に消えた。

彼女に残された命はあと一ヵ月くらいだろうという思いが頭をよぎったが、すぐにそれを追い出した。今の自分には葵と指輪のことしかない。

十分後、慎一郎は指輪が入った袋を手に店を離れた。

こんな高価な物を買ったのは生まれて初めてだったが、後悔はまるでなかった。それどころか、心が浮き立つような気持ちだった。

葵が箱から指輪を出して、指にはめるところを想像した。もしかすると、「木山さんがはめて」と言うかもしれない。葵の指に手を添えて、薬指に指輪をはめるところを想像しただけで、胸が苦しくなるほど、ドキドキした。

デパートを出た途端、冷たい風が頬を撫《な》でた。その瞬間、女性店員の指が脳裏に蘇《よみがえ》った。楽しい気分がいっぺんにどこかへ消えた。

いったい、どういうことなのだろうと思った。なぜ、立て続けに透明な指を見るんだ。これは偶然なのだろうか。それとも、自分がそういう人たちを引き寄せているのだろうか。

もしかしたら――指が透明になるというのは、「死の前兆」とは違うのではないか。つまり、自分の「力」が何か変化したのかもしれない。そもそもこの「力」は、黒川が言っていたように、「バグ」のようなものだ。絶対的な法則があるとは言えないはずだ。自分にしたって、幼いときに一度だけ現れ、その後は二十年以上、現れなかった。だから、ここにきて、その「力」が突然何らかの変異を遂げたとしても不思議ではない。

ああ、もう止《や》めよう、と思った。こんなことをいくら考えてもわかるわけがない。結論の出ないことを考えるのは無駄だし、それ以前に、指が透けて見える人間がいくら目の前に現れようと、自分には関係がない。

横浜からJRに乗って蒲田へ戻る途中、川崎駅に着いたとき、葵のことを思い出した。葵はまだ働いているのだろうか。

目を閉じると、髪の毛を後ろに束ね、制服を着て、客に商品の説明をしている葵の姿がまぶたの裏に浮かんだ。会いたいと思った。三日後に会えるのに、今夜、ひと目だけでも顔を見たくてたまらなくなった。

気が付けば電車を降りていた。駅を出ると、携帯ショップに向かった。

店の外から覗くと、葵がいた。カウンターで客相手に何かを説明している。なんて知的で綺麗な顔をしているんだと思った。こんな素敵な女性と付き合っているというのが信じられない。店の中にいる人たち全員に、知らせたかった。桐生葵は自分の恋人だ、と。

思わず苦笑した。昨日、付き合い始めたばかりなのに、もう「恋人面《づら》」しようとしている自分がおかしかった。もしかしたら、次の水曜日にはふられているかもしれない。でも、それでもいいと思った。昨夜から今日にかけての楽しい気分を味わえただけで、もう十分だ。たとえふられても、この思い出だけでいつまでも幸せな気分でいられる——。

店を離れて、駅に向かうと、ポケットに入れていた携帯電話が震えた。取り出すと、葵からのメールだった。

「あと一時間で仕事が終わるから」

ええっ？　と声を上げそうになった。まさか見られているとは思わなかった。

慌てて、「店の外にいたのにわかったんですね」と返信メールを送った。それから駅前のスターバックスに入った。

店に入ると同時に、葵からメールが返ってきた。

「あんなふうに覗いていたら、不審者だと思われるよ」

文章の最後には、笑顔の絵文字が付いていた。初めてもらう絵文字付きのメールも嬉しかったが、それよりも葵が自分に気付いていてくれた嬉しさのほうが大きかった。

上手く笑いにもっていけるように返信メールを打ちたかったが、どれだけ頭をひねっても、いい文章が浮かばなかった。結局、「スタバで待っています」とだけ打った。送信ボタンを押そうとして指が止まった。ですます調はおかしいのではないかと思ったのだ。葵がくだけた文面なのに、他人行儀な丁寧語はかえって彼女を傷つけるかもしれないような気がした。

それで、「待ってる」と打ち直したが、今度は少し馴《な》れ馴《な》れしい感じがした。恋人気取りでいると、葵に思われるのが怖かった。結局、悩んだ末に、最初の言葉に戻して送った。

たったそれだけのことでひと仕事終えたような気分になった。でも、本番はこれからだ。三日後に渡すはずだったダイヤの指輪を、もしかしたら今夜渡すことになるかもしれない――。そう思うと、急に緊張してきた。同時に不安が襲ってきた。

もし、受け取ってもらえなかったらどうしよう。付き合ってまだ二日目なのに、あまりにも唐突で高価すぎる贈り物なのではないか。ずっと葵の喜ぶ様ばかり想像してきたが、もしかしたら、彼女は困るかもしれない。突き返されたら、と考えると、胸のあたりが苦しくなってきた。その時は――もうおしまいだ。

何気なく、横の椅子《いす》に目をやった。その瞬間、背筋が寒くなった。そこの上に置いていた紙袋がなくなっていたからだ。

慌てて椅子の下を覗き込み、それから周囲の床を見渡した。紙袋は忽然《こつぜん》と姿を消していた。

焦りながらも、必死で記憶を辿《たど》った。たしか、メールがきたとき、横の椅子に紙袋を置いた。それは間違いない。その後、メールに完全に気を取られていた。その間に盗まれたのだ――。

全身の力が抜けた。しばらく椅子に座ったまま呆然《ぼうぜん》としていたが、やがて悲しみが遅れてやってきた。幸福が指輪とともに去っていったように思った。とても葵に会う気分にはなれない。楽しい会話なんかできるはずもない。

慎一郎は携帯を取り出すと、葵にメールを打った。

「急用ができました。帰ります」

そう送信すると、携帯の電源を落とし席を立った。

帰りの電車の中で、あらためて悲しみに襲われた。体中のすべての力がなくなったような気がした。

蒲田駅に着いたときも、力を振り絞らないと、座席から立ち上がれないほどだった。会社までの道を歩くのも辛《つら》かった。一歩歩くたびに、幸せが体からぽろぽろと落ちていく気がした。

もう葵とは終わりだと思った。指輪をなくしたのは二人の運命を暗示している。あの指輪こそ、二人の幸せを象徴するものだった。それなのに自分は、その幸せをしっかりと摑《つか》んでいなかった。うっかりと目を離し、それを誰かに奪われた。盗んだのは人間だが、慎一郎には、人ではない何か――「運命」が指輪を盗み取ったような気がした。指輪など贈ってはいけない、と神様に怒られたような気がした。お前のような者が人並みの幸せを望んではいけないのだ、と。

会社に戻ったが、二階へ上がる気力すら湧《わ》かなかった。階段に腰を下ろし、壁に肩をもたせかけたまま、目の前のがらんとした空間をぼんやりと見つめた。車を三台も置けばいっぱいになってしまう小さなガレージ。これが自分の世界だ。自分はここで一人で生きていくんだ。毎日ひたすら車を磨いて――。

一時間ほどそうしていたが、突然、チャイムが鳴った。日曜日のこんな時間に誰かが訪ねてくるなんて滅多にないことだ。ましてガレージのシャッターは降りている。何か嫌な予感を覚えつつ、インターホンに向かって「誰ですか？」と尋ねた。

「私です」

心臓が止まりそうになった――葵の声だった。

慌てて、ドアを開けると、赤いコートを着た葵が怒ったような顔をして立っていた。

「何度もメールしたのに、どうして返事をくれないの？」

何と答えていいのかわからなかった。

「ごめん――」

下を向いて、それしか言えなかった。葵は怒った表情から、一転して、心配そうな顔で言った。

「何か、あったの？」

黙って首を横に振った。

「入れてくれる？　寒いわ」

慎一郎は葵をガレージの中に招き入れた。

「ここも寒いね」

葵は苦笑した。

「二階へ行く？　エアコンをつけたら暖かくなる」

葵はコートを着たまま頷《うなず》いた。

二階の事務所に入ると、慎一郎は湯を沸かした。

「熱い紅茶を入れるね」

しばらくすると部屋が暖かくなってきた。カップに湯を注ぎ、ティーバッグを入れた。

「急用って、何だったの？」

その問いには答えられなかった。

「私に会いたくなくなったの？」

首を横に振った。

「何があったのか教えてほしいわ」

「実は」

慎一郎は重い口を開いた。

「今日、桐生さんに、大切なプレゼントを買ったのですが――」

葵は黙って頷いた。

「それを失《な》くしてしまったんです」

自分で言葉にしながら、何とくだらないことを言っているのだろうかと思った。こんな理由で待ち合わせをすっぽかすなんて、誰が聞いても納得するはずがない。もう少しうまく説明しないと、と思いながら、自分の絶望感をうまく言い表す言葉が見つからなかった。

葵は静かに訊いた。

「大切なプレゼントって――もしかして、指輪？」

図星を指されて絶句した。

葵は微笑《ほほえ》むと、机に載せていた慎一郎の両手の上に右手を重ねた。

「大丈夫」

葵は優しい声で言った。

「今、受け取ったよ」

そして自分の左手の薬指に右手を添えた。その仕草を見た瞬間、慎一郎は喉《のど》の奥に何かが詰まったような感覚を覚えた。あっと思った時には、涙がこぼれていた。

「ごめん」

慌《あわ》てて涙を手でぬぐった。葵はそれをじっと見ていた。

「私のために、頑張って買ってくれたものだったんでしょう」

見ると、葵の目にも涙が浮かんでいた。

慎一郎は葵の手を握った。彼女は目を閉じた。しかし、慎一郎はどうしていいのかわからず、ただ、その手を握っているだけだった。

互いに無言のままそうしていたが、やがて葵が目を開けた。

「紅茶が冷めちゃった」

「新しいのを入れるね」

慎一郎は葵の手を離すと、立ち上がって、戸棚に向かった。葵の座っている横を通った時、彼女がそっと手を握ってきた。

慎一郎は、足を止めて葵を見た。自分を見上げている葵と目が合った。慎一郎はしゃがむと、椅子に座っている葵の体を抱きしめた。葵は抵抗しなかった。

唇を合わせた。生まれて初めてのキスだった。全身に電流が走ったような感じがした。

しばらく不自然な恰好で抱き合ったままキスしていたが、やがて慎一郎の方から体を離した。どれくらい抱き合っていたかわからなかった。時間の感覚を完全に失っていた。同時にとんでもないことをしてしまったと思った。いきなり抱きついてキスするなんて、葵になんと思われたかわからない。

「ごめん」

「謝ることじゃないよ」

葵はさとすような口調で言った。そして自分も椅子から立ち上がった。

「でも、さっきの姿勢は苦しかった」

そう言って微笑んだ。

再び葵を抱きしめると、彼女は慎一郎の背中に両手を回した。気が付けば再びキスを交わしていた。

女性の唇って、こんなにも柔らかいものなのか。お腹《なか》の奥が締め付けられるような感じがした。自分が今どこにいるのかもわからなかった。ガレージの二階にいるのは頭で理解していたが、その実感はまるでない。時間も何もない不思議な空間で、葵と抱き合っているような気がした。

知らないうちにまた涙が流れていた。それに気付いた葵は唇を離すと、慎一郎の濡《ぬ》れた頬をそっと指で撫でた。

「どうして、泣くの？」

「わからない」慎一郎は答えた。「幸せだからかな」

「幸せだと泣くの？」

「自分の人生で、こんなに幸せなときがくるとは思ってなかった」

葵は頷いた。

「指輪をなくした時、やっぱり幸せにはなれないんだと思った」

「慎一郎さんは運命論者なんですか？」

「指輪をなくしたことで、こんな幸せが巡ってきた」

葵は恥ずかしそうに笑った。

「桐生さん、暑くない？」

ずっと葵がコートを着たままなのに気付いて言った。狭い事務所スペースはすでに暖かくなっていた。

「名前で呼んでほしいな。他人行儀じゃなくて」

慎一郎は一度頷いてから、葵さんと言おうとしたが、緊張して言葉が出なかった。

「私の名前、呼びにくいでしょう。全部、母音だから。特に外国人は言いにくいみたい。アオーイって言うのよ」

葵の口真似《くちまね》がおかしかった。

「初めて笑ったね」

「葵さんが面白いことを言うから」

「さん、も、いらないよ」

慎一郎は葵を抱きしめた。二人は抱き合ったまま何度もキスを交わした。

やがて葵は「もうそろそろ帰らないと」と時計を見上げた。

気が付けば、十一時を過ぎていた。

「ごめん、全然、気が付かなくて」

「それは私も同じ」

葵は少し乱れた髪の毛を指で整えながら言った。

一緒にガレージを出た。

「駅まで送るね」

「ありがとう」

駅までの道を歩きながら、昨日のように、葵が腕を組んできた。昨日は緊張するばかりだったが、今度は腕を組む喜びを噛《か》み締めながら歩いた。

やがて駅に着いた。

「水曜日、会える？」慎一郎は訊いた。

「もちろん」

葵は笑って答えると、改札を抜けていった。

葵を見送って踵《きびす》を返した慎一郎に、突然、声をかける者があった。

「よう、木山じゃないか」

振り返ると、革ジャンを着て、野球帽をかぶった男が立っていた。金田だった。

「久しぶりだな」

金田は馴れ馴れしく近寄ってきた。慎一郎は緊張しながら身構えた。

「そう、怖い顔をするなよ。何もしねえよ」

金田はそう言って笑った。その顔を見て、あれっと思った。以前のような悪意がこもった表情ではなかったからだ。

「お元気でしたか」

「なんとかな」

「今、何をしてるんですか？」

「トラック運転手だよ。すぐそこの運送会社でな」

金田がこんな近くで働いているとは知らなかった。

「実は遠藤社長が紹介してくれてさ」金田は少し照れくさそうな顔をした。「あんなことをしたのにな」

初めて聞く話だった。

「お前にも悪いことをしたな」

「いいえ」

金田は慎一郎の顔をじっと見つめると、やがて帽子を取って、頭を下げた。

「すまなかった」

「いいですよ」

金田は顔を上げて帽子をかぶったが、もう一度、礼をした。

慎一郎は驚きながら言った。

「金田さん、変わりましたね」

「ああ、俺は甘えてたんだと思う。あんなことがあって、初めて、気が付いたよ」

慎一郎は頷いた。

「お前にも嫌なことをいっぱい言ったな」

「何とも思っていません」

「今、考えると、お前の腕に嫉妬《しっと》していたんだと思う」

「それほどの腕はないですよ」

「あと、お前はなかなか皆と打ち解けなかった。どこかお高くとまっているような気がして――」

ああ、そうだったのか、と思った。たしかに言われてみれば、自分から積極的に人と交わろうとはしなかった。金田が言うように思われたとしても仕方がなかったのかもしれない。

「独立したらしいな」

「はい。この近くでやってます」

「お前の腕は一流だから、やっていける。遠藤社長のところみたいに大きくなるよ」

「そうなればいいんですが」

「頑張れよ」

金田はそう言いながら、慎一郎の肩を叩《たた》き、右手を差し出した。握手しようと慎一郎も右手を出しかけた瞬間、思わず手が止まった。金田の指が消えていたからだ。

「どうした？ 握手してくれないのか」

「あ、すみません」

慌てて金田の手を握った。見えない指の感触ははっきりとあった。手を引っ込めたくなるのをこらえて、指先に力を入れた。

「じゃあな」

金田は笑顔で手を振って、去っていった。

金田の後ろ姿を見ながら、これはどういうことなのだ、と思った。なぜ、立て続けに指先が透けた人たちを見るのか。この一週間で七人も見ている。

自分の「力」が何か変調をきたしているのか。それは十分ありうることだ。もともとが「バグ」のようなものだ。それがおかしくなったとしても何の不思議もない。そう思ったとき、突然、別の考えが頭をよぎった。この数日に見た、指が透けて見える人たちは、皆、同時に死ぬのではないだろうか——。

愕然《がくぜん》とした。なぜ、それに気付かなかったのか。普通に考えれば、すぐに思い付きそうなことだ。自分の迂闊さに呆《あき》れた。人はそれぞれがそれぞれのときに死ぬと思い込んでいたから、この発想がなかったのだ。しかもまったく別の場所で見た人たちが同時に死ぬなんて、思いもよらなかった。もしこの仮定が正しければ、どういうことになる？

慎一郎は夜の道路で立ち止まったまま、じっと考えた。「災害」という文字が頭に浮かんだ。大規模な事故か、ビル火災か、それとも震災のような自然災害か——それ以外に、何人もの人たちが同時に死ぬ状況が思いつかない。たしか葵の指が全部消えてから全身が透明になるまでの期間は三週間だった。黒川は手首から先が消えていたパティシエを見て、「三週間足らずで死ぬ」と予言した。すると、金田らは三週間後あたりに何かに巻き込まれて死ぬと考えていいだろう。

頭の中のカレンダーをめくった。三週間後は年末あたりだ。

年末といっても正確に何日なのか、また、どこで起きるものなのかもわからない。どんな災害かもわからない。だから、考えても無駄だ。自然災害なら防ぎようもないし、事故だとしても、自分はそれに巻き込まれる人たちを救う気はない。そもそもんなに大勢の人を救うことなどできない。もう考えるのはやめよう。どっちにしても自分には関係のないことだ。

それにしても、金田の印象が変わっていたことは驚きだった。

金田は自分が思っているほど悪い奴《やつ》ではなかったのかもしれない。彼がいろいろと嫌がらせをしてきたのは、自分の中に彼を苛立《いらだ》たせる何かがあったせいではないか。他人と交わろうとしない性格は、むしろ他人をして、面白くない奴と思わせるものがあったに違いない。

思えば、ずっと心を殻で覆《おお》ったまま生きてきた。しかし今はそうではない——。人と交わることの喜びを知っている。人と共にいる喜びを知っている。心の殻を取り去ってくれたのは、葵だ。彼女と出会って確実に何かが変わった。もしかしたら、金田が声をかけてきたのは、そんな自分の変化を感じ取ったからかもしれない。今なら金田とはうまくやれるかもしれない。

しかし金田の命も年内いっぱいだ。一瞬、哀れに思ったが、すぐにその感情を打ち消した。

今の自分には、葵との生活以外の何も興味はないんだ。

しかし部屋に戻ると、さっきの考えがまた頭をもたげてきた。もし災害だとしたら、それに自分や葵が巻き込まれるということはないのだろうか。

自分の両手を見た。指先まではっきりと見えている。前に黒川は、自分の運命だけは見えない、と言っていた。だから、自分がその災害で命を落とすかどうかはわからない。そんなことがあるわけないと思ったが、渡辺夫妻や金田がそういう運命に巻き込まれるなら、自分がそうなっても不思議ではない。

それは絶対に嫌だ！　せっかく幸せをこの手に摑みかけたのに、死ぬなんて真っ平ごめんだ。自分がそうなるかならないかを見分ける方法が一つだけある。黒川に見てもらうことだ。彼とは二度と会わないという約束をしていたが、一度だけ破らせてもらおうと思った。もし、彼の目に自分の指先が透けて見えていたら——。その時は、この町を離れる。そうすれば助かるはずだ。

そう思ったとき、美津子が話してくれたバグダッドの死神の話を思い出した。死神に出会った召使は馬でサマラの町まで逃げたが、実は彼はそこで死神に出会うはずだったのだ。自分もまた逃げた先で死神に捕まるかもしれない。だが、そのときはそのときだ。

一番心配なのは葵のことだ。葵の指先は透けていなかったから、死は迫っていない。しかし災害に巻き込まれて大きな怪我《けが》をしないとは言えない。葵だけは絶対にそんな目に遭わせない——慎一郎はそう心に誓った。

18

翌日の夕方、慎一郎は横浜の総合病院に黒川を訪ねた。

受付で名前を告げ、黒川先生に会いたいと伝えると、三十分ほど待たされた後、ロビーに白衣を着た黒川がやってきた。

「もう会わないという約束だったはずだが」

黒川は憮然《ぶぜん》とした顔で言った。

「すいません。どうしても黒川さんに見てもらいたいものがあって——」

「何だ？」

慎一郎はいきなり黒川の目の前に両手を出した。

「何の真似だ」

黒川は呆れた顔をした。その表情には特に驚きのようなものはなかった。慎一郎は内心ホッとした。もし、自分の両手が透けていたなら、彼の表情に何かしら変化が現れたはずだ。

「試したのか」黒川はにやりと笑った。「自分の手が透けて見えるかどうかを」

「すみません」

　慎一郎は頭を下げた。

「こんなところでややこしい話はできない。食堂へでも行こう」

　黒川は最上階の食堂へ慎一郎を案内した。夕食にはまだ早い時間だったので、食堂にはほとんど人がいなかった。黒川と慎一郎は奥の窓際《まどぎわ》のテーブルに着いた。

「自分が死ぬかもしれないと思ったか」

　慎一郎は曖昧《あいまい》に頷いた。

「横浜駅近辺で透けている人を何人か見たからか」

　慎一郎は驚いた。しかし直後に黒川は少し顔を歪《ゆが》めた。うっかり口を滑らせたというふうに見えた。

「黒川さんも、見たんですか」

　彼はその問いには答えなかった。しかし否定しなかったということは、見たということなのだろう。だとしたら、自分の「力」は正常に機能しているということだ。

「先週から、何人か連続して見ました。これって、同時に何人かが亡《な》くなるということではないですか」

「だったら、どうした？」

黒川が少しイライラした口調で訊き返した。

「災害か何かでしょうか」

「さあな。単なる偶然かもしれん」

黒川はコーヒーを飲みながら言った。慎一郎はその手を見つめた。カップをもつ指ははっきりと見えていた。

黒川はカップを皿に乱暴に戻した。

「仮に、災害だったとして、どうするつもりなんだ」

「どうもしません」

黒川は口元に笑みを浮かべた。

「それはいいことだ。俺たちには他人の命を助ける義務など何もないんだ。天使に生まれたわけじゃないからな」

慎一郎は頷いた。

「で、お前が心配しているのは、自分が巻き込まれないかということだな」

慎一郎が再び頷くと、黒川はおかしそうに笑ったが、すぐに笑いを消し、真剣な顔で慎一郎を睨《にら》んだ。

「お前に言っておく。俺の目にお前の指がどう見えているかは、言わない。なぜかわかるな。俺は他人の運命には関わらないからだ。それに――お前を死から救えば、俺自身が死ぬかもしれんからな」

「でも、黒川さんは、さっき僕の手を見ても、全然、表情を変えませんでした」

黒川はにやりと笑った。

「俺は毎日のように体の透けた人間を見ているんだ。診察室に入ってきた患者がすでに透明人間だったなんてことも珍しくないんだ。お前の指が仮に透けて見えていたとしても、うろたえたりすることはまったくない」

たしかに黒川の言うとおりだろう。まして彼にとっては、自分はあかの他人なのだ。日常的に「死」を見ている彼にしてみれば、どうということはない。

少しの間、沈黙があった。

「黒川さん」と慎一郎が口を開いた。「教えてください。この指は透けていますか」

答えはなかった。

「どうなんですか、透けていますか」

彼の目の前に両手を突き出した。

黒川はその手を自分の手で制すると、静かに言った。

「繰り返すが、俺は他人の生死には一切関わらない」

それは有無を言わせぬ響きがあった。

「もう二度と俺の前に現れるな」

黒川はそう言って席を立つと、早足で去っていった。

慎一郎はしばらく呆然としたまま、食堂の椅子に座っていた。はたして黒川には自分の指がどう見えたのだろうか。くっきり見えていたのか、それとも——。突然、背筋に戦慄《せんりつ》が走った。彼の目には透けて見えたのではないか。

もしちゃんと見えていたなら、そう言ったはずだ。慎一郎に何も言わなかったということは、真実を告げることで、その生死に直接変化を与えてしまうからではないのか。

自分の両手を凝視した。指先の指紋までくっきりと見えている。黒川にはこの指が透けて見えていたのだろうか。もしそうなら、自分の命もひと月たらずということになる。

いや待てよ、と思った。必ずしもそうとは限らない。黒川は自分にはもう関わりたくないと思ったから、そう言った可能性もある。何かあるたびに、慎一郎にやってこられてはたまらないと思ったのだろうか。あるいは、何か言えばそれだけで運命が変化してしまうこともあるかもしれない。黒川自身が言っていた「カオス理論」だ。北京で羽ばたいた蝶々《ちょうちょう》がニューヨークで嵐《あらし》を起こすというやつだ。彼自身の何気ない一言が、回りまわって自分の人生に跳ね返ってくるのを恐れたのかもしれない。

慎一郎は残った紅茶を飲み干した。もうすっかり冷めていた。

いくら考えても、堂々巡りだ。答えは永久にわからない。それよりも、もう一つ気になるのは、黒川自身が横浜駅近辺で透けている人を何人も見ているらしいことだ。うっかり口を滑らせた感じだっただけに、余計に真実味があった。

ということは、やはり何かが起こると見て間違いない。黒川が何人も見ているということは、自分が思っている以上に大きな災害なのかもしれない。おそらく彼が見たのは、自分が見たのとは違う人たちだろう。つまりそれだけ広範囲にわたっているということだ。

やはり地震なのだろうか。あるいは大規模な火災なのだろうか。そして、自分が立て続けに見た指の消えた人たちは、その惨事に巻き込まれて命を落とす運命にあるのか――。

気味の悪い何かが向かってきているような気がした。何よりも不気味なのは、それがどんな形でやってくるのかわからないことだった。はたして、それは自分をも飲み込むものなのか。

慎一郎は無意識に首を振った。

答えの出ないものにいくら頭を使っても無駄だ。いざとなれば、この町を離れればいい。もしかしたらバグダッドからサマラに逃げた召使のような運命が待っているのかもしれないが、それでもいい、と思った。何もしないで、死神に捕まるよりはましだ。町を離れるときは葵も一緒だ。

慎一郎は椅子から立ち上がると、食堂を出た。入口のところで、食堂に入ってくる患者とすれ違った。その患者の手足はほとんど透けていた。その姿を見ながら、二週間は持たないなと思った。

いつのまにか他人の「死」に対して、感情がほとんど動かなくなっている自分に気付いた。仕方がないさ、と心の中で呟《つぶや》いた。この半年で、どれだけ人の死を見てきたことか。そのたびにいちいち心を揺り動かされていたら、体が持たない。

横浜から蒲田へ帰る電車の中で、慎一郎はまたもや指の透けた人を見た。

向かい側の座席に座っている中年女性だった。膝《ひざ》の上のバッグの上に載せた両手の指が全部透けていた。

ほかにもいないだろうかと周囲を見渡すと、ドア付近に立っているサラリーマンふうの初老の男性の指が消えているのを見つけた。彼は両手でスポーツ新聞を広げていたが、指が消えていたから、新聞が宙に浮いているように見えた。

この二人は見知らぬもの同士だろう。しかし、三週間後のある日、運命を共にする。ただ、その日がいつで、その場所がどこかもわからない。せめて、それがわかれば、少なくとも自分は助かることができる。

その時ふと、それを知る方法があることに気が付いた。指の透けた人たちの年末あたりのスケジュールを調べればいいのだ。複数の人たちの予定を照らしあわせて、ある場所に全員が集まる日があれば、それが「Xデー」だ。

だが、そんなことは不可能だ。いきなり目の前の中年女性にそんなことを訊《き》いても答えてもらえるはずがない。スポーツ新聞を読んでいる男性にしても同じだ。前に見た横浜のデパートの貴金属売り場の女性に尋ねても同様だろう。

それに、日は同じでも、場所は違うかもしれない。広範囲の地震で、それぞれ離れた場所で命を失うということも考えられる。そうなれば、その人たちのスケジュールを見たところで何の意味もない。

ああ、もうたくさんだ。こんな「力」があるせいで、余計なことばかり考えてしまう。

無性に、葵に会いたかった。

翌日の火曜日も、慎一郎は黙々と仕事をこなした。

油断すると、頭の中に様々な雑念が舞い込んだが、それらを振り払いながら、目の前のポリッシャーと車に神経を集中させた。そのせいでふだん以上に疲れてしまった。いつもは四時間くらい平気で続けられるのに、この日は三時間で一旦《いったん》休憩を入れた。二階の事務所でタバコを吸いながら、仕事中は振り払っていたいろいろな物事について考えた。

一番気になるのは、やはり「災害」のことだった。何が起こるのかはわからないが、多くの人が一挙に亡くなるのは間違いない。もっともそれがどれくらいの人数なのかはわからない。はたして自分はその中に入っているのだろうか——。

少なくとも葵は入っていない。なぜなら、彼女の手は透けていなかったからだ。しかし、大きな怪我をしないとも限らない。だとしたら、彼女を守らなければならない。

今、この辺りで何が起ころうとしているのか、と思った。たくさんの「死神」が町に集まっている光景が浮かんだ。その日、死神たちは一斉に、多くの人に向かって鎌《かま》を振るう——。そのイメージは慎一郎を恐怖に陥《おとしい》れた。

考えるな、と自分に言い聞かせた。「死神」なんていない。起きるのは単なる災害だ。その地を離れさえすれば、助かる。死神が追ってくることもない。だから、自分と葵は逃げるべきなのだ。

関西へでも行こうかと考えた。すぐに自分の会社を開くことは無理でも、どこかで雇ってもらうことは可能だろう。だが、葵はどう言うだろう。ここを捨てて、一緒に関西に行ってくれるだろうか。いきなりそんなことを切り出しても、うん、とは言ってもらえないかもしれない。もし無理なら、旅行にでも誘おう。一週間くらいこの地を離れていれば、おそらく「災害」に巻き込まれることもないだろう。

お昼に美津子がやってきた。

「随分、年式の古いポルシェね」

彼女はガレージの車を見て言った。長い間、遠藤のところで働いている美津子は、車にはなかなか詳しい。

「けど、ボディーの状態は悪くないです。屋内駐車場に保管されていたんでしょう」

「屋内だとわかるの？」

「はい。屋内に置いておくのと、雨ざらしにするのとでは、ボディーの状態が全然違います」

「車も女も同じね」美津子は苦笑した。「外で働き詰めなのと、家の中でのんびり暮らすのとでは、劣化が全然違うもんね」

慎一郎は美津子の冗談に笑いながら、こっそりと彼女の手に目をやった。十本の指がくっきりと見えるのを確認して、ほっとした。少なくとも美津子は無事だ。ただ、遠藤がどうかはわからない。しかしわざわざ確認しに行く気にはなれなかった。もし彼の手が消えていたとしても、どうすることもできないからだ。遠藤には恩義はあったが、自分の命と引き換えにすることはできない。

「どうしたの。何か心配事でもあるの？」

不意に美津子が訊いた。

「え、どうして？」

「心ここにあらずって顔してる」

そう言ってから美津子はすぐにいたずらっぽく笑った。

「恋わずらい？」

慎一郎は自分の顔が赤くなるのがわかった。慌てて手を振った。

「違いますよ」

「違うことないでしょう。木山慎一郎、生まれて初めての恋人、か——」

「違いますよ」

「じゃあ、これは何よ？」

美津子は赤い花柄の模様の入ったマフラーを机の上に置いた。一昨日、葵が忘れていったものだと気付くのに、少し時間がかかった。

「椅子の上に置いてあった」美津子はマフラーを持ち上げて、ひらひらさせた。「金曜日にはなかったし、お客さんのなんて、見え透いた言い訳は無しよ」

慎一郎は肩をすくめて、小さく頷《うなず》いた。

「正直でよろしい」

美津子は笑った。

「マフラーを忘れていくなんて、彼女もかなりぽーっとしてたのね」

そうだったのか。葵もまた相当に動揺していたのだ。決して自分だけではなかったのだ。そう思うと、なぜか胸が締め付けられた。

「ママさん」

「ん？」

「実は恋しています」

美津子は目を丸くした。

「びっくりした——」

「僕なんかが恋したからですか？」

「それもあるけど、そんなセリフを堂々と言うことにびっくりしたわ」

慎一郎は笑った。

「慎ちゃんも、そんな嬉《うれ》しそうな顔して笑うんだ——」

「そんなに嬉しそうですか」

美津子は大きく頷いた。

「どんな子なの？」

「携帯ショップに勤めている子です」

「前に言ってた子ね。デートにこぎつけたのね。どうやって親しくなったの？」

思わず答えに詰まった。まさか、葵の命を救ったことがきっかけだったとは言えない。

「思い切ってお茶に誘ったんです」

「すごい。やるわね——でも、それでうまくいったのね」

慎一郎は黙って小さく頷いた。

「その子、きっといい子ね」美津子はしみじみとした口調で言った。「心の優しい慎ちゃんのことを好きになる女の子って、本当にいい子よ。間違いないわ」

そう言ってもらえて嬉しかった。

「ここにも来たんでしょう。それで、慎ちゃんの仕事をしているところも見た」

「はい」

「付き合っているのね」

「——はい」

「おめでとう」

「ありがとうございます」

その時、美津子が目に涙を浮かべているのに気付いた。彼女は涙を指先で拭《ぬぐ》いながら言った。

「私はね、本当に嬉しいのよ。慎ちゃんは子供の頃から、たった一人で生きてきて——やっと、幸せを摑《つか》んで、よかった……」

最後は言葉にならなかった。

慎一郎は胸が詰まった。同時に、自分は本当に幸せを掴んだのだという実感を嚙《か》み締めた。この幸せだけは絶対に失いたくないと思った。

19

水曜日、葵との約束の日が来た。

デートの時間を作るために、午前四時から、前日に預かった赤いフェラーリを磨いた。もともとボディーの状態がよかったから、十時にはほとんど磨き終えた。

出かける直前、この車を無断で借りようかという考えが頭を過《よ》ぎった。フェラーリの助手席に葵を乗せ、山下公園から港へ抜ける道をドライブする光景を思い浮かべた。それは全身がうっとりするような想像だった。フェラーリのキーは事務所の机の中に入っている。運転席に座って、エンジンをかければ、一時間後には葵を乗せてドライブできる——。

なにを考えているんだ！　と心の中で叫んだ。

一瞬でもそんなことを考えた自分に驚いた。以前なら、たとえ冗談でも思いつかなかったことだ。葵に恋をしたことで、こんなさもしいことを考えるような人間に変わったのだとしたら最低だ。葵にも顔向けできない。慎一郎は激しく自分を罵《ののし》った。ガレージにしっかりと鍵《かぎ》を掛けながら、いつか自分のフェラーリに乗れるようになろうと思った。その日のために頑張ろう。葵のためにも一所懸命に働こう。

横浜駅の改札に十二時に待ち合わせだったが、三十分前に着いた。うきうきした気持ちの中に、一つだけ不安があった。それは手が透けた人を大量に見るのではないかというものだった。できれば、今日だけは見たくない。葵と一緒にいるときに、そんなものを目にすれば、楽しい気分も吹き飛んでしまう。

慎一郎の願いが通じたのか、家からここまで、手が透けた人を一人も見ていなかった。

待ち合わせの場所に立っていると、十分も経《た》たないうちに葵が現れた。

「早いね」

「慎一郎さんのほうが早いじゃない」

葵はこぼれそうな笑みを浮かべた。その天使のような笑顔を見られただけで、慎一郎は、今日のデートはこれで終わっても十分だと思った。葵の手を確認したが、きれいな指は全部くっきりと見えていた。

「お昼を食べよう」

「うん。お腹《なか》がすいた」と葵は言った。「どこへ行くの？」

「中華街はどう？」

「賛成！」

慎一郎はホッとした。昨日、横浜の観光マップを見ながら、どこへ行くかをずっと考えていたのだ。中華街に行くのは初めてだった。慎一郎は前もって探しておいた店に葵を連れていった。地図を頭に入れていたので、迷わず店に着いた。

二人はまず生ビールで乾杯した。

「お昼からビールを飲むなんて久しぶり」と葵が嬉しそうに言った。

本格的な中華料理を食べるのは初めてだったので、メニューを見ても、何を頼めばいいのかわからなかった。すると葵が、「別々のランチセットを頼んで、料理を分け合って食べない？」と言った。慎一郎は喜んで賛成した。

食事を終えると、慎一郎は山下公園に葵を誘った。

中華街からは歩いて数分だった。ここも初めてくる場所だった。

公園に入ると海が見えた。頭上には冬の青空があった。

「綺麗《きれい》だなあ」

慎一郎は感嘆の声を上げた。

「そうね」

その時、葵は多分、ここへくるのは初めてではないだろうなと思った。自分一人がはしゃいでいるようで、恥ずかしくなった。

海からの風が冷たい。どちらからともなく手を繋《つな》いで、二人は海沿いの道を歩いた。

「葵さんは、家族と一緒に暮らしているの？」

「葵って呼んでいいよ」

「呼べるかな、自信ない」

「大丈夫」

「ええと――」

舌がもつれた。

「一人暮らしよ」葵はにっこりと笑って答えた。「実家は静岡の田舎町。高校を出て、こっちにきたの。もう六年になる」

「そうかあ」

言いながら、葵の六年を想像した。十八歳から二十四歳までの間には様々なことがあったろうなと思った。きっと恋人もいただろう。デートだって何度もしたに違いない。

過去の恋人とは、どうして別れたのだろう。何となく離れたのだろうか。それとも葵がふったのだろうか。真理子のように捨てられたことはあったのだろうか。

葵が過去に恋人をふったことがあるなら、自分もまたふられるかもしれない。そう思うと急に葵がどこか遠くへ行ってしまうような気がした。思わず繋いでいた手を強く握った。葵が「痛いわ」と言った。

「ごめん」

慌てて力を緩めた。すると、今度は葵が強い力で握り返してきた。

「痛い」

「お返し」

葵は声を立てて笑った。慎一郎も笑った。

手を繋ぎながら、自分は世界一の幸せ者だと思った。自分の人生にこんな素晴らしい日が訪れるとは思ってもいなかった。

楽しい気分でいられたのは、手が透けた人を見ていないからでもあった。横浜駅でもそうだったが、さっきの中華料理店でも山下公園でも一人も出会わなかった。公園では意識して視線を向けてみたが、手が透けている人はどこにもいなかった。

もしかしたら大きな災害なんて起きないのではないかと思った。たまたま手の透けた人たちを短期間に続けて見ただけのことなのかもしれない。いや、でも、黒川も同じものを見たと言っていた――。

「寒くなってきたね」

葵の言葉に思考が中断した。

気が付けば、あたりは薄暗くなっていた。

「どこかでお茶を飲もうか」

慎一郎は頭の中から、手の透けた人たちのことを追い払った。

公園を出て、近くの喫茶店に入った。

二人とも紅茶を頼んだ。

「ティーバッグじゃない紅茶を二人で飲むのは初めてだね」

慎一郎の言葉に葵も嬉しそうに微笑んだ。

不意になつこのことを思い出した。わずか二歳で火事で死んだ、妹の命の儚《はかな》さを思ったとき、自分一人が幸せになっていいのだろうかと思った。あの時、透明に見えたなつこを助けてあげられなかったのに、二十数年後、その「力」を使って葵を助け、彼女を恋人にしてしまった自分が、とてつもなくずるい人間に思えた。

「どうしたの、何か心配事？」

慎一郎は慌《あわ》てて「何でもない」と首を横に振った。

「辛《つら》そうな顔をしていたよ」

「妹のことを思い出していた」

葵は黙って頷いた。前に、葵に家族の話はしていた。

「妹は二歳で死んでしまったのに、僕はこんなに長く生きて――幸せになっている」

葵が慎一郎の手をそっと握った。

「生きている人には幸せになる権利があるのよ」

「そうかな」

「そうよ。亡くなった人も、それを望んでいる」

葵の言葉は慎一郎をはっとさせた。これまで一度もそんなふうに考えたことがなかった。

その言葉には凍《い》てついた心を溶かすような温《ぬく》もりがあった。

「なつこは――僕が幸せになって喜んでくれているかな」

「お兄ちゃんが不幸になってほしいと思っている妹がいると思うの？」

葵は目にうっすらと涙を浮かべていた。

ずっと長い間、心を覆っていた暗い霧が吹き払われたように感じた。

目の前の葵の顔を見つめた。美しい顔立ちだった。もし、なつこが生きていれば、葵のような魅力的な女性になっていたに違いない。ひょっとしたら、葵はなつこの生まれ変わりなのかもしれないとすら思えた。

だとすれば、何としても葵を守らなければならない。それで自分が命を落とそうとも――。

「暗くなったね」

葵はふと、窓の外を見て言った。

いつのまにか陽はすっかり落ちていた。

「どこかでご飯食べようか」

慎一郎は言った。

「慎一郎さんはお腹、減ってる？」

「うーん、どうだろう。まだ少し中華が残ってるかも」

「私もそう」

葵は笑顔でお腹をさする仕草をしながら言った。

「でも、軽いパスタなら入るかな」

「このあたりにいいお店ある？」

「私の職場の近くに美味《おい》しいパスタの店があるけど、川崎まで行く？」

「うん。そこへ行こう」

喫茶店を出ると、みなとみらい線に乗って横浜駅に戻った。

横浜駅は帰宅する通勤客でごったがえしていた。

「人が多すぎて、まっすぐに歩けない」

慎一郎は苦笑いしながら言った。

「朝はこんなもんじゃないよ」

「そんなに!?　これよりもすごいの？」

「慎一郎さんは電車通勤しないから、ラッシュの混雑を知らないのね」葵は言った。

「私なんか、しょっちゅう乗ってるのよ」

「僕も、独立する前は電車通勤してたよ。ただ、ラッシュの時間を外れていたから」

「私の乗っている南武線もこんなものよ」

「知らなかった――都会って大変だね」

「地方出身者みたいな言い方」

葵はおかしそうに笑った。

二人は川崎方面行きのホームへ上がるエスカレーターに乗った。

エスカレーターの途中で、何気なく前に立つ中年男性の手に視線をやったとき、慎一郎は思わず小さなため息をついてしまった。今日一日ずっと目にしなかった「透けた手」を、とうとう見てしまったからだ。

「どうしたの、ため息なんかついて」

後ろに立つ葵が訊いた。

「いや、お腹が減ってきたから」

慎一郎は振り返ると、おどけた調子でごまかした。

「お店は川崎駅の近くなの？」

「歩いて三分もかからないわ」

「早く行きたいな」

葵は微笑《ほほえ》んだ。慎一郎は前に立つ中年男を見ないようにした。

ホームに着いてから、葵と一緒に列に並ぶと、斜め前に立っている若いＯＬ風の女性の手が透けているのに気付いた。またか、と心の中で呟いた。今日はずっと見なかったのに、夜になってから立て続けに見るなんて――。慎一郎は女性から目を背けて電車に乗った。

車内は満員で、座ることはできなかった。

電車が揺れたとき、小柄な葵の頭上にある吊革《つりかわ》を誰かが摑んだ。それを見た瞬間、うんざりした気分になった。その手もまた透けていたからだ。

おいおい、またかよ！と心の中で毒づいた。なんで、こんなに連続して見ることになるんだ。しかも葵の頭の上で。見たくもないのに、どうしたって目に入ってしまうじゃないか。

不意にある考えが閃《ひらめ》いた。それは、もしかして、この車両には手の透けた人間が何人も乗っているのではないかというものだった。

エスカレーターに乗っていた男、列に並んでいた女性、そして今、自分の目の前で吊革を摑んでいる男――彼らはこの車両にまるで吸い寄せられるように集まっているではないか。

慎一郎は周囲の吊革を見渡した――思わず声を上げそうになった。いくつもの手が透けている。

全身がかすかに震えた。車内の暖房は効きすぎているくらいだったのに、悪寒《おかん》がした。

「どうしたの？」

葵が訊いた。

「何でもない」

無理に笑ったが、その顔が強《こわ》ばっているのが自分でもわかる。

「久しぶりの満員電車で、びっくりしただけ」

「そうなの。よかった」

そう言いながらも、葵はまだ心配そうだった。

慎一郎は心を落ち着けてから、もう一度周囲を見た。確認できるだけで、透明な手は六つ。つまり六人の乗客が同じ頃に命を失う運命にある。こんな偶然があるだろうか――いや、あり得ない。

よく考えろ、と慎一郎は自分に言い聞かせた。今日、朝から夕方まで、手が透けている人は一人も見なかった。しかし夜になって、帰りの電車に乗るためにホームに向かった途端、立て続けに見た。そして今、同じ車両に見えるだけでも六人の「手の透けた人」がいる。腕を下ろしている人や座席に座っている人の中にも、いる可能性がある――。そのとき、ここ最近、手の透けた人を見るのは、電車の中や駅が圧倒的に多いことにも気が付いた。

もしかしたら、と思った。彼らは同じ電車に乗って死ぬ運命にあるのではないか。

慎一郎は葵の頭上にある吊革を摑んでいる男の顔を見た。どこにでもいそうなサラリーマンふうの冴《さ》えない中年男だった。一日の労働の疲れが出ているのか、立ったまま目を閉じている。その顔をじっと見ていると、耳が透けているのに気付いた。顔全体もうっすらと透けている。おそらく腕も足も透けているのだろう。

この電車に乗っている他の五人の手が透けた人たちも、多分、そうなのだろう。彼らはXデーに向けて、確実に死に近付いている。

もしかしたら朝の電車かもしれない、と思った。通勤客の多くは、帰る時間はばらばらだが、朝はたいてい決まった時間帯の電車に乗る。今、この電車に乗っている六人は、朝、東京方面から横浜方面に向かう同じ電車に乗って通勤しているのではないだろうか。そして、その電車はある日、大事故を起こす――。

慎一郎の脳裏に、脱線した電車が轟音《ごうおん》を立てて横転する光景が浮かんだ。かすかに吐き気がした。その時、葵が慎一郎の背中に手をやってそっとさすった。

「気分悪いんじゃない？」

葵が心配そうに訊いた。慎一郎は彼女の心遣いに驚いた。

「――少しだけ」

「次の駅で降りる？」

「そうする」

答えながらも、頭の中は列車事故のことでいっぱいだった。地震のような自然災害による事故とは思えなかった。もしそうなら、駅や車内以外でも、もっと手の透けた人を見るはずだからだ。

まもなく駅に着くと、慎一郎は葵とともに電車を降りた。

「ベンチに座って」

葵に言われるままにホームの空いているベンチに腰を下ろした。

「何か飲む？　欲しいものない？」

「水が欲しい」

「待ってて」

葵は自販機に小走りで向かい、すぐにミネラルウォーターのペットボトルを買ってきてくれた。

喉《のど》を潤《うるお》すと、少し楽になった。

「元気になった」

慎一郎は笑顔を作ったが、葵はまだ心配そうな顔をしていた。そんな葵が愛《いと》おしかった。

まもなく次の電車が来た。満員だったが、何人かの乗客が降りたので、少しすいた。慎一郎は葵と一緒にその電車に乗ると、すぐに車内を見渡した。この車両にも四人の手の透けて見える人がいた。いずれも、顔もうっすらと透けていた。おそらく彼らはさっきの電車に乗っていた手の透けた人たちと同じ時に亡くなるのだろう。

まもなく川崎駅に着いた。

「心配したからかな。なんだか、急にお腹減っちゃった」

葵の言葉に慎一郎は笑った。

店は駅を出て数分のところにあった。

「葵のお店に近いね」

「そう。知ってる人に見られるかも」

葵は肩をすくめたが、本気で嫌がっているふうでもなかった。

パスタを食べるのは数年ぶりだった。慎一郎が頼んだのは、葵のおすすめという明太子《めんたいこ》のパスタだったが、味を感じる余裕はなかった。頭の中には列車事故のイメージが残っていたからだ。

もし列車の事故だとしたら、それに葵が巻き込まれる可能性はないとは言えない。

いや、いつも使っている路線なら、それもありうる。葵の手は透けていないから死ぬことはないが、大きな怪我《けが》を負うかもしれない。だとすれば、何としても葵を助けなくてはならない。

「葵――」

慎一郎は言った。

「なあに？」

「年末はどうしてるの？　実家に戻るの？」

「帰らないよ。仕事もあるし、こっちにいる予定」

慎一郎はこっそりと深呼吸をした。

「年末に旅行に行かない？」

言った瞬間、この言葉は誤解されるかもしれないと気付いて、顔が赤くなった。しかし葵は少しも表情を変えなかった。

「どこへ行くの？」

「関西はどう？　京都とか神戸とか」

「素敵ね」

葵はそう言ったが、その顔に笑みはなかった。むしろ慎一郎を見る目にはどこか睨《にら》みつけるような鋭さがあった。

「どうして、私と旅行に行きたいの？」

「それは——葵が好きだから。だめかな？」

言いながら、こんな誘い方はないだろうと思った。なぜ、事前にもっとしっかり頭の中でシナリオを組み立ててから言わなかったのだろうと後悔した。これでは適当に誘ったとしか思われない。葵がうんと言うはずもない。

ところが驚いたことに葵はあっさり「行きましょう」と言った。

自分の耳を疑った。

「本当に？」

葵は黙って頷いた。

「仕事はどうするの？　シフトとかあるんじゃないの」

「替えてもらう」

「可能なの？」

葵は慎一郎の手を握ると、

「そんなこと気にしないで！」

と強い口調で言った。それから初めて少し笑った。

「慎一郎さんに付いていくって決めたんだから」

胸が詰まって何も言えなかった。黙ったまま何度も頷いた。

「そうと決まったら、早速、旅行に行く準備をしないと！」

葵は嬉しそうに声を弾ませた。

慎一郎は思わぬ展開に動揺を抑えきれなかったが、同時に大きく安堵《あんど》した。これで仮に列車事故が起きて、多くの乗客が亡くなったとしても、あるいは怪我をしたとしても、少なくとも葵も自分もその中にいることはない。一瞬、かすかに罪悪感に似た気持ちを覚えたが、すぐにそれを振り払った。

少し遅れて、葵と二人きりで旅に行くことの別の意味の大きさに気付いた。男と女が同じ部屋に泊まるということは、結ばれることを意味する。急に緊張が全身を支配した。嬉しさよりも怖さがまさった。

葵はどう思っているのだろうか。表情からは動揺とか緊張は感じられない。彼女にとっては、男性と旅行に行くという行為は普通のことなのだろうか。もしかしたら、これまでにも何度か経験があるのかもしれない。そう思うと、急にさっきまでの喜びがしぼんでいくのを感じた。しかしその想像を強引に心から押しやった。葵の過去にこだわるなんて小さいことだ。今、一番大切なのは葵を守ることだ。

「旅行はいつにするの？」

葵が訊いた。

「二十七日あたりからどう？」

「いつまで？」

「一月二日くらいまで」

「一週間も！」

葵は少し呆《あき》れたように言いながらも、拒む素振りは見せなかった。

慎一郎は、事故はおそらくそのあたりだろうと予想していた。これまで体が透けた人を何人も見てきた経験から割り出した日だ。黒川ならもっと正確な日付がわかるのかもしれないが、彼に尋ねたところで教えてはもらえないだろう。

食事を終えて店を出ると、小雨が降っていた。

「天気予報は雨が降るって言ってなかったのに」

葵が少し怒ったような口調で言った。慎一郎はコートを脱いで葵の肩にかけた。

「平気よ。パラパラだし、すぐ駅だから」

そう言いながらも葵は嬉しそうだった。慎一郎もまた、葵を守っているという喜びを味わっていた。横を歩く葵の息が白かった。駅までは数分の道のりだったが、永久に続いて欲しいと思った。

しかしすぐに駅に着いてしまった。

慎一郎は葵の肩にかけていたコートを優しく取った。

「ありがとう」

「ううん」

慎一郎と葵は改札を抜けた。二人の乗る電車はホームが違う。

「今日は楽しかった」

葵は別れ際《ぎわ》にそう言った。

「葵――」慎一郎は言った。「旅行、本当にいいの？」

葵はにっこり微笑むと、ホームへと階段を降りていった。慎一郎はその背中を見ながら、不思議な女性だと思った。

慎一郎は葵と別れて蒲田へ向かう電車に乗った。

そこでも手が透けて見える乗客を数人見た。いずれも、よく見ると顔もうっすら透けていた。

そのうちの一人は若いカップルの男性の方だった。女性は透けていない。二人は並んで座りながら楽しそうに語らっていた。男性を見つめて微笑む女性の顔には、葵と似たところがあると思った。恋をしている喜びが満面に溢《あふ》れていた。男性も嬉しそうだった。自分も葵といるときは彼のような顔をしているのだろう。しかしこのカップルの幸せはもうすぐ終わる。男性は死に、女性は恋人を失うのだ。二人はそのことを知らない。慎一郎は思わず彼らから目を逸《そ》らした。

蒲田駅に着いた。

慎一郎は会社までの道を歩きながら、手の透けた人たちが必ずしも列車の事故で死ぬと決まったわけではないことに気付いた。なぜなら駅のホームや電車の中以外でも手の透けた人を見ているからだ。渡辺夫妻やデパートの貴金属売り場の女性、それに金田だってそうだ。だとすると、列車事故とは限らない——。

しかし手の透けた人は、圧倒的に電車に乗っている人が多い。それも川崎駅周辺の電車だ。渡辺夫妻や金田もその電車に乗っている可能性だってある。

そこまで考えたとき、突然、胸が締め付けられるような痛みを感じた。立っていられなくなり、道路にしゃがみこんだ。この感覚には覚えがある。体が透けた人を救った直後に現れる症状だ。

地面に両手をつきながら、なぜだ！　と思った。

誰も助けてはいないし、誰の運命も変えていない。それどころか、「死の運命」にある人たちを見殺しにしようとしているのに——。

しかし胸の痛みは去らなかった。心臓が圧迫されるような感覚があり、さらに背中と喉にも痛みが走った。めまいがして、一瞬、気が遠くなった。同時に死の恐怖を味わった。

しばらくじっとしていると、痛みが少しずつおさまっていった。

立ち上がって歩き出したが、ふいに黒川の言葉を思い出した。彼は心臓と脳の血管がボロボロになっていると言っていた。それで亡くなった男を知っているとも——。

もしかしたら、自分もそうなっているのではないか。そんな不安を覚えると同時に、またもや胸に激しい痛みが走った。

20

翌朝、慎一郎は総合病院を訪ねた。

循環器科で診察を受けると、「狭心症《きょうしんしょう》」と診断された。医者には「冠動脈が狭窄《きょうさく》している」と言われた。

「原因は何ですか？」

慎一郎は尋ねた。

「それはわかりません。木山さんの場合、高血圧でもないし高脂血症でもないので、だとするとストレスからきているのかもしれません」

「ストレスですか」

「思い当たることがありますか？」

慎一郎は「いいえ」と答えながら、これは黒川の言っていた通りなのかもしれないと思った。これまで何人もの運命を変えてきた。そのたびに心臓が傷《いた》んでいたに違いない。なんてことをしてきたんだ。あかの他人の命を救って、自分の命を削っていたなんて――。

病院から会社に戻りながら、改めてもう絶対に他人の運命には関わらないと決意を固めた。

一方で、列車の事故のことは頭から去らなかった。本当に列車事故なのか。そうだとしたら、原因は何だろう。電車の整備不良や部品の欠陥による事故なのか、それとも大地震のような自然災害によって発生する事故なのか。後者なら葵も自分も何らかの被害を受ける可能性がある。旅行で免れたとしても、会社が無事かどうかはわからない。列車事故だとしたら、いつどこで起きるのか知りたいと思った。それがわかれば、心から安心できる。

慎一郎は翌朝七時前に、JR蒲田駅に行った。もし、横浜に向かう電車が事故を起こすなら、それで亡《な》くなる乗客が大量に乗っている車両があるはずだ。

すでに横浜方面行きのホームには沢山の乗客がいた。列に並ぶ人々の中に一人だけ、手の透けた男がいた。まもなく電車がきて、その男は大勢の客と一緒に乗り込んだ。

慎一郎はドア周辺に立つ乗客の手を注視したが、そこには手の透けた人は見当たらなかった。

電車が出て行くと、ホームにはまた人が並び始め、やがて次の電車がきた。ドアが開くと、慎一郎はホームから車内を覗《のぞ》き込んだが、手が透けた人は見つけられない。

そんなふうに電車がくるたびに同じことを繰り返したものの、手の透けた乗客が大量に乗っている電車はなかった。

二時間以上そうしていたが、九時を回ったところで、階段から手の透けた男が二人同時に現れるのを見た。それから数分も経たないうちに、ホームには手の透けた人たちが続々と集まりだした。その中には女性の姿もあった。列に並ぶ人たちの半分くらいが手が透けていた。顔もうっすらと透けている。

次にやってくる電車か――慎一郎の全身に緊張が走った。

アナウンスとともに横浜方面行きの電車がホームに入ってきた。ドアが開くと同時に何人かが降りてきたが、彼らは体のどこも透けていなかった。車内を覗き込むと、入口近くに立つ何人かの手が透けていた。

慎一郎は他の乗客と一緒に電車に乗り込んだ。車内は八時台ほどの混みようではなかったが、それでも満員だった。すぐに車内の吊革を見渡した。その瞬間、異様な光景に思わず息を飲んだ。吊革を持つ手のほとんどが透けていたからだ。

この電車だ！　間違いない。

慎一郎は時計を見て、時刻を記憶した。同時にホッとする気持ちになった。葵がこの電車に乗ることはない。

もう一度ゆっくりと車内を見渡した。ほとんどの乗客の顔が透けている。完全な透明ではないが、よく見ると、向こう側が透けて見える。

多くはサラリーマンだったが、ＯＬの姿もある。中には学生もいた。彼らは全員、あと二週間ほどで死ぬことになる――そう思うと、ぞっとした。目の前に立っている四十代半ばに見える男は温和な顔をしていた。おそらく彼には妻も子もいるだろう。年齢から考えれば、子供はまだ学生かもしれない。彼らはまさか自分たちの父親の寿命があと残りわずかとは知らないだろう。右隣の三十前後のサラリーマン風の男は、体を縮めて競馬雑誌を読んでいる。開いているページには「有馬記念」の文字が見えた。彼がその馬券を取るかどうかはわからないが、レースの数日後に亡くなることになるはずだ。

左側の二十代半ばのＯＬは透明な指でメールを打っている。ちらりと見ると、かわいい絵文字が目に入った。もしかしたら恋人に打っているのかもしれない。

彼らを見ているうちに、たまらない気持ちになってきた。彼らが死ねば、悲しむ人たちがたくさん出るだろう。目を閉じると、家族たちの泣き声が聞こえてくるような気がした。

しかし彼らを救うわけにはいかない。そんなことをすれば、自分が死ぬかもしれないからだ。大勢の人の運命を変える代償は小さくないだろう。

ふいに、ある考えが浮かんだ。事故がなくなれば、どうだろう——。

直接、彼らの命を救わなくても、列車事故そのものが消滅すれば、今、自分が見ている手の透けた人たちは皆、「死の運命」を免れるのではないか。たとえば、何らかの故障で車両が動かなくなったとしたら。あるいは、事故の原因になる「何か」がなくなったとしたら。

慎一郎は慌ててその考えを打ち消した。もし、自分の行為によって事故が消滅したとして、それで多くの乗客の命が助かるのなら、それもやはり自分が「人の運命」を変えたことになる。おそらく「死神」はそんな行為を見過ごすことはないだろう。自分を許さないに違いない。

左胸に痛みを覚えた気がして、思わず右手で胸を押さえた。

他人の運命に関わる気はない。彼らには申し訳ないが、助けるつもりはない。そう心の中で呟《つぶや》いた途端、良心の呵責《かしゃく》を覚えた。

お前は彼らを見殺しにするのか！　心の中のもう一人の自分が言った。何の罪もない彼らが死んでいくのを黙って見ているのか！　これだけの人の命が失われていくのを無視して、自分は恋人と甘い旅行を楽しむのか。

うるさい！　と心の中で叫んだ。自分には何の罪もない。それに、彼らを死に追いやるわけではない。彼らの「死」には何の関わりもない。ただ、彼らが「死の運命」にあるのを少し早く知ったにすぎない。多くの人が死ぬと言ったって、日本全国では毎日、たくさんの人が事故で亡くなっているんだ。彼ら全員を助けることができないからといって責められる理由はない。たまたま、その運命を見たというだけで、彼らを助ける義務などない！

電車はJR川崎駅に着いた。慎一郎は多くの乗客と一緒に電車から降りた。入れ替わりにホームにいた人たちが電車に乗り込んでいく。何気なく彼らを見ていた慎一郎だったが、心の中で、あっと叫んだ。電車に乗り込んでいく乗客の中に、手の透けた人は一人もいなかったからだ。これはどういうことだ、と思った。答えはすぐに出た。

――事故は川崎駅に着くまでに起こる。

うんざりした気分になった。そんなことは知りたくもないことだった。

会社に戻った慎一郎は、前日に預かったプジョーの磨きに取り掛かった。心を無にしてひたすら車を磨く。目の前の車のボディーとポリッシャーだけに精神を集中させた。少しでも油断すると、もう一人の自分の声を聞くことになる。夕方まで一心不乱に仕事をしたため、予定していたよりも早く作業を終えてしまった。

ガレージの中の椅子《いす》に腰を下ろして、朝に見たことを反芻《はんすう》した。列車事故が起きることはおそらく間違いなかったし、その時間帯と場所もほぼ特定できた。葵がその事故に巻き込まれないこともほぼ確実と思えた。にもかかわらず、少しも晴れやかな気持ちにはなれない。自分と葵の幸せはたくさんの人の犠牲の上にあるような気がしたからだ。そんなはずがないのは理屈ではわかっていた。しかし、割り切ることができなかった。

事故がなくなればいいのに、と思った。それなら、葵と心おきなく旅行を楽しめる。今のままでは、葵と旅をしているあいだも心穏やかではいられないだろう。旅の途中にニュースで事故を知ったら、はたして平静を保っていられるだろうか。

しかし事故を阻止することはできない。そんなことをすれば、自分の命を落としかねない。それは絶対に嫌だ。すでに自分の心臓はかなり傷んでいる。これ以上、他人の運命を変えることはできない。

事故を止めようと思ったところで、そもそも事故の原因さえもわからないのだ。正確な日付がわからないなら、どの車両が事故を起こすかもわからない。機械が透明に見えることはないのだ。

ただ、地震のような自然災害による事故だとは思えない。もしそうなら、他の電車も被害を受けるはずだからだ。朝、自分が乗った一つ前の電車の乗客の手は透けていなかった。だから、事故はおそらくピンポイントで起きる。

今更ながら、自分の「力」を恨みたくなった。他人の「死の運命」を見ることができる「目」など、一度も望んだことはない。黒川は「フォルトゥナの瞳《ひとみ》」と呼んでいたが、こんなものがいったい何の役に立つのか。「死の運命」を見たばかりに、余計な苦しみを背負うだけではないか。あるいは、他人の命を救って死ぬためのものか——。

慎一郎は椅子から立ち上がると、コーティングの用意をした。明日やろうと思っていたことだったが、何かしていないと、余計なことばかり考えてしまいそうで怖かった。

目が覚めて時計を見ると、八時を回っていた。こんなに遅く目覚めたのは久しぶりだった。

昨夜は午前四時まで作業をして、結局、ほとんど仕事を終えていた。今日やることはコーティングを安定させるために、ボディー全体に熱を当てることだが、それも明け方までにかなりの作業を終えている。だから、もう少し布団《ふとん》の中でゆっくりしていてもよかったのだが、慎一郎は勢いよく布団から出た。怠け癖をつけたくなかったからだ。

作業は出来るだけ早く済ませて、余った時間に、前から考えていたガレージ改修をしようと思った。天井スペースに棚を作り、壁に断熱材を貼《は》る。他にもしたいことがいっぱいあった。

午前中にプジョーのボディー全体に電気ストーブの熱を当て、コーティングを安定させると、午後から買い物に出た。ＪＲ蒲田駅近くの商店街で必要な買い物を済ませてから、少し散歩をしようと思い、街をぶらぶらと歩いた。

商店街にはクリスマスの飾り付けがなされていた。ああ、いつのまにかもうすぐクリスマスなんだなと思った。しかしそんなムードを楽しむ気分ではなかった。

商店街を歩く主婦の中に、手が透けた人はいない。やはり大地震のようなものではないと確信した。事故は列車単体によるものだ。ただしその原因はわからない。一時間ほど散歩すると、体が冷えてきた。見上げると、雲が重く垂れこめている。もしかすると雨が降るかもしれない。そろそろ会社に戻ろうと思った。

住宅街を歩いていると、ぽつぽつと細かい雨が降ってきた。足を速めたとき、ふいに壁越しに子供たちの歓声が聞こえた。振り向くと、保育園だった。壁の隙間《すきま》から園庭が見える。足を止めて中を覗くと、小さな子供たちが保育士の指示に従ってお遊戯をしているのが見えた。

慎一郎はそれを眺めているだけで、微笑ましい気持ちになった。ずっと心のうちにあった嫌な気分が少し晴れたような気がした。中にはよちよち歩きの幼児もいる。そんな小さな子供を見ていると、なつこを思い出さずにはいられない。懐《なつ》かしいような切ないような気持ちで子供たちを眺めていたとき、突然、全身に戦慄《せんりつ》が走った。

年長くらいの子供たちの多くが、手が透けていたからだ。

慎一郎は激しい衝撃を受けた。

以前に公園の遊具に登ろうとしていた子供の体が透明だったのを見たことがあったが、こんなにも大勢の子供たちの体が透けているのを見るのは初めてだった。半ズボンから見えているはずの足も透明だった。園庭にいる三人の保育士の手もまた透けていた。子供たちも保育士も皆、顔もうっすらと透けている。

彼らはまもなく死ぬ——それはどういうことだ。子供たちが揃《そろ》って病気で死ぬはずはない。だとしたら、予期せぬ事故に巻き込まれて死ぬのだろう。ということは、この保育園で大きな事故が起きるのか。

次の瞬間、思わず、あっと声を上げた。頭の中で二つが結びついた。園児たちは事故が起きる電車に乗るのだ！

心臓が早鐘のように打ち始めた。同時に胸に痛みを覚えた。あの子たちは保育士に連れられて、電車に乗る——そしてその電車が事故を起こすのだ。年長の子供たちの手足が透けているのは、あの子たちだけが電車に乗るからに違いない。

慎一郎はぞっとして保育園の壁から離れると、そのまま逃げるように立ち去った。

足早に歩きながら、今見た光景を会社に戻るまでに忘れようと思った。この数日間、体の透けた人たちを見るたびに、それを心の外に振り払ってきたのと同じように、子供たちの映像を記憶から消去してしまおう。今、考えるべきことは、会社に戻ってガレージでやる作業のことだ。

会社に戻っても、慎一郎の心から子供たちの笑顔は消えなかった。それどころか耳の奥にも子供たちの楽しげな声が残っている。

そうしたものを振り切って、ガレージの天井スペースに棚を作る作業に取り掛かった。設置する位置を決めてマジックで印をつけ、巻尺で測った。ところが、その数字をノートに書きこもうとすると、今測ったばかりなのに思い出せず、測り直すということを何度も繰り返した。作業に集中できない原因は、保育園で見た園児たちの姿が頭にこびりついていたからだ。それで結局、棚作りの作業は中止した。

ガレージ内の椅子に腰掛けると、園児たちのことを改めて思い返した。体が透けていた園児が何人いたかは覚えていない。二十人はいたと思うが、走り回っていたので正確な数はわからない。いずれも年長の子供たちだ。保育士に連れられて、何かのイベントにでも行くのだろう。しかし楽しいイベントは一瞬にして悲劇に変わる。

あの子供たちが死ぬと思うと、とても耐えられなかった。彼らには本来素晴らしい未来があるはずだ。これから先にも楽しいことがいっぱい待っている——。しかし、それらはまもなく奪われる。

無慈悲な「死神」が大きな鎌《かま》を持って子供たちに近付いているのが見える。にもかかわらず、自分はそれをただ見ている。もし、子供たちに向かって「逃げろ！」と叫べば、子供たちの何人か、あるいは全員が「死神」から逃れられるかもしれない。

しかし、そうなれば、自分はどうなる。「死神」は子供たちの首を刈るはずだった鎌で、自分の首を刈るかもしれない——。そう思った瞬間、目の前に、切り落とされた自分の首がころころと転がるシーンが映し出された。慎一郎はうなだれたまま無意識に首を小さく横に振った。

そんな目には遭いたくない。たとえ「死神」が子供たちの首を次々に刈るところを見ていたとしても、自分は一言も声を発してはならない。口を押さえて、あるいは目をつむって、あるいは耳をふさぎ、ただ、目の前の惨劇が終わるのを待つだけだ。それ以外に自分が取るべき行動はない。

胸をかきむしりたくなるほどの後悔を覚えた。固く目を閉じ、両手で頭を抱えた。どうして、子供たちを見てしまったのだと思った。あの道を歩いたのは初めてだった。

あんなところに保育園があることも知らなかった。なぜ、あの時、子供の声を聞いて、そちらを振り向いてしまったのだ。もし、園庭を見なければ、こんなに嫌な気持ちになってはいなかった。

いったい誰が自分にこんな力を与えたのだ！　何のために。自分を苦しめるためか。それとも、子供たちを助けるため？　それなら、そいつが助けたらいいんだ。自分にこんな「力」を与えることができるなら、子供たちを救うことだってできるだろう。なぜ、自分がそんなことをしなければならないんだ。

その時、胸が締め付けられるような激痛を覚えた。同時に背中と喉にも痛みが走った。狭心症の発作だ。震える手で、病院で処方してもらったニトログリセリン錠剤をポケットから取り出して、口の中に含んだ。舌の下に置き、転がすようにして溶かすと、みるみる胸の痛みがひいていった。初めて服用した薬だったが、その劇的な効果に驚いた。

やはり医者が言うように心臓が相当弱っているのだろう。そう考えると、ぶつけようのない怒りのようなものが湧《わ》き上がってきた。縁もゆかりもない人たちの命を救った報いがこれだ。いいことなんか何もない。自分の寿命を犠牲にしただけだ。まるで貧乏くじを引かされたようなものではないか。黒川の言うことは完全に正しかった。

他人の運命に手を出してはならないのだ。

葵に会いたいと思った。こんな状態のまま、とても一人ではいられない。「今夜、会いたい」とメールすると、十五分後に「八時半に終わる」と返信が来た。

慎一郎は、八時過ぎにJR川崎駅近くの喫茶店に行き、葵にメールした。

ここに来るまでも、電車の中で手が透けている人を三人見た。いずれも、顔全体もうっすらと透けていた。彼らの命は二週間ほどかなと思った。

八時半を少し過ぎた頃、葵が店に現れた。

「どうしたの、急に。何かあったの？」

葵は向かいの席に座ると、笑いながら言った。

「いや」

慎一郎は首を振った。

「葵に会いたかったから」

「私も」

葵は微笑んだ。その顔を見たとき、彼女といる幸せを絶対に手放したくないと思った。子供たちが何人死のうと関係ない。とにかく事故から身を守るのだ。

「旅行のことだけど――」

「うん。どこに行く？」

「前に言っていた京都か神戸はどう？」

「年末、チケット取れるかな？　ホテルも空いてる？」

葵に言われて、あっと思った。たしかに今から旅行の手配をするのは遅すぎるかもしれない。関西以外でも、帰省ラッシュでチケットを手に入れるのは難しいだろう。

しかし、大地震のような災害ではなく、葵が乗ることはない列車事故ということであれば、旅行に行く必要もない。ただ、葵との初めての旅行はお預けということになる。慎一郎の困った顔を見て、葵は落ち着いた声で言った。

「逆に、都内はどう？」

「えっ」

「都内のホテルでのんびり過ごすの」

「それ――すごい」

葵は微笑んだ。

「交通費が浮いた分でいいホテルに泊まるの。ホテルで御節《おせち》料理食べるのも素敵じゃない？」

「うん」

都内の高級ホテルなんて泊まったことがなかった。葵と同じ部屋に泊まると想像しただけで、胸が高鳴った。しかし、その瞬間、昼間見た保育園の園児たちの姿が脳裏に浮かんだ。

「どうしたの、嫌なの？」

葵がこちらを覗き込むようにして訊《き》いた。

慎一郎は子供たちの映像を振り払うと、言った。

「葵はどうして僕なんかと付き合ってくれたの？」

「慎一郎さんが真面目《まじめ》で誠実な人だと思ったからよ」

彼女は笑みを浮かべながら答えた。

「誠実な人ならいくらでもいるよ」

「そうかしら」

「そうだよ」勢い込んで言った。「僕みたいな、平凡で何の取り柄もない男をどうして選んだの」

葵は黙った。

「葵なら、他にいくらでも、素敵な男性がいるだろうに」

彼女はじっと慎一郎を見た。その目はもう笑っていなかった。

「慎一郎さんは、私の命を救ってくれたじゃないですか」

葵のあまりに真剣な表情に動揺した。

「あ、あれは、ただの偶然だよ」

「たしかに偶然かもしれない」葵は静かに言った。「でも、あの日――慎一郎さんが私に声をかけてくれなければ、今、私はここにいなかった」

慎一郎は何も言えなかった。

「あの事故の現場を見たとき、もしかしたら、あの人は運命の人かもしれないと思った。だから慎一郎さんの会社を探して訪ねました。そこで慎一郎さんの真剣に仕事している姿を見て、はっきりと好意を持ちました」

慎一郎は黙ったまま頷《うなず》いた。

「慎一郎さんから付き合ってくださいと言われたとき、やっぱり、運命の人だったと思ったんです」

そう言って、葵は小さく笑った。

「女って、単純でしょう。すぐに運命に結びつけるの」

自分は葵の「運命の人」なんかではない。ただ、気まぐれで彼女の命を救っただけだ。自分の命が危なくなると知っていたなら、あんなことはしなかっただろう。

ふいに葵がテーブル越しに慎一郎の手を握った。彼女の細い指はくっきりと見えていた。

「慎一郎さんを好きになった理由はもう一つあるの。それは、慎一郎さんが他人のために生きることができる人だと思ったから」

「えっ」

「うまく言えないけど、慎一郎さんは仕事でも、常にお客さんのことを考えている。私といるときもそう。自分のことよりも、いつも他人のことを気遣っている。それって、すごく素敵だと思ったの」

慎一郎は、誤解だと言おうと思ったが、それを口にすることはできなかった。それで思わず俯《うつむ》いてしまった。

自分は葵の思っているような人間じゃないと言いたかった。いつも自分のことしか考えていない。今だってそうだ。多くの人が「死の運命」にあるのを知っていながら、葵との旅行に胸を弾ませている。そう思うと、恥ずかしくてたまらなかった。

葵に何もかも打ち明けてしまいたいという衝動にかられた。本当のことを話せば、彼女は何と言うだろう。子供たちを見殺しにしようとしている自分を責めるだろうか、それとも二人の幸せを守ってほしいと言うだろうか。

葵と別れて、会社に戻ってからも、気分は晴れなかった。こんな気持ちで葵との旅行を楽しめるわけがないと思った。どうして、事故なんか起きるんだ。自分のせいでもないのに、なぜ苦しめられなければならないんだ。

缶ビールを何本も飲んで、無理矢理寝てしまおうと布団の中に入った。

酔いのせいで熟睡できず、ぼんやりした頭で夢を見た。小さな子供たちが自分の周りにまとわりついて離れない夢だった。子供たちから逃げ出して一人になったと思っても、いつのまにか再び子供たちに取り囲まれている。その気味の悪さに何度も目を覚ましかけたが、眠りに落ちるとまた同じ夢を見た。最後の夢は衝撃的だった。まとわりついた子供の一人を振り払ったとき、その子が倒れて泣き出した。小さな女の子の顔を見ると、なつこだった——。

その瞬間、目が覚めた。

21

月曜日の朝、黒川のいる病院に電話した。

黒川からは二度と俺の前に現れるなと言われていたが、彼とはもう一度会うつもりだった。これは昨夜、寝る前に決めたことだった。黒川なら、自分の命を損なわずに列車事故を防ぐ何らかの方法を知っているのではないかと思ったからだ。

いや、さすがの彼もそんな方法は知らないかもしれない。しかし、それでもいい。彼に会って、自分の苦しみを訴えるだけでも、救いになる。自分一人ではとてもこの苦しみを背負うことはできそうにない。それに、彼のほかには誰にもこの悩みを打ち明けることはできない。彼もまたこの「事故」について気付いているようだった。彼はそれをどう見ているのだろうか。自分の仮説をぶつけてみたかった。

携帯電話を操作しながら、自分はもしかしたら、黒川に「安心しろ」と言ってもらいたいだけなのかもしれないと思った。「子供たちの死」も「大人の死」と同じだ、それを見殺しにしたところで、何ら良心の呵責を覚えることはない、と。それを言ってもらえるだけでも楽になる――。

病院の受付嬢が出た。

「木山と申しますが、本日、黒川先生はいらっしゃいますか」

黒川がいることだけを確かめられれば、直接、診察室におしかけるつもりだった。電話では断られるのがわかっていたからだ。

「内科の黒川、ですか――」

「はい。何時頃いらっしゃいますか」

受付嬢は少し間をおいて言った。

「黒川は先日、亡くなりました」

一瞬、頭が真っ白になった。

「――もしもし」

という声が携帯から聞こえて、我に返った。

「黒川先生が――」と慎一郎は言った。「お亡くなりになられたのはいつのことですか」

「三日前です」

「事故ですか、それとも病気ですか？」

慎一郎の質問に、受付の女性は一瞬、間を置いて言った。

「脳内出血と聞いておりますが、詳しいことは存じ上げません」

慎一郎は「ありがとうございました」と言うと、電話を切った。

しばらくは呆然《ぼうぜん》としていた。

最後に黒川に会ったのは一週間前だ。その時、黒川の指はどうだったか――たしか見えていた気がするが、記憶がおぼろげで自信はなかった。

もしかしたら、黒川は誰かを助けようとしたのではないか。自分の大切な誰かが列車事故で死ぬということを知り、その運命を変えようとした――その結果、その人は助かり、黒川は命を失ったということは考えられないだろうか。

いや、列車事故はなくなっていない。黒川が死んだのは金曜日だ。そのあとも自分は電車の中で手の透けた人を目にしているし、一昨日《おととい》も体の透けた園児たちを見ている。もしかしたら黒川は列車事故とは関係のない誰かの命を助けただけかもしれない。ただ、それも確かめようがない。日常生活を送っているときに、脳の血管が破裂しただけなのかもしれない。

黒川は、自分の脳と心臓の血管はボロボロになっていると話していた。その一つが自然に破れたとしても不思議はない。あれだけ、自分の命を守ろうとしていた黒川があっさりと死んでしまうとは――それが彼の運命だったとしても、どこか哀れさを感じた。他人の運命が見えても、自身の運命は見えなかったのだ。

そう考えたとき、自分もまた同じ運命にあるのかもしれないと思った。自分の脳の血管も黒川と同じような状態になっているのではないか。既に心臓の冠動脈は狭窄している。ということは、ある日突然、心臓が止まるか、あるいは黒川のように、脳の血管が破れるということもありうる。もしかしたら、自分に残された命も、あとわずかなのかもしれない。

ガレージの椅子に腰掛けたまま、目の前の車をぼんやりと眺めた。この仕事をしていて、よく思うことがある。いかにボディーをぴかぴかに磨き上げても、エンジンや電気系統が弱っている車はいくらでもある。それは外からでは絶対にわからない。一度、六気筒のうち四気筒が壊れている車を見たことがある。こうなると、いつエンジンが止まるかわからない。人間もそれと同じだ。ただ、車の場合はいざとなればエンジンを換装すればいいが、人間はそうはいかない。

もし、自分の心臓がいつ止まってもおかしくない状態だとしたら——それはあながち突飛な考えでもないように思えた。現実に、過去に何人かの運命を変えてきた黒川が死んだのだ。自分も同じ道を辿《たど》ったとしてもなんの不思議もない。

自分の命が長くはないのなら、それは葵との未来はないということだ。たとえ、葵と一緒になることができたとしても、幸福な時間は長くは続かないだろう。そう思うと、胸が締め付けられた。しかし、自分に残された時間が少ししかないとすれば、この先一日でも、一時間でも多く葵と一緒に過ごしたい。たとえ、大勢の命を見殺しにするようなことになっても。

慎一郎は葵に「今夜も会いたい」とメールした。返信はなかったが、気にはしなかった。仕事中に気軽にメールできないことはわかっていたからだ。

コーティングを終えたプジョーのボディーをチェックしているとき、ふいに保育園の子供たちのことが心に浮かんだ。

一瞬、子供たちだけでも助ける方法はないものだろうかという考えが浮かんだが、すぐにそれを追い払った。しかし、子供たちがいつ事故に巻き込まれるのかを知りたいと思った。それを知ったところでどうすることもできないが、何かヒントのようなものが得られるかもしれない。それに事故の日付を知っておくということは重要だ。

慎一郎は二階の事務所のパソコンで、保育園の名前と電話番号を調べた。そして携帯から電話した。

「はい、萩原《はぎわら》保育園ですが」

受話器から聞こえたのは若い女性の声だ。保育士かもしれない。

「私はそちらでお世話になっている年少の子の家の者です。つかぬことを伺いますが――」

慎一郎は嘘《うそ》を言った。

「もうすぐ年長のお子さんたちが遠足に行きますよね」

「遠足ではありませんよ」女性は言った。「川崎で子供向けのミュージカルがあるんです」

「ああ、そうでしたか」

やはり川崎だったか。

「いつでしたっけ？」

「二十四日の朝、電車で行きます」

思わず、息を呑《の》んだ。なんと四日後ではないか。年末とばかり考えていたのに、こんなに近いとは完全に予想外だった。透けて見える時間にずれが生じてきていたのかもしれない。

深呼吸してから言った。

「それって、年少の子も参加することはできませんか」

「すみません。それは無理だと思います」

「そうですか、無理言ってすみませんでした」

慎一郎は丁寧に詫《わ》びると電話を切った。

たまらない気持ちだった。よりによってクリスマスイブの当日とは——なんという日に起きるのだ。その夜は多くの子供たちが家族でクリスマスのお祝いをするに違いない。両親は子供たちへのプレゼントを用意しているだろう。子供たちが寝たあとに、枕元《まくらもと》にそっとサンタのプレゼントを置いておくのだ。あくる朝に、子供たちがどんなに喜ぶだろうと思いながら――。しかし、そんな幸福な光景は木っ端微塵《こっぱみじん》に打ち砕かれることになる。

慎一郎の脳裏に、子供の遺体を前に泣き崩れる親たちの姿が浮かんだ。同時に気分が悪くなって吐き気を覚えた。

トイレに行って吐こうとしたが、何も出なかった。何度も吐こうと試みるうちに、めまいがしてトイレにしゃがみこんだ。朦朧《もうろう》とした意識の中で、もう無理だ、と思った。こんな感情をかかえて暮らしていくことなんてできない。どうせ自分は長くは生きられない。それなら、せめて子供たちを助けて死のう。

その時、ズボンのポケットに入れていた携帯が鳴った。震える手で取り出すと、葵からのメールだった。

「今夜、会えるの、楽しみ」

メールの最後には赤いハートマークがあった。それを見た瞬間、意識が戻った。

同時に、葵のためにも生きるのだと思った。子供たちの「死」に良心の呵責を覚える必要はない。なぜなら彼らの死に自分は関わっていない。事故がどんな原因で起こるのかはわからないが、そこに自分の責任は一切ない。それに黒川が脳内出血で死んだとはいえ、自分も死ぬとは限らない。

立ち上がると、吐き気もおさまっていた。


夕方、慎一郎は葵に会うために会社を出た。約束の時間よりはだいぶ早かったが、狭いガレージにいるのは耐えられなかったからだ。

蒲田駅には保育園の前を通る道は避けて行った。透明な園児たちの姿など絶対に見たくなかった。

しかし駅近くで、道を曲がった時、幼い子供二人を連れた母親とばったり出くわしてしまった。

母子は慎一郎のすぐ前を同じ方向に向かって歩いている。子供の一人は五歳くらいの男の子で、もう一人は二歳くらいの女の子だった。おそらく兄妹《きょうだい》なのだろう。しかし、それはどこにでもある光景ではなかった。なぜなら、男の子の腕と足が透けていたからだ。

また、こんなのを見せつけられるのか、と非情な巡り合わせを呪《のろ》いたくなった。

幼い妹は兄の透明な手を持ってふざけている。兄はそんな妹の頭をもう一つの透明な手で撫《な》でている。優しい子だなと思った。

妹が兄に「うたを歌って」とせがんだ。兄が「たけのこ体操、よーい」と言うと、妹が地面にしゃがんで、頭の上で手を合わせる。おそらく、「たけのこ」のポーズなのだろう。それを見て、兄も同じ恰好《かっこう》をした。そして二人は兄の歌に合わせて、道で体操を始めた。母親は足を止めて、二人の様子を微笑《ほほえ》みながら眺めている。

慎一郎は彼らを追い抜いた。通り過ぎる時に、兄妹の楽しげな笑い声が聞こえた。

胸が締め付けられるようだった。あの子はあと四日で死ぬ。小さな妹は大好きな兄を失うことになる。足早に歩く慎一郎の耳に、なおも兄妹の笑い声が聞こえた。葵のために何かプレゼントを探そうとも考えていたのに、そんな気分はどこかへ吹き飛んでしまった。

あらためて黒川の死の理由を知りたいと思った。

最後に黒川に会ったときのことを思い出そうとした。どこか変わったところはなかったか。「死」を意識した部分がなかったか。しかしあの時の彼にはなんら変わったところは見られなかった。

それなら、列車事故を防いで死ねばよかったのに、と思った。黒川は列車事故をおそらく知っていたはずだ。しかし自分の命を失うことを恐れて、見て見ぬふりをすると決めていた。もし自然死だとしたら、その死は無駄死にということになる。

列車事故を防いで死ねばよかったのに──。心の中で繰り返すと、思わず笑い声が出た。道を往《ゆ》く人が慎一郎を振り向くほど唐突な笑い声だった。

自分は何を都合のいいことを考えているのだ。黒川が列車事故を止めて亡《な》くなっていたなら、自分は苦しまなくてすんだ。だから、彼にはそうしてほしかったのだ。自分が考えているのは、ただ己のことだけだ。それって、まるっきり黒川と同じだ。

もし──と思った。列車事故が起きる前に自分が死ねば、黒川と同じ人生になってしまう。事故のあと、しばらくして亡くなっても同じことだ。ただ、無駄に死ぬのと、大勢の命を救って死ぬのとでは、どちらが価値があるだろうか。そんなことは考えるまでもない。

いや、それは違う。人生の価値は誰かを助けるかどうかで決まるなんてことはないはずだ。「俺たちには他人の命を助ける義務など何もないんだ。天使に生まれたわけじゃないからな」という黒川の言葉は正しい。彼が自分の命をたくさんの人の命を救うために使わなかったからといって、責められる理由はない。それに結局のところ、彼もまた何人もの人の運命を変えることによって、自分の命を削ってしまった不運な男なのだ。

そう思った時、あっ、と声が出た。あの日、黒川の顔は透けていなかった。それに気付かなかったもし、彼が自然死なら、その顔は透明になっていたはずではないか。それに気付かなかったとは、あまりにも迂闊《うかつ》だった。

彼は死ぬ運命ではなかった——なら、なぜ死んだのか。もしかしたら、黒川は自分と会った後に、誰かを救おうとしたのではないか。それは彼の息子だったのかもしれない。あるいは、列車事故を防ごうとして、死神に阻止されたのか。真相はわからない。おそらく永久に闇《やみ》の中だろう。

気が付けば、川崎駅に着いていた。蒲田駅から電車に乗ってきたはずだが、ホームに立った記憶も電車に乗った記憶もなかった。

待ち合わせ場所の、駅近くの喫茶店に入った。葵が来るまで一時間近くはあった。

ホットのレモンティーを注文した。角砂糖を溶かしているとき、左胸に鈍い痛みを覚えた。同時に背中にも痛みが走った。壁際《かべぎわ》に移動しながら、胸ポケットから錠剤を取り出して、口に含んだ。するとまもなく痛みが引いた。

椅子に深くもたれながら、発作のサイクルが短くなってきている、と思った。心臓は医者が言っているよりも悪い状態なのかもしれない。あるいはあれから急速に悪化しているのか——。もう長くはないのかもしれない。だとすれば、せっかく葵との恋が始まったのに、ともに未来に向かって歩いていけないことになる。

葵になんか出会わなければよかった——。それなら、自分の人生など、簡単に捨てることができる。こんなちっぽけな命一つで、子供たちを始め、たくさんの人々の命が救えるなら、全然、惜しくはない。どうせこのまま生きていたって、たいしたことはできない人生だ。しかし葵に会ったばかりに、それができない。葵との一日のためなら、どれだけの人が死のうとかまわない。そう思った途端、先ほど蒲田の町で見た幼い兄妹の姿を思い出した。兄の歌を聞きながら、懸命に兄の真似《まね》をしている妹の嬉《うれ》しそうな顔、それを優しそうに見ている兄の顔が、脳裏にくっきりと浮かび上がった。

慎一郎は激しく首を振って、その光景を追い払った。

ぼんやりと、自分が年をとったときのことを想像した。このまま五十歳になれば、どんな人生が待っているだろう。さらに六十歳、七十歳を迎えた時——自分のそばには葵がいてくれるのだろうか。それはきっと素晴らしい生涯に違いない。

いや、はたしてそうだろうか。たくさんの子供たちを見殺しにした辛《つら》い記憶を捨て去ることなどできるのだろうか。これから先も多くの老若男女《ろうにゃくなんにょ》の死の運命を見ることになるだろうが、それらを横目で平然と見ながら生きていくことができるのだろうか。

ふと、この不思議な力はある時なくなるかもしれないと思った。何の前触れもなく、すーっと消えてしまうかもしれない。そうなっても不思議はない。もともと、ある日ふいにやってきたものだ。

いや、それはないだろう、と自らの甘い期待を否定した。黒川はコンピューターのバグのようなものだと言っていたが、もしかするとウイルスのようなものかもしれない。ウイルスは勝手に消えたりはしない。それに、葵との幸せな老後なんてやってはこない。自分の心臓は既にガタがきている。長生きなんてできない。

だから！　と慎一郎は心で強く叫んだ。葵との時間を何よりも大切にするんだ。そのためなら、他のどんなことも犠牲にしたってかまわない！

突然、慎一郎の目の前に葵が現れた。一瞬、幻影でも見たのかと思った。約束の時間よりずっと早かったからだ。

「体調が悪いと言って、早引きさせてもらっちゃった」

葵はそう言って舌を少し出した。

「そんなことしなくても――」

「早く会いたかったから」

葵はにっこりと笑った。

「私、わがままでしょう」

葵の優しさが痛いほど伝わった。おそらく、自分のメールを見て、切羽詰った気持ちを察し、嘘をついてまで来てくれたのだ。

「お腹《なか》が減ったわ。ここで軽いもの食べていい？」

慎一郎が頷くと、葵はメニューを見て、カフェラテとサンドイッチを頼んだ。慎一郎もレモンティーをおかわりした。

一旦《いったん》、椅子《いす》から立ち上がって白いコートを脱ぐ葵を見ながら、はたして自分は葵を幸せにできるのだろうかと思った。否《いな》――おそらく彼女を幸せになんかできない。なぜなら、自分にはどれだけ時間が残されているかわからないからだ。葵と共にいられる時間は、多くはないはずだ。

その僅《わず》かな時間を自分のためだけに使っていいのだろうか。それはあまりにも自分勝手な生き方ではないか。自分が死んだあと、残された彼女はどうなるのだ。

注文した飲み物とサンドイッチが運ばれてきた。

「慎一郎さんも食べて。多分、何も食べてないんでしょう。そんな顔してるよ」

葵はそう言ってサンドイッチの皿を前に押した。

「ありがとう」

慎一郎は今更のように葵の優しさに胸が熱くなった。こんな素敵な女の子を悲しい目に遭わせることなんかできない。やはり葵とは別れる方がいい。本当に彼女の幸せを望むなら、そうするべきではないか。

葵とともに幸福な人生を歩めないなら——それならば、子供たちの命を救いたい。

その決意は、悲痛な覚悟というよりは、迷いながら心に降りてきたものだった。

ただ、自分が死ねば葵が悲しむだろうことが辛かった。でも、その悲しみは永久には続かない。人はどんな悲しみにも耐えられる。そのためにも、葵とは深い関係になる前に別れなければならない。

いつの日か、葵はきっとまた恋をするだろう。葵の前に、必ず素敵な男性が現れるはずだ。想像するだけで身を切られるような思いがしたが、慎一郎は、それは自分の弱さと未練のせいだと思った。

葵に別れを切り出す必要はない。なぜなら、自分はクリスマスイブの日に死ぬからだ。子供たちの命を救ったあとに寿命を終える。葵と一緒にいられるのは、あと四日間しかない。一緒に旅行に行く日を迎えることもないだろう——。

不意に涙がぽろぽろとこぼれ落ちた。

「どうしたの？」

葵が驚いて訊《たず》ねた。

「いや、何でもない」慎一郎は慌《あわ》てて目をこすった。「目にまつげか何かが入った」

無理に笑顔を作って見せたが、葵は笑わなかった。それどころか、まるで睨《にら》むような目で慎一郎を見つめていた。一瞬、もしかして自分の心が読まれたのだろうかと思った。

サンドイッチに手を伸ばしかけたが、食欲はまるでなかった。見ると、葵もまったく手をつけていなかった。

何か楽しい話をしようと思ったが、話題が何も思い浮かばない。葵もまた店にやってきたときのような快活さを失っていた。

二人は一言も喋《しゃべ》らないまま、飲み物を口に運んでいた。

「出ましょう」

葵が唐突に言った。慎一郎は黙って頷いた。

自分のせいで、楽しいデートが台無しになってしまった。せっかく早引きまでしてくれた葵に、申し訳ない思いでいっぱいだった。

店を出たあとも、二人は無言で駅までの道を歩いた。

改札を抜けた時、ふいに葵が、「帰りたくないな」と呟《つぶや》くように言った。

慎一郎は「え？」と訊き直したが、葵はもう口を開かなかった。

「何か食べ直しに行こうか？」

葵は首を横に振った。

「それとも、どこか、お酒を飲めるところは？」

自分で提案してみたものの、女性を連れて飲みに行けるような洒落《しゃれ》た店なんて知らないことに気が付いた。

しかし葵はまた黙って首を振った。慎一郎は立ち止まったまま、どうすればいいのだろうと途方にくれた。

「慎一郎さんの家に行ってもいい？」

葵が小さな声で訊いた。

「僕の家？　会社のこと？」

「何もないよ。食べるものも」

葵は頷いた。

「紅茶もないの？」

「紅茶はある」

「じゃあ、紅茶が飲みたい」

慎一郎は戸惑いながらも、頷いた。

蒲田方面行きの満員の車両の中で、葵の方から強く手を握ってきた。こんなことは初めてだった。慎一郎はその手を握り返しながら、もうすぐこの柔らかい白い手にも触れられなくなるのだと思うと、胸がつぶれそうになった。

蒲田駅を出たとき、「何か買っていく？」と葵に訊ねた。

「紅茶に入れるレモン」

と葵は答えた。二人で駅前のスーパーに入って、レモンを一つ買った。

まもなく会社に着いた。

シャッターの横のドアを開けてガレージの中に入った。

「寒くない？」

「大丈夫」

鉄製の階段を昇って、二階の事務所に入った。慎一郎はすぐにエアコンのスイッチを入れた。

「すぐに暖かくなるからね」

慎一郎はポットで湯を沸かすと、戸棚からティーバッグを取り出した。それを見たとき、今度、葵が来た時に出そうと思って買っておいたものだということに気付いた。

熱い湯をカップに注ぎ、切ったレモンと角砂糖を皿に添えた。

「美味《おい》しい」

紅茶を口に含んだ葵が呟いた。「体が温まるわ」

葵の言うように、熱い紅茶が慎一郎の冷えた体にもしみわたった。事務所全体にレモンと紅茶の香りがひろがるのを感じながら、たまらない幸福感を味わった。

――どうだ、幸せだろう？

突然、もう一人の自分が囁《ささや》くのが聞こえた。そこには抗《あらが》いがたい甘美な響きがあった。

その通りだ！　と慎一郎は答えた。たとえ、自分の命があと僅かであろうとも、いや、あと僅かであるからこそ、その時間を大事にしたい。そう考えて何が悪い。

葵を見つめると、彼女が微笑むのが見えた。

「やっと笑ってくれたね」

慎一郎の言葉に、葵は少し戸惑ったような表情をした。

「前から気になっていたんだけど――」と葵は言った。「慎一郎さんは、いつも、どこで寝てるの？」

「この奥に部屋がある。部屋とも呼べないものだけど――」

「見せてほしいわ」

「見ても仕方がないよ。何もないし」

「でも見てみたい」

「だめ」

「わかった。ごめんなさいね」

すまなさそうに言う葵の表情を見て、こちらが申し訳ない気分になった。

「寝るだけの部屋だから、何もなくて恥ずかしいんだ。でもまあ、こんなところもあるということで、覗《のぞ》いてみる？」

「いいの？」

慎一郎は立ち上がると、事務所の奥の扉を開けた。それから部屋に入って、蛍光灯を点《つ》けた。

「ほらね、何もないだろう」

振り返ると、葵が扉から部屋を眺めていた。

「わー、本当に何もないのね」葵は少し驚いたように言った。「布団《ふとん》があるだけ」

慎一郎は苦笑した。葵の言うように、あとはハンガーと下着類が入ったボックスがあるだけだった。

「でも、全然、ゴミがないわ」

「捨てるようなものも置いてないから」

「万年床？」

葵がクスッと笑いながら、部屋に入ってきた。

「恥ずかしいな、だらしないね」

「でも、シーツはきれいな感じ」

「シーツは三日おきに替えている。布団もそれくらいの割合で干してるかな。忙しい時はサボるけど――」

「清潔なのね」

「そんなんじゃなくて――」と慎一郎は言った。「体も清潔にしておかないと、お客さんに失礼だから」

「慎一郎さんて、本当に仕事一筋なのね」

葵が振り向いて感心したように言った。

「違うよ」慎一郎は両手を振った。「他に何もできないから」

いきなり葵が抱きついてきた。あっと思った次の瞬間には、唇が葵の柔らかな唇で塞《ふさ》がれていた。

そのぶつけるようなキスは、これまでに何度かしたキスとはまるで違っていた。口の中に葵の舌が入ってくるのを感じた。全身に電流が走った。力いっぱい葵を抱きしめながら、彼女の舌を吸った。

気が付けば、布団の上で葵と抱き合っていた。自分の体が上になっているのか下になっているのかもわからない。ただ、葵とキスしていることと、彼女の手が背中に回されていることだけがわかった。何度キスしたのかもわからなかった。

葵が何か言った。慎一郎は「どうしたの?」と訊いた。

「上着がしわになる」

葵は小さな声で言った。

「ごめん」

慎一郎は葵から離れて、上体を起こした。葵も上体を起こすと、上着を脱いだ。それをきれいに畳んで枕元に置くと、ブラウスのボタンを外し始めた。慎一郎は思わず目を逸《そ》らした。はたしてこれは現実の出来事なんだろうか。部屋の中の時間だけが止まってしまったような気がした。

幻想のような世界の中で、慎一郎は生まれたままの姿になった葵を抱きしめていた。慎一郎自身もすべての服を脱ぎ去っていた。

「寒くない？」

慎一郎の問いに、葵は目を閉じたまま首を横に振った。その顔は赤く上気していた。そんな葵を見るのは初めてだった。

全身に葵の肌の温《ぬく》もりを感じた。胸に葵のふくらみが当たるのがわかった。慎一郎は下腹部が締め付けられるような感触を覚えた。

「きて」

その声は天上から聞こえたような気がした——。


すべてが終わっても、まだ夢の中にいるようだった。自分の体がふわふわとした雲の上にあるかのような——それとも、これはやはり夢の世界なのだろうか。

葵が慎一郎の胸に頭を載せている。疲れたのか、軽く寝息を立てている。

慎一郎は天井の豆電球を見ながら、もう思い残すことはないと思った。これは神様が自分に与えてくれた最後のプレゼントだ。それとも自分を哀れに思った死神が与えてくれたものなのだろうか。いや、どちらであろうとかまわない。こんな素晴らしい夢を見られたなら、もうどうなったっていい。子供たちを助けて死んでも悔いはない。

迷いは完全に消えていた。自分でも不思議に思うほど恐怖感もなかった。

ただ、葵に対して申し訳ないという気持ちはあった。それだけが辛かった。葵に何もかも告げたらわかってもらえるだろうか。いや、それは無理だ。「死の運命」が見えるなんて、信じてもらえるはずがない。

しかし――もし信じてもらえたとしたら、どうだろう。葵は自分を止めるだろうか。私のために生きてほしいと言うだろうか。それとも、自分の決断を黙って認めてくれるだろうか。

いったい自分はどうしてほしいのだ。葵にどう言ってもらいたいのだ――。

目を閉じている葵に軽くキスした。葵はうっすらと目を開けて、慎一郎を見た。

その時、葵の表情が悲しみに変わったような気がした。それは錯覚ではなかった。

なぜなら、葵の両の目にみるみる涙が浮かんできたからだ。

「どうしたの？」

葵は答えずに、ただ泣いた。慎一郎がもう一度訊くと、

「なんでもない」

葵は顔を慎一郎の胸に埋《うず》めた。慎一郎はその頭をそっと撫でた。胸に葵の涙が落ちるのを感じた。葵がなぜ泣いているのかはわからなかった。しかし敢《あ》えてそれ以上は訊かなかった。初めて結ばれたことで、感情が高ぶっているのかもしれない。

「葵」

慎一郎は言った。

「なあに？」

「愛してる」

少し間があって、葵は「私も」と答えた。そして慎一郎の体をぎゅっと抱きしめた。しばらくそのままの姿勢で二人は抱き合っていた。

「泊まっていく？」

「そうしたいけど」

葵は言った。

「今日と同じ服を着て店に行けないし――」

迂闊なことを訊いたと思った。服以前に、ここにはシャワーがない。いつもは夜遅くに近所の銭湯に行っていたし、行けない日は濡《ぬ》らしたタオルで体を拭《ふ》いていた。それを説明すると、葵はおかしそうに笑った。彼女の笑顔を見ながら、シャワー設備をつけていなかったのを心から後悔した。

「近いうちに――」慎一郎は言った。「シャワー室を作るね」

「本当に？」

「約束する」

慎一郎は嘘をついた。

葵は顔を上げると、再び唇をぶつけるようなキスをしてきた。慎一郎は熱いキスを交わしながら、心の中で嘘を詫びた。シャワー室が作られる日は永久に来ない。

「そろそろ、帰らないと、終電に間に合わなくなっちゃう」

長いキスのあと、葵は上体を起こして言った。

「帰らないでほしい」

しかし葵は悲しそうな笑顔で首を横に振った。慎一郎もそれ以上は引き止めなかった。

葵は服を着ると、慎一郎にそっとキスをした。さきほどまでの情熱的なキスではなく、優しく包み込むようなキスだった。

「駅まで送るよ」

葵はうつむいて首を横に振った。

「送られると、駅で別れられなくなっちゃう」

「でも――」

「お願いだから、今夜は一人で帰らせて」

ガレージの前で、葵を見送った。彼女の白いコートが闇の中に消えて行くのを見ながら、慎一郎は声も出さずに泣いた。

22

一睡もできないままに朝を迎えた。

しかし心は澄んでいた。もう何も未練はない。あとはやるべきことをやるだけだ。子供たちを救うのはそれほど難しいこととは思えなかった。ミュージカル見学を中止にすればいいだけのことだ。もちろん、かなり強引なことをやらなければならないだろうが、やれないことではない。

ただ、それでは事故そのものをなくすことはできない。自分の命を犠牲にするなら、事故そのものを消滅させて多くの人の命を救いたい。そのためには、なぜ事故が起こるのかを知る必要がある。事故の原因となるものさえ取り除けば、事故は起こらないはずだ。事故は三日後の二十四日の朝に起こる。自分に残された時間は七十二時間だ。

慎一郎は部屋の中で腕を組みながら考えた。

運転士を代えるのはどうだろう。もし運転士の操作ミスで起こる事故なら、彼を勤務から外せば、事故は防げる。そのためには二十四日のその時間帯の勤務表を手に入れる必要がある。ただ、それは容易なことではない——。

もし運転のミスではなく、車両の欠陥か整備不良が原因なら、運転士が誰であっても関係ない。仮に蒲田駅で運転士を引きずり降ろしたとしても、運命は変わらない。やるなら、電車そのものを止めてしまうことだ——。

そこまで考えたとき、体に戦慄《せんりつ》が走った。

自分が線路に飛び込む映像が頭に浮かんだからだ。それをやれば、電車は確実に止まるだろう。その瞬間、次に起こるべき大事故は消える。体中が小さく震えた。はたしてそんなことができるのだろうか。

自分が電車に飛び込んだとして、それが原因で大事故になるという可能性はないのか。人を轢《ひ》いて電車が転覆したという話は聞いたことがないが、絶対にないと言えるのだろうか。

電車をストップさせようと、線路内にものを置いたりする行為も同じことかもしれない。そのことで事故になる可能性もある。事故を防ごうと思ってしたことで事故が起こるなら、それこそ、まさしく「バグダッドの死神」の話ではないか。頭の後ろで死神の笑い声が聞こえた気がした。

冷静になるんだ、と自分に言い聞かせた。軽々しい行動は慎め。ことは重大だ。そして多くの人の運命がかかっている。事故をなくすことに失敗したなら、多くの命が失われる。もちろん、子供たちの命もだ。ただ、その時は自分の命は助かるかもしれない。もしかすると、自分はそれを望んでいるのだろうか――。

やはり事故の原因を突き止めなければならないが、それを知る方法があるのだろうか。

車両の故障が原因だとするなら、鉄道会社に点検させればいいのではないだろうか。たとえば匿名《とくめい》の電話で、「お宅の車両にいたずらをした」とでも伝えたなら、全車両を点検するのではないか。だが、これも確実ではない。車両の故障が原因でなければ、点検の後、通常通りに運転を始め、やはり事故が起きるに違いないからだ。

思わず頭を抱えた。いったいどうすれば事故を防ぐことができるのだ。

その時、「おい」という声が聞こえた。開いたシャッターの方を見ると、遠藤がこちらを見て笑っていた。

「あ、社長」

「どうだ、景気は？」

遠藤はにこにこしながらガレージに入ってきた。

「お陰さまで、何とかやっています」慎一郎は答えた。「ママさんにも助けてもらっていますし」

遠藤は満足そうに頷いた。

「今日、来たのは、お前に頼みごとがあってな」

「車ですね」

「ま、そういうことだ」遠藤は笑った。「年末恒例というやつだ」

毎年のことだ。年末になると、車を磨いてくれという注文が殺到する。新しい年をぴかぴかの車で迎えたいのだろう。

「それで、お前のところで何台かこなしてもらえないかということだ」

一瞬、返事に困った。ほかならぬ遠藤の頼みでもそれは聞けない。今、車を預かっても、それらをすべて磨くまで生きてはいないからだ。

「実は、体の調子が良くないんです」

遠藤は驚いた顔をした。

「今週末から休もうと思っているんです。それで、年末に仕事を受けてしまうと、社長やお客さんにもご迷惑をかけてしまいます」

「どこが悪いんだ？」

「心臓の調子がよくなくて、冠動脈が狭窄《きょうさく》してるって診断されたんです」

自分の左胸を指でさして言いながら、遠藤は近いうちに、このセリフが本当だったと知ることになるだろうと思った。

「よくわからんが、そういうことなら、無理は頼めないな。体だけは大事にしろよ」

遠藤は心配そうにそう言うと、肩を軽く叩《たた》いた。

慎一郎は「はい」と答えながら、何も知らない自分をここまで育ててくれた遠藤に、心の中で、あらためて深く礼を言った。遠藤がいなければ、こうして小さいながらも自分の会社を持つようなことはなかっただろう。そして、葵と出会うこともなかったに違いない。そう考えると、今更のように人の運命は本当に無数の別れ道でできていると思った。

遠藤の手に目をやった。節くれだった太い指は爪《つめ》の先までくっきりと見えている。

遠藤さん、いつまでも元気でいてください、と心の中で祈った。

「それじゃあ、会社に戻るよ」遠藤は言った。「体の調子が良くなったら、いつでも連絡してくれ」

「そうさせてもらいます」

遠藤が去った後、以前、彼の体が透けていた時があったことを思い出した。遠藤が金田を殴った直後、彼の体が消えたのだ。あの時、遠藤はおそらく金田の襲撃を受けて命を失う「運命」にあった。しかし、その運命は自分が変えた――。

その時、心に何かが引っ掛かる感じがした。違和感に似た奇妙な感覚だった。これはいったい何だろう――金田だ。

自分が遠藤の命を救ったことで、金田の運命も変わったはずだ。彼は犯罪者となることを免れた。それは彼にとっても幸運であったはずだ。しかし、自分は彼の指が透けているのを見た。つまり彼はあとわずかで死ぬ運命にある。自分が遠藤の命を救ったことによって、金田の運命を「死」のコースへと変更していたのだ。金田の死は自分のせいであるのかと思うと、心が重くなった。

金田もまた列車事故で死ぬのだろうかと思った。いや、多分それはないだろう。金田は蒲田の運送会社に勤めていると言っていた。だから朝、川崎方面に向かう電車に乗っているはずはない。ということは、たまたま同じ頃に別の原因で死ぬのだろうか。しかしそんな偶然があるだろうか。彼は若くて見るからに健康そうだった。そんな彼が病気で死ぬとは考えられない。だとしたら事故か。列車事故と同じ頃に、車で事故を起こすのだろうか――そう思った瞬間、思わず、あっと声を上げた。

列車事故は金田が絡《から》んでいるのではないかという考えが頭を過《よ》ぎったからだ。

最初はあまりに突飛すぎると思ったが、しばらく考えていると、有り得ないことではないようにも思えてきた。

金田はトラックの運転手をやっていると言っていた。もし、彼の運転するトラックが遮断機の下りている踏切に突っ込んで、走ってくる電車とぶつかったなら――。

慎一郎の脳裏に、轟音《ごうおん》を立てて転覆する列車の映像が浮かんだ。同時に、大勢の人々の悲鳴が聞こえたような気がして、思わず耳をふさいだ。めまいと吐き気に襲われ、続いて心臓に鋭い痛みを感じた。

薬を口に含むと、胸の痛みは引いたが、めまいと吐き気はしばらく収まらなかった。

慎一郎は会社を出ると、蒲田駅に向かった。

そこから川崎方面に向かって線路伝いに歩いた。事故が起きる場所を調べるためだった。蒲田駅から川崎駅までの間に、はたして道路と交差している場所はあるだろうか。

蒲田駅から一キロ近く歩いたところに最初の踏切があった。そんなに大きな道路ではないが、トラックも十分通れそうな幅はある。

そこからさらに数百メートルほどの間に踏切は四つあった。ただ、いずれも道はそれほど広くはなく、一方通行だった。しかしトラックが通れない道路ではない。

そこから先は線路が高架になっていて、川崎駅までは踏切がなかった。

慎一郎は来た道を逆に歩きながら、事故はこの五つの踏切の中のどこかで起きるのかもしれないと思った。もちろん、踏切で起きると決まったわけではない。金田の死は事故とは無関係である可能性もある。しかし、たまたま同じ時に、同じ町で働く健康な若い男が突然死ぬというような偶然は考えにくい。

もし金田が事故に関係しているとすれば、彼の行動を変えれば事故は起きないことになる。そのためには彼を探し出す必要がある。蒲田駅近くの運送会社に、片っ端から電話して探すしかない。

慎一郎は会社に戻ると、パソコンで周辺の運送会社を検索し、一つ一つ電話して、金田が勤めているかどうかを尋ねた。しかし、蒲田周辺の十軒の運送会社に金田はいなかった。

そこで検索範囲を広げて探した。ところが半日近くかけて五十近くの運送会社に電話しても、金田が勤めている会社は見つからなかった。

途方にくれた時、運送会社は遠藤が紹介してくれたと金田が言っていたのを思い出した。自分の迂闊さに呆《あき》れるばかりだった。

すぐに遠藤の会社に電話した。

「どうした。車を磨いてくれるのか？」

電話に出た遠藤は上機嫌で言った。

「すいません。全然、別の用件なんですが」

「かまわん。言ってみろ」

「金田さんに連絡を取りたいのですが」

「金田に？　何の用だ」

「少し頼みたいことがあって――」

「頼みごと？　お前が金田にか？」

遠藤は怪訝《けげん》そうに訊《き》き直したが、すぐに答えた。

「あいつの連絡先は知らんが、会社はわかる。ちょっと待ってくれ」

そして金田の勤めている運送会社の名前と電話番号を教えてくれた。

慎一郎は遠藤に礼を言って電話を切ると、運送会社に電話した。

ところが、受話器からは「只今《ただいま》、臨時休業中です」というアナウンスが聞こえてきた。業務再開は明後日《あさって》の二十三日ということだった。事故の前日ではないか！　とても待ってはいられない。もし二十三日に金田が休んでいたなら、お手上げだ。

こうなったら何としても金田に直接、連絡を取るしかない。しかし遠藤は知らないと言っている。他に誰か金田の連絡先を知っている人がいるだろうか。子分のような存在だった松山と後藤なら知っているかもしれない。

時計を見ると、七時半だった。終業時間は過ぎていたが、仕事の立て込むこの時期なら、遅くまでやっているはずだ。松山か後藤のどちらかがいる可能性は高い。

すぐさまガレージを出ると、広い道まで歩き、タクシーに乗った。

遠藤の会社に着いたのは八時過ぎだった。ガレージ前の駐車スペースの扉は閉まっていたが、ガレージのシャッターの下からは明かりが漏れていた。中ではまだ誰かが作業をしている。

慎一郎は駐車場を抜けて、ガレージの横の扉を叩いた。少し間があって扉が開くと、見知らぬ若者が顔を出した。

「社長はいる？」

そう訊くと、若者は振り返って、「社長、お客さんです」と言った。すぐに遠藤がやってきた。

「どうした？」

遠藤は少し訝《いぶか》しげな顔で訊いた。

「すみません、こんな時間に。松山さんか後藤さん、います？」

「後藤は帰ったけど、松山ならいるぞ。まあ、入れよ」

「いや、お仕事の邪魔をしたくありませんから。松山さんに少し伺いたいことがあるだけなんで、すぐに済みます」

「松山は二階で書類を書いてる。呼んできてやる」

遠藤はそう言うと、奥へ引っ込んだ。

慎一郎が暗い駐車スペースで待っていると、ガレージの横の扉が開いて、松山が現れた。

「何か用か」

松山は不機嫌そうに言った。

「すみません。お仕事中に訪ねて」

「すみませんって思うなら、来るんじゃねえよ」

松山はそう言うと、横を向いて地面に唾《つば》を吐いた。

「お前、社長に仕事頼まれて断ったそうだな。お陰で、今夜も残業だよ」

「そのことに関してはすみません。今夜はどうしても松山さんに訊きたいことがあって、来ました」

松山はにやりと笑った。

「真理子のことかよ」

心にちくりとした痛みを覚えたが、彼の言葉は無視して訊いた。

「金田さんの携帯番号って知ってますか？」

「知ってたら、どうなんだ？」

「教えてほしいんです」

「なんでだよ」

「急用なんです。教えてください」

「嫌なこった」松山はにべもなく言った。「お前に教えて何の得があるんだよ」

そして背を向けてガレージに戻ろうとした。

「待ってください。松山さん」

慎一郎がその腕を摑《つか》むと、松山は邪険に振りほどいた。

「離せよ、馬鹿野郎《ばかやろう》！　殴られたいのか！」

「お願いします。大事な用事なんです！」

慎一郎は、深く頭を下げた。しかし松山はその頭を平手で叩いた。

「お前になんか絶対に教えるもんか」

松山は慎一郎に背を向けて扉の取っ手に手をかけた。次の瞬間、慎一郎は背後から彼に飛びかかり、後ろ襟を摑んで引き倒した。

「この野郎、何しやがる！」

仰向けに倒れた松山は怒鳴ったが、慎一郎は彼の体に馬乗りになると、両手で彼の首を絞めた。

「どうしても知りたいんだ。言えっ！」

松山は口をぱくぱくさせたが、言葉が出ない。慎一郎は少し力を緩めた。松山は喉《のど》をぜいぜい鳴らしながら、「この野郎――」と悪態をついた。慎一郎はもう一度、指に力を込めた。松山は喉の奥で「ゲッ」と潰《つぶ》れたような声を出した。

再び力を緩めると、松山は激しく咳《せ》きこんだ。そして「教えるから、手を離してくれ」とかすれた声で言った。

「携帯電話はどこにある？」

また両手に力を入れて訊いた。松山は声を振り絞るように、「ポケットの、中、ズボンの――」と言った。

「そこから出して、金田さんの携帯番号を見せろ」

力を緩めると、松山は涙を流しながら何度も頷《うなず》き、ポケットから携帯電話を取り出した。そして、首に手をかけられたまま、顔の前で携帯を操作した。

「あった」

「こちらに向けろ」

松山は「はい」と言って、携帯の画面を慎一郎に見せた。画面にはたしかに金田の名前と携帯番号が映し出されていた。慎一郎は左手で松山の首を押さえつけながら、右手で胸ポケットのボールペンを取り出して、左手の甲にその電話番号を書き写した。

慎一郎がようやく首から手を離すと、松山は自分の首を押さえながら、慎一郎を睨みつけた。

「こんなことしやがって。ただじゃ済まさないぞ」

松山が憎々しげに言った。

「ボコボコにしてやるからな。覚えておけよ」

慎一郎は首を守っている松山の手を見た。どの指もくっきりと見えている。自分はもうすぐ死ぬというのに、こんな奴《やつ》がこの先ものうのうと生きていくのだと思うと、どす黒い怒りが湧《わ》いてきた。慎一郎は馬乗りになった姿勢から、松山の顔面を力いっぱい殴りつけた。何度目かのパンチで歯が折れたのがわかった。気が付けば松山は失神していた。

慎一郎は立ち上がると、松山をそのままにして、その場から立ち去った。

蒲田の会社に戻る途中で、金田の携帯に電話した。しかし、いくらかけても出ない。留守電を残そうかと思ったが、もし松山から何か連絡が入って警戒されたら、出てもらえなくなる可能性もあると気付き、伝言は何も残さなかった。

会社に戻ると同時に、携帯電話が鳴った。慌てて画面を見ると、遠藤からだった。

「木山、お前、松山を殴ったのか」

「はい」

慎一郎は答えた。

「これには事情があって――」

受話器の向こうで、遠藤が深いため息をつくのが聞こえた。

「まさか、本当だったとは」

「すみません」

「いや、俺に謝ることじゃない。お前がそこまでやるからには、それなりの理由があったんだろう。しかしな、少し面倒なことになった」

「何ですか」

「松山の奴が警察に駆け込んだんだ」

予想外だった。

「俺は止めたんだが、どうしても訴えると言って、警察に行った」

「松山さんは大丈夫なんですか？」

「まあな。しかし、本人は頭に血が上っていて、俺にも止められなかった」

「すみません。ご迷惑をかけました」

「そんなことはいい」遠藤は言った。「それよりも、警察にはきちんと説明したほうがいいぞ。どうせ、松山から先に手を出したんだろう。そのあたりを話せば、何とかなると思う」

「ありがとうございます。そうします」

電話を切ったあと、どうするかを考えた。事態はかなりまずい。下手をすれば傷害罪で逮捕されるかもしれない。今、この貴重な時間を留置場などで潰すわけにはいかない。

警察が来る前に、会社を出ようと決めた。

急いで、カバンの中に銀行の通帳やキャッシュカード、保険証、免許証などを入れ、下着やシャツを何枚か詰め込んだ。部屋を出るとき、昨日、葵と抱き合った記憶が蘇《よみがえ》ってきた。その思い出は胸に突き刺さった。

階段を降りて、ガレージ横のドアを閉める。おそらくもう二度とここには戻ることはないだろう。開業してから二ヵ月半の様々な出来事の記憶が頭の中を駆け巡った。毎日黙々と車を磨く――それがいかに素晴らしい日々であったかを、失う今となって初めて知った。

それらの思い出をすべて封印するように、ドアにゆっくりと鍵《かぎ》を掛けた。

慎一郎は蒲田駅前の安ホテルに投宿した。

宿泊カードには、念のために偽名を書いた。フロントには小さなクリスマスツリーが飾られていた。

部屋に入ってから、金田に電話した。しかし金田は出なかった。一時間後と二時間後にも電話したが、出なかった。列車事故はまず金田が絡んでいる。根拠はなかったが、そう確信していた。事故を防ぐためにも何としても金田を捕まえる必要がある。それまでに連絡がつかなければ、二十四日の当日、金田の勤める会社に直接行って金田を捕まえるしかない。そうすれば何とかなるだろう。

それにしても、と思った。もしあの時、自分が遠藤を助けなければ、金田が事故を起こすことにはならなかったはずだ。遠藤を殺した金田は刑務所に入り、運送会社に勤めることもなかっただろう。つまり、この事故は自分が引き起こすことになったのだ。それに気付くと、あらためて自分の能力の恐ろしさに慄《おのの》いた。

しかし、自分のせいで大勢の人が死ぬことになるのなら、防ぐのは自分の義務だ。それで自分が死ぬことになってもだ。

十一時半にもう一度金田に電話したが、出なかった。その途端、ここ数日の疲れがどっと出て、慎一郎は深い眠りに落ちた。


翌朝の十時、慎一郎は金田に電話した。

三度目の呼び出し音で、「はい」という声が聞こえた。金田の声だった。

「金田さん、木山です」

「木山か――珍しいな」

「今、どこにいるんですか」

「湘南《しょうなん》だ」

「蒲田にいないんですか？」

「昨日からサーフィンに来てるんだ」

「二十四日の朝、どこかで会えませんか」

「何の用だ」

「大事な相談があるんです」

「別にいいけど、二十四日の朝はまだ湘南にいるぞ」

慎一郎は、えっと思った。

「二十四日の夕方に蒲田に戻る予定だから、会うのはそれからでもいいか」

慎一郎はすぐには返事ができなかった。

まさか、二十四日の朝、金田が蒲田にいないとは思ってもいなかった。ということは、彼が事故を引き起こす可能性はない。

「夕方は予定が入っていて、無理なんです。また改めます」

「そうか。じゃあ、それ以降だな」

「ところで、最近、松山さんから連絡がありました？」

「松山？　何もないぞ。どうしたんだ」

「いや、何でもないです。松山さんから金田さんの電話番号を教えてもらったので」

金田は興味なさそうに、ふーん、と言った。

「金田さん――」

「何だ？」

「体に気を付けてくださいね」

「ありがとうな」

「できたら――」慎一郎は迷いながら続けた。「サーフィンはやめてください。嫌な予感がします」

「何を言ってるんだ」

金田は少しむっとしたようだった。

「すみません」

電話を切った後、慎一郎はたまらない気持ちになった。

もしかしたら金田はサーフィンの事故で命をおとすのかもしれない。湘南まで行けば、彼を助けることもできるが、そうすれば列車事故を防ぐ前に自分が命を落とす可能性がある。だから、ああ言うのが精一杯だった。その後の運命がどうなるかは金田次第だ。

しかし、列車事故の原因が金田でないとすれば、すべてを一から考え直さなければならない。事故は明後日だ。はたして残る四十八時間足らずで、事故の原因を知ることが可能なのだろうか。そして事故を止めることができるのだろうか――。

そう考えた直後、左胸に激痛が走った。震える指でポケットから薬を取り出して、口の中に含んだ。しばらくすると痛みは消えたが、ベッドから起き上がる気にはなれなかった。

昼過ぎに部屋を出ると、蒲田駅の近くにある保育園を見に行った。道から園庭を覗くと、園児たちが遊んでいるのが見えた。しかし、年長の園児たちの体は、ほぼ完全に透けていた。子供たちは確実に「死」に向かっている——。

夕方、再びホテルに戻ると、葵からメールが来ているのに気付いた。開くと、そこには一言「イブの朝に会いたい」とだけあった。

それを見た瞬間、これは女神の言葉だと思った。

もし、イブの朝に葵と会えば、自分が死ぬことはないだろう。二人でモーニングの紅茶を飲んでいる間に、事故は起きる。そしてあの子たちを含む大勢の人が命を落とすのだ。しかし、自分は助かる——。

葵に会いたい。今すぐにでも、葵に触れたい。葵の柔らかな肌に触れたい。できることなら、もう一度、葵と一つになりたい！

しかしそんなことができないのはわかっていた。あの夜、葵には二度と会わないと決意したのだ。もし、もう一度会えば——死ぬ勇気を失うだろう。

慎一郎は葵にメールを返さないと決めた。

洗面所に行くと、シンクに水を張り、そこに電源が入ったままの携帯電話を落とし入れた。しばらくして水の中で画面の明りがすっと消えた。それは葵との愛が消える瞬間のように思えた。

慎一郎の目から涙がひとしずくこぼれた。

23

二十四日の早朝、慎一郎はホテルをチェックアウトした。

駅前のアーケード商店街はまだほとんどの店が開いていなかったが、スピーカーからはクリスマスソングが流れていた。アーケードの下には色とりどりの星やリボンの装飾が施されている。

慎一郎は、蒲田駅と川崎駅の間にある、最も蒲田駅寄りの踏切を目指して歩いた。

踏切に着いたのは、午前八時を少し過ぎた頃だった。

事故を起こすはずの電車は蒲田駅を九時過ぎに出る。まだしばらく時間がある。

踏切の前に立ったまま、何本もの電車が通りすぎていくのを見た。深呼吸をして気持ちを落ち着けた。いざとなって狭心症の発作が起こらないように、ポケットからニトロを取り出して、口に含んだ。

時計が八時五十五分になった時、慎一郎は踏切に足を踏み入れた。踏切には線路が四本あったが、九時過ぎに出る電車が通る線路に向かった。その線路は前日確かめていた。

今頃、蒲田駅には体の透けた人たちが集まりつつあるはずだ。しかしその異様さに気付く人は誰もいないだろう。

慎一郎はコートを脱いで線路の上に寝そべると、自転車のワイヤーロックを取り出し、体に巻きつけて施錠《せじょう》してあったタイヤチェーンに通した。そしてそれをレールの下に潜《くぐ》らせてダイヤルロックすると、用意していた発炎筒に火を点《つ》けた。

前日にホテルの部屋で何度も練習していただけに、一分とかからなかった。

二本目のワイヤーロックを取り出した頃には、何人もの通行人が慎一郎の不審な行動に気付いて、人だかりができていた。

「おい、そんなところで何をしてるんだ？」

最初に声を掛けたのは、自転車で通りかかった中年男だった。しかし慎一郎は返事をせず、三本目のワイヤーロックをレールに通した。

「お前、頭がおかしいのか！」

男の怒鳴り声に、何人かの人たちが慎一郎の周囲に駆け寄ってきた。そして彼の異様な行動に気付くと、その体を摑んで線路から引き離そうとした。しかし、体はソイヤーロックでレールに結ばれていて、動かすことができない。

「何を考えているんだ、こいつ！」

踏切一帯は騒然となった。緊急車両のサイレンが鳴り響いた。すべての電車は上下線とも止まったようだった。

何人かがワイヤーロックを外そうと試みたが、四桁《けた》のダイヤルだけに容易に開錠することはできなかった。

「番号を言え！」

誰かが怒鳴ったが、慎一郎は口を噤《つぐ》んだ。

その時、「木山じゃないか」という声が聞こえた。驚いて声がした方に顔をやると、そこには運送会社の作業服を着た金田がきょとんとした顔をして立っていた。

「金田さん――」慎一郎は思わず言った。「湘南にいるんじゃ」

「会社から緊急の仕事を頼まれて、昨日、戻った」

踏切の外を見ると、トラックが停まっているのが見えた。そうだったのか。やはり彼が事故を引き起こす運命だったのだ。しかし、彼の体はもう透けていない——。

「お前こそ、こんなところで何をしてるんだ？」

金田が駆け寄ろうとしたが、それより前に鉄道会社の作業員らしき男たちが慎一郎の体に群がった。

誰かがボルトカッターを持ってきて、ワイヤーの切断に取り掛かった。慎一郎は「やめろ！」と怒鳴って、カッターを持っている男の手を掴もうとしたが、すぐに他の男たちに組み伏せられた。

慎一郎は線路に体を押さえつけられながら、カッターがワイヤーを一つずつ切断していく音を聴いた。

その時、自分を押さえつけている男の腕時計が見えた。時刻は九時十五分を指そうとしていた。電車は来なかった——事故は消えたのだ。そう思った瞬間、左胸にこれまで感じたことのない激しい痛みを覚えた。同時に目の前が真っ暗になった。

自分は今、遠いところに旅立とうとしているのだなと思った。そこには——両親と、そしてなつこがいる。

ああ、これが死か——。

エピローグ

葵は携帯ショップの休憩室で夕刊を閉じると、静かに目を閉じた。

新聞には、朝、男が蒲田駅付近の踏切に侵入して体を線路にくくりつけたという記事が載っていた。そのために何本もの電車が運転を見合わせたが、その男性は急性の心筋梗塞《しんきんこうそく》で死亡したと書かれていた。名前は伏せられていたが、葵にはそれが木山慎一郎だとわかっていた。

この日が来ることも知っていた。なぜなら、慎一郎は自分と同じ「目」を持っていたからだ。彼は事故を防ぐために自らを犠牲にしたのだ。

葵は誰もいない休憩室で回想した。慎一郎が私を誘ったのは、私の体が透けていたからだ。あの時、彼は私を助けようと思い、声をかけたのだ。まさか自分と同じ「目」を持つ人間に出会うとは夢にも思っていなかった。しかし慎一郎に惹《ひ》かれたのはそれが理由じゃない。彼が素朴で純真な男性だったからだ。

彼が最後まで悩んでいたのも知っていた。でも、私は彼に生きて欲しかった。弱い私がそうしたように、多くの人を見殺しにしてでも、生を選んで欲しかった。私との人生を選んでほしかった。

でも――彼は死を選んだ。その瞬間ははっきりと覚えている。私を優しく抱いている彼の腕と体がすーっと消えていくのが見えた。あの時の絶望的な気持ちは一生忘れられないだろう。

世間は木山慎一郎を頭の狂った男とみなすだろう。彼は甘んじてその汚名を着て死んだ。慎一郎がどれほど多くの人の命を救ったのか――それを知る者は私だけだ。彼がどれほど英雄的な勇気を持った男であるかを、大声で叫びたかった。しかし彼はそんなことは微塵《みじん》も望んでいないだろう。

慎一郎から店に速達が届いたのは今日の午後だった。封筒の中にはグリーティングカードが入っていた。

「メリー・クリスマス！　葵、ずっと言えなかった言葉を言うね。愛してる」

葵は、ばか、と呟《つぶや》いた。

あの夜、慎一郎さんは、私に「愛してる」と言ったのよ。そんな大事なことを覚えてないなんて——。

おかしくなって小さく笑ったが、次の瞬間、慎一郎は敢《あ》えてカードにその言葉を残したのだと気付いた。

葵の目から涙がこぼれ、頰を伝って落ちた。

解説

新井見枝香

新井見枝香は乗換駅の新宿駅で運良く座ることができた。降車駅まで五分ほどだったが、レジで立ちっぱなしだった足と腰を休めたかった。時刻は午後十時を過ぎていた。車内は混んでいた。

小さなため息をつきながら、正面に座った男を見る。百円の値札が付いた、カバーのない文庫本を広げるところだった。

男は老眼なのか、本を顔から遠ざけた位置で固定した。ほとんど腿《もも》の上だ。何を読んでいるのだろう。文庫本は出版社によって紙が違う。書店員の見枝香はその紙の色から、まず出版社を当てようと目を凝らした。職業病である。

見枝香は、うん？　と首をひねった。

本の端が欠けているような気がする。断裁機でばっさりという感じではない。一センチくらい、男から見て右上がなくなっている。

視力には自信があった。先日の健康診断では、二・〇だ。

男は、文庫本を腿に広げたまま、船を漕《こ》ぎ始めている。まだ座って三分も経《た》っていない。よほど退屈な本なのだろう。

おかげで遠慮なく見ることができるが、いくら目を凝らしても、どういう状態かわからない。

溶けたにしては断面がきれいだし、切り落としたにしては、切り口が曖昧《あいまい》だ。

降車駅に着いたので、サラリーマンの前を通ってドアに向かう。「あっすいません」よろけたふりをして本の端に手を伸ばすと、不思議なことが起きていた。「はにゃっ」消えているのに、触れるのだ。ないはずのところに、ある。

どの出版社の文庫なのか、一瞬触れただけではわからなかったが、もはやそんなことはどうでもよい。本の右端は、ぴしっと九十度、角が立っていた。

少し疲れているのだろうか。給料日前の金曜日。混雑するのは飲み屋だけではない。

駅前の書店は、シャッターをあげなくなって数年経ち、いつの間にかATMコーナーになっていた。

帰路にあるコンビニへ立ち寄る。真っ先に目指した本のコーナーには、ギャンブルや風俗の雑誌が多く並ぶが、何かが決定的に足りなかった。雑誌什器《じゅうき》の上の目線ラインに、棚が作り付けられている。しかしそこに何もない。分厚くて安い、廉価《れんか》版のコミックが並んでいたはずだ。

店員に尋ねようにも、まさかの金曜の夜に、ワンオペ体制。レジで上擦った声をあげている初老の男は、確かオーナー店長だ。私が物心ついたときには、この地で喫茶店をやっていた。

「なめらかモンブランプリンパフェ、持ち帰りで七個ですね」

いくら元喫茶店主とはいえ、彼は客席でタバコを吸って新聞を読んでいただけである。この年になって、まさか夜更《よふ》けにパフェを大急ぎで七個も作ることになろうとは夢にも思わなかっただろう。

レジの行列がぐんぐん伸び、レンジを早く開けろのアラームがピーピー鳴り、厨房《ちゅうぼう》の奥からドンガラガッシャンと聞こえてきた時点で、私はあきらめてコンビニを出た。表から見ると、本がないぶん、店の奥まで見通せた。喫茶店で飲んだバナナジュースの味は、もう思い出せない。

翌日出勤してみると、大変なことが起きていた。

本が消えている。文庫本の端っこどころではない。棚がスカスカ。平積みの本は無事だが、単行本の棚ざしは、ほぼ全滅。なんということだ。超大型窃盗《せっとう》団が夜中のうちに侵入して、本という本を持ち出し売り払ってしまったのか。

しかし、この店は百貨店の中にある。一晩中、制服警備員が巡回している。あれだけの量の書籍を搬出するには、この店のオープン時を考えると、男手が三十人いても半日かかる。

いったいどういうトリックで……。

さてここで話はようやく「フォルトゥナの瞳《ひとみ》」に戻る。戻るどころか、始めてさえもいなかった。

長すぎる前フリである。百田さんごめんなさい。

私は百田尚樹さんが好きだ。「ノアの方舟乗船《はこぶね》者リスト」を作っては更新している私だが、「海賊とよばれた男」を読んだとき、百田さんをリストに入れることにしたほどだ。

〝おもろいお話を作ってくれるおっちゃん〟枠での採用だ。

「海賊とよばれた男」の次はSFを書くと聞き、週刊新潮を買った。連載第一回目の感想。

「おもろい！　読むんやなかった！」

いきなり、電車の中で、腕が透けた男を目撃するのだ。なんだよ、腕が透けてるって！

こんなに先が気になる状態で一週間も放置プレイなんて、たまったもんじゃない。百万通りのその先を考えては、行き詰まり、己の想像力の貧弱さに死にたくなった。

そして唐突に、本格ミステリを匂《にお》わせて終わった書店員・新井の物語に戻る。棚から本が消えたと思ったが、よくよく見てみると、本はそこにある。ただ輪郭をうっすら残し、透けているのだ。「これってもしかして……」

電車の男が読んでいた本は、きれいだったが百円だ。コンビニの廉価版コミックは、売り切り御免だ。書店の棚に差さった単行本の多くは、刊行から時間がたったか、もともと少数しか刷られていないかのどちらかだ。そこに共通するのは、「版元品切れ重版未定」（※作家にとってもっとも恐ろしい状態）
どうやらその状態の本は完全に透けて視《み》える。もうすぐそうなる本は、一部が透けて視える。「もしかして……フォルトゥナの瞳？」

ここでまた唐突に、百田尚樹さんの話に戻る。

百田さんの書く小説は、全部違うのに全部おもしろい。それは全《すべ》てに共通して、熱がすんげぇからだ。熱い。超熱い！

口から生まれ出てきたようなおしゃべりよりも遥《はる》かに熱量が大きく、読者の心をドドドドッと燃えさかるグローブで連打し、ガーンとアッパーカットを決め込んだあとに、ぎゅーっと息が止まるほど強く抱き締め、一緒に泣いてくれる。その涙は、悔しさと痛みと喜びと感動がぐっちゃんぐっちゃんになって、顔面が溶けそうになるほど熱い。

「新井さん、おもろかったでっか？」

まさに「フォルトゥナの瞳」を読み終えた瞬間、百田さんのワクワクした子供みたいな声が聞こえた。このおっさん、ほんと暑苦しいなぁ、もう！

フォルトゥナの瞳を持つ書店員新井は、ガランとした棚の前で足を止めた。そこでひときわくっきりと、ハゲ頭に目立つ眉毛《まゆげ》のようにくっきりと、暑苦しいほどに存在感を放つ本を手に取る。

「ふうん、百年前の本か」

最後に一句。

《百田さん　百年経っても　だいじょうぶ！》

（二〇一五年十月、三省堂書店池袋本店主任）

この作品は平成二十六年九月新潮社より刊行された。

フォルトゥナの瞳《ひとみ》

新潮文庫　ひ－39－1

平成二十七年十二月一日発行
平成三十年十二月十日七刷

著者　百《ひゃく》田《た》尚《なお》樹《き》

発行者　佐藤隆信

発行所　株式会社新潮社

郵便番号　一六二―八七一一
東京都新宿区矢来町七一
電話　編集部(〇三)三二六六―五四四〇
読者係(〇三)三二六六―五一一一
http://www.shinchosha.co.jp

印刷・大日本印刷株式会社　製本・加藤製本株式会社

ISBN978-4-10-120191-7 C0193